フィナンシャル バンク インスティチュー

証券外務員

一種

2024-2025年版

必修テキスト

日本経済新聞出版

はじめに

　外務員資格は、証券会社や銀行などの金融機関で金融商品を取り扱う人にとって必須の資格です。外務員資格試験は一種外務員、二種外務員、特別会員一種外務員、特別会員二種外務員に分かれています。

　一種外務員と二種外務員では、許されている職務の範囲が異なります。一種外務員は、二種外務員が行うことのできる職務に加え、信用取引、先物取引、オプション取引、特定店頭デリバティブ取引等の職務に携わることが可能です。

　本書は、一種外務員試験の出題内容すべてをカバーした総合的なテキストです。証券会社や銀行などの金融機関への研修・受験指導を長年にわたって行ってきた弊社の経験・ノウハウと『2024年版 外務員必携』の徹底的な分析によって、初学者でも理解しやすく、効率的に学習できるテキストに仕上げました。

　短期間で一種外務員試験に合格するためには、幅広い内容を理解するだけでなく、良質な練習問題を繰り返し解く必要があります。本書と同時発売の『うかる！ 証券外務員一種 必修問題集 2024-2025年版』もあわせてご活用ください。

　読者の皆様が、本書を最大限に活用し、しっかり合格を勝ち取られることを心からお祈りしております。

2024年8月

　　　　　　　　　　　フィナンシャル バンク インスティチュート株式会社

　　　　　　　　　　　　　　　　　　CEO　山田 明

目　次

7章 金融商品の勧誘・販売に関係する法律

8章 付随業務

9章 債券業務

10章 投資信託及び投資法人に関する業務

11章 証券税制

12章 経済・金融・財政の常識

13章 証券市場の基礎知識

14章 セールス業務

目 次

本書の特長と使い方

学習効率を重視した記述

本書は『2024年版 外務員必携』に基づいて作成した、「一種外務員資格試験」対応のテキストです。

試験では『外務員必携』の語句や表現のまま出題されることが多いので、そのまま覚えるのが試験対策として有効です。そのため本書では、あえて一般的な表現に直さずに記載している箇所があります。理解を助ける図表や用語解説を付けたので、がんばって試験特有の語句に慣れましょう。

また、外務員試験合格のカギは、法律用語が多くボリュームもある「金融商品取引法」(金商法)の攻略です。本書では、金融業界になじみのない初学者も比較的イメージしやすい会社や株式の仕組みなどを先に学び、金商法がより理解しやすくなるようにしています。

フキダシ

具体例やポイント、受験テクニックなどを解説しています。

本書は2024年7月現在の法令に基づいて作成しています。法改正等により、刊行後に試験対策上修正すべき箇所が生じた場合、随時最新情報を弊社ウェブサイトに掲載します。試験では、関連法令・諸規則等に制度変更があった場合は新制度に基づいて出題されます。

無料のWEB模擬試験にも挑戦!
http://www.f-bank.co.jp/

| フィナンシャルバンク | 検索 |

問題集へのリンク

同時発売の『うかる！ 証券外務員一種 必修問題集 2024−2025年版』に完全リンク。テキストで学んだら、すぐに問題集を解いて知識を定着させましょう。

赤字・赤シート

重要な部分は赤字で表記。付属の赤シートを使うと暗記に便利です。

重要度

節ごとに3段階の重要度を明記。学習計画を立てる際の参考にしてください。

計算問題

計算式を暗記するだけでなく、使い方を身につけられるよう、なるべく例題を入れています。必ず解いてみましょう。

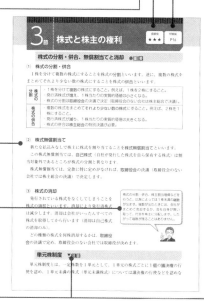

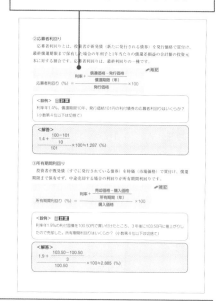

アイコン

アイコンが見出しに付いている場合はその項目全体を、
文中や文末に付いている場合は直前の1文または1段落をさします。

🌸 重要 🖊 暗記
試験での重要項目。正しく理解・暗記しておきましょう。

▼ 注意
間違えやすい部分。用語の定義や説明を正しく覚えましょう。

◁ 用語
難解な用語を詳しく解説しています。

☀ 理解
理解しづらい箇所。何度も読んで、しっかり理解しましょう。

▦ 計算
計算方法をマスターし、応用力をつけておきましょう。

ひっかけ
説明を入れ替えたひっかけ問題として出やすい箇所です。

資格・試験制度の概要

1 証券外務員とは

証券外務員とは、金融商品取引業者等（証券会社・金融機関等）で金融商品取引業務を行う者です。外務員になるには、試験に合格後、いずれかの金融機関等に所属し、氏名等を登録しなければなりません。

2 一種外務員資格試験について

日本証券業協会は2012年（平成24年）1月より、一種外務員資格試験（以下、一種試験）を一般に開放し、誰でも受けられる制度に変更しました。

一種試験は、日本証券業協会が主催しており、プロメトリック（株）が試験の申込受付をしています。詳細は実施機関のホームページ等をご確認ください。

受験資格	誰でも
試験実施日	原則として、月曜日から金曜日（祝日・年末年始等を除く）
試験会場	全国の主要都市に設置されている試験会場
試験時間	160分
試験の方法	出題・解答等は試験会場に備え付けられたパソコンで行う（マウス使用）
合否判定	440点満点のうち、7割（308点）以上の得点で合格
合格発表	試験終了後、画面に試験結果を表示またはメールにて「受験結果通知」を提供
申込先	プロメトリック（株） (1) オンライン 　　https://www.prometric-jp.com/examinee/test_list/archives/17 (2) 電話　03-6635-9408　受付：土日・祝日・年末年始を除く9時～18時

3 出題形式

問題形式	問題数	配点
○×方式	70問	1問2点
5肢選択方式 （5つのうち正解を1つあるいは2つ選ぶ）	30問	1問10点 （5肢択二は各5点）

4 出題科目と本書の該当箇所

　本書は学習のしやすさを重視した構成となっています。外務員試験の出題科目との対応は以下のとおりです。

一種出題科目		本書の該当箇所
法令・諸規則	金融商品取引法	6章　金融商品取引法
	金融商品の勧誘・販売に関係する法律	7章　金融商品の勧誘・販売に関係する法律
	協会定款・諸規則	5章　協会定款・諸規則
	取引所定款・諸規則	4章　取引所定款・諸規則
商品業務	株式業務	3章　株式業務 15章　信用取引
	債券業務	9章　債券業務
	投資信託及び投資法人に関する業務	10章　投資信託及び投資法人に関する業務
	付随業務	8章　付随業務
関連科目	証券市場の基礎知識	13章　証券市場の基礎知識
	株式会社法概論	1章　株式会社法概論
	経済・金融・財政の常識	12章　経済・金融・財政の常識
	財務諸表と企業分析	2章　財務諸表と企業分析
	証券税制	11章　証券税制
	セールス業務	14章　セールス業務
デリバティブ取引		16章　先物取引
		17章　オプション取引
		18章　特定店頭デリバティブ取引等

5 配点・出題形式について（推定）

　配点・出題形式についてはフィナンシャル バンク インスティチュートの推定によります。

	一種出題科目	配点	○×問題	5肢選択問題
1	金融商品取引法	32点	6問（12点分）	2問（20点分）
2	金融商品の勧誘・販売に関係する法律	6点	3問（6点分）	0問（0点分）
3	協会定款・諸規則	46点	8問（16点分）	3問（30点分）
4	取引所定款・諸規則	12点	6問（12点分）	0問（0点分）
5	株式業務[※1]	52点	6問（12点分）	4問（40点分）
6	債券業務	40点	5問（10点分）	3問（30点分）
7	投資信託及び投資法人に関する業務	34点	7問（14点分）	2問（20点分）
8	付随業務	10点	0問（0点分）	1問（10点分）
9	証券市場の基礎知識	12点	1問（2点分）	1問（10点分）
10	株式会社法概論	20点	5問（10点分）	1問（10点分）
11	経済・金融・財政の常識	20点	0問（0点分）	2問（20点分）
12	財務諸表と企業分析	20点	5問（10点分）	1問（10点分）
13	証券税制	22点	6問（12点分）	1問（10点分）
14	セールス業務	10点	5問（10点分）	0問（0点分）
15	先物取引[※2]	40点	0問（0点分）	4問（40点分）
16	オプション取引[※2]	34点	2問（4点分）	3問（30点分）
17	特定店頭デリバティブ取引等[※2]	30点	5問（10点分）	2問（20点分）
	合計	440点	70問（140点分）	30問（300点分）

※1　株式業務には信用取引（○×問題は1問：2点分、5肢選択問題は2問：20点分で合計22点分）を含みます。

※2　先物取引、オプション取引、特定店頭デリバティブ取引等は「デリバティブ取引等」という名称で出題されます。

1 章

株式会社法概論

会社法は、外務員試験で学ぶ金融商品取引法、協会定款・諸規則、取引所定款・諸規則といった法律系科目のベースとなる科目です。ここで会社に関する一般論をしっかりと身につけてください。

本試験においては、株式会社の特色、設立手続、株式の発行、株主の権利、株式会社の機関など幅広く出題されます。学習にあたっては、自分で会社をつくってみるつもりで進めるとよいでしょう。

すべて重要ですが必ず狙われるのは株式会社の機関です。それぞれの役割、その中でも株主総会と取締役会の決議事項は必出です。

また、新株予約権や新株予約権付社債、会社の再編における合併・分割についても出題されています。しっかりと得点できるようにしましょう。

推定配点&出題形式

○×問題：5問（10点）

5肢選択問題：1問（10点）

計**20**点／440点満点中

※配点・出題形式についてはフィナンシャル バンク インスティチュートの推定です。

1節 会 社

1 会社の種類

　会社法では、事業に失敗したときの責任の負い方や組織の特徴により、以下の4種類の会社を認めています。なお、保険会社にみられる相互会社は、協同組合に似た組織であり、会社法上の会社には含まれません。

①株式会社	社員（法律において「社員」は「出資者（株主）」を意味する）は、会社の借金などの**債務**について全く責任を負わない（**有限責任**◁**用語**）。
②合名会社	社員は会社に対して**出資義務**を負うだけでなく、会社の債務について、債権者（資金を貸してくれた人）に対して**直接・連帯・無限の責任**◁**用語**を負う。
③合資会社	**無限責任社員**（合名会社の社員と同じ責任を負う社員）が最低1名必要で、他に有限**責任社員**が1名以上いる。
④合同会社	社員は有限責任社員ばかり。アメリカのLLC（Limited Liability Company：有限責任会社）がモデル。▼**注意**

会社法では②③④をまとめて「持分会社」と呼びます。

◁**用語** --

有限責任：文字どおり、責任に限りがあることで、ここでは自分の出資金以上の支払義務がないこと。

無限責任：自分の出資金以上の債務の支払義務があること。

1 株式会社の特色

(1) 株式の発行

　株式会社が事業を行うには資金が必要です。株式会社は株式を発行することにより、広い範囲の者から資金を集めることができるので、大きな事業を行うことができます。

(2) 株主の有限責任

　株式会社が発行した株式を持つ株主には、会社が新たに資金を必要としても**追加出資**の義務はありません。また、会社が債務を払えなくなった場合でも、株主が会社債権者に対して**弁済の責任**を負うことはありません。これを**株主有限責任の原則**といいます。

(3) 資本金

資本金不変の原則	いったん定めた**資本金の額**を勝手に減らしてはならないという原則。
資本維持の原則	会社は公示した資本金の額に相当する財産を保持するよう努めなければならないという原則。
出資	会社を設立するときは、どれだけの出資を確保するかを**定款**で定める。従来の最低資本金制度はなくなり、現在は資本金1円の株式会社も設立可能。また、土地・建物や特許権など、金銭以外のモノを対価に株式を発行したりすることもできる（**現物出資**）。資産の所有者が金銭出資をし、その人から会社成立時に会社がその資産を買う約束をあらかじめしておくこと（**財産引受け**）も可能。現物出資及び財産引受けともに、**定款**に記載することが必要。
資本金の額 ▼注意	「資本金の額＝株式の払込金額×発行した株式数」であることが原則だが、発行時に決めれば、払込金額の2分の1以内は資本金に入れなくてよいとされている。資本金の額は登記し、貸借対照表で表示する。

株式会社は、欠損があるのに
①剰余金の配当をしてはなりません。
②自己株式を買い付けてはなりません。

⑷ 株式会社の分類

会社法では、株式会社をいくつかの区分に分けています。

①大会社　▼注意

資本金の額が5億円以上または負債総額が200億円以上の株式会社をいいます。大会社は他の会社よりも厳しい規制を受けます。

大会社への規制	・必ず会計監査人を置かなければならない。 ・貸借対照表だけでなく損益計算書も公告する。

さらに、大会社のうち公開会社は、監査等委員会、指名委員会等（指名／監査／報酬）、または監査役会のうち、いずれを置くか選択する必要があります。いずれにしても取締役会を欠かすことはできません。

②公開会社

その会社が発行する株式について、「譲渡の際に会社の承認が要る」と定款で定めていない会社をいいます。株式を上場している会社という意味ではありません。

公開会社への規制	・必ず取締役会を置かなければならない。 ・議決権制限株式は発行済株式総数の2分の1以下に抑える必要がある。

③△△設置会社

取締役会など、ある機関を備える会社はその機関名を頭につけて「△△設置会社」と呼ばれます。例えば、取締役会という機関を置いている会社は取締役会設置会社といい、監査役会という機関を置いている会社は監査役会設置会社といいます。

ただし、執行役は常に指名委員会等とセットになっており、別個に設置されることはありませんので、執行役設置会社という呼び方はせず、指名委員会等設置会社と呼びます。

2　設立の手続き

⑴　定款の作成

株式会社を設立するには、発起人（1人でも可能、法人でも可能）が定款（会社の目的・組織・活動などに関する根本規則）を作って署名します。いかなる理由があってもこの定款の作成は省略できません。また、定款は公証人の認証を受けなければなりません。

(2) 定款記載事項

定款に記載しなければならない事項（絶対的記載事項）は右のとおりです。

> ①会社の目的
> ②商号
> ③本店所在地
> ④設立に際して出資される財産の価額またはその最低額
> ⑤発起人の氏名または名称及び住所

(3) 一人会社

発起人は1人でもよいことから、株主が1人だけの会社（＝**一人会社**）を設立することも可能です。例えば、親会社が子会社の株式を全部持つ「完全親会社・完全子会社」の形態があります。

3 設立の種類・役員の選任・登記

(1) 発起設立と募集設立

株式会社の設立には、**発起設立**と**募集設立**があります。

発起設立	会社が設立に際して発行する株式の全部を、**発起人**だけで引き受ける設立方法。
募集設立	会社設立の際に発行する株式の総数のうち、**発起人**が一部を引き受け、残りを**株主募集**によって引き受けてもらう設立方法。

ひっかけ

(2) 取締役の選任

株式全部について、出資金額の履行が完了すると、**取締役**を選任します。選任された取締役は、会社の設立が適正に行われたかどうかを**調査**します。

(3) 登記

所定の手続きが完了すると設立の**登記**をします。登記によって会社は成立し、**法人格**が認められます。「会社の目的」など登記必要事項に変更があった場合は、定款変更の手続きを履行したうえで変更の登記をする必要があります。

4 設立の無効 ▼注意

会社の設立手続に重大な法令違反があると、会社の設立の無効が問題となります。設立の無効を主張できるのは**株主**と**取締役**（会社によっては監査役・執行役・清算人も可）に限られ、設立登記の日から**2年**以内に裁判所へ訴えることによってしか主張できません。

1 株式の分割・併合、無償割当てと消却 ❋重要

(1) 株式の分割・併合

1株を分けて複数の株式にすることを株式の分割といいます。逆に、複数の株式をまとめてそれより少ない数の株式にすることを株式の併合といいます。

株式の分割	・1株を分けて複数の株式にすること。例えば、1株を2株にすること。 ・発行済株式が増え、1株当たりの実質的価値は小さくなる。 ・株式の分割は取締役会の決議で決定（取締役会のない会社は株主総会で決議）。
株式の併合	・複数の株式をまとめてそれより少ない数の株式にすること。例えば、2株を1株にすること。 ・発行済株式が減り、1株当たりの実質的価値は大きくなる。 ・株式の併合は株主総会の特別決議が必要。

(2) 株式無償割当て

新たな払込みなしで株主に株式を割り当てることを株式無償割当てといいます。

この株式無償割当ては、自己株式（自社が発行した株式を自ら保有する株式）は割当対象外であるところが株式の分割と異なります。

株式無償割当ては、定款に特に定めがなければ、取締役会の決議（取締役会のない会社では株主総会の決議）で決定します。

(3) 株式の消却

発行されている株式をなくしてしまうことを株式の消却といいます。消却により発行済株式は減少します。消却は会社がいったんすべての株式を取得してから行います（消却は自己株式の消却のみ）。

どの種類の株式を何株消却するかは、取締役会の決議で定め、取締役会のない会社では取締役が決めます。

> 株式の分割・併合、株主割当増資などを行うと、比率によっては1株未満の端数が出ます。端数が出たときには、会社がまとめて売却するか、会社自身が買い取って、代金を株主に分配します。したがって端数が残ることはありません。

2 単元株制度 ▼注意

単元株制度とは、一定株数を1単元として、1単元の株式ごとに1個の議決権の行使を認め、1単元未満の株式（単元未満株式）については議決権の行使などを認めな

い制度のことです。単元株制度を採用すること及びひとくくりの数をいくらにするかは定款で定めます。ひとくくりの数は、1,000以下かつ発行済株式総数の200分の1以下とされています。

1単元の大きさを**単元株式数**と呼び、株式の種類ごとにその数を決めます。

単元株制度をとる会社の株式で、単元株未満の株式を保有する株主を単元未満株主といいます。単元未満株主の権利と投資の回収は以下のとおりです。

単元未満株主の権利	・議決権なし（株主総会の招集通知もなし） ・剰余金分配請求権や残余財産分配請求権はあり
単元未満株主の投資の回収	投資を回収したいときは単元未満株式を会社に買い取ってもらう。また、定款に定めがあれば、単元未満株式を会社から売ってもらい、手持ちの分とあわせて1単元にすることもできる。

剰余金分配請求権などその他の権利は、会社が定款で定めると、単元未満株主には与えられません。

3　株式の種類

株式は誰が所有しても権利の内容は変わりませんが、定款によって権利に様々な修正を加えることができます。例えば、会社が発行する全部の株式について修正することも、一部の株式について異なる権利内容を定めることも可能です。後者の場合は2種類以上の株式が併存することになります。そのような会社を**種類株式発行会社**と呼びます。

(1)　剰余金の分配に関する種類株式

（配当）優先株	ある種類の株式にまず一定率の配当をし、残った**剰余金**から他の株式に配当する場合、前者の株式を優先株という。
普通株	一般的に最も中心的に発行されている株式。
後配株（劣後株）	一般の株式に配当した残りの剰余金からしか配当を受けられない株式。

(2)　残余財産の分配に関する種類株式

会社が解散したときの残余財産の分配について、扱いの異なる種類の株式を発行することもできます。

(3)　議決権制限株式

議決権が全くない株式のほか、株主総会決議事項の一部についてだけ議決権がある

株式を発行することもできます。完全な議決権のある株式以外はすべて**議決権制限株式**です。公開会社では、議決権制限株式の合計が発行済株式総数の2分の1を超えると、2分の1以下にするための措置をとらなければなりません。

⑷ 譲渡制限株式

譲渡に会社の承認が必要な株式です。全部の株式について譲渡を制限することもできますし、ある種類の株式だけ譲渡を制限することもできます。

⑸ 取得請求権付株式

株主が請求すれば会社が買い取ることを、発行のときから約束している株式です。金銭を対価にするのが通常ですが、その他の財産を対価にすることもできます。

⑹ 取得条項付株式

取得のイニシアチブをとるのが株主ではなく会社になっているのが取得条項付株式です。金銭を対価にするのが通常ですが、その他の財産を対価にすることもできます。

4 株主の権利

⑴ 自益権と共益権

株主の権利には**自益権**と**共益権**があります。

自益権	剰余金や残余財産の分配を受ける権利などのように、その株主個人の利益だけに関係する権利。	ひっかけ
共益権	議決権や各種の訴権（株主代表訴訟など）のように、その行使が株主全体の利害に影響する権利。	

⑵ 少数株主権と単独株主権

少数株主権	・一定割合以上の議決権を持った株主だけが行使できる権利。 ・株主の提案権、取締役・会計参与・監査役の解任を求める権利や帳簿閲覧権などがある。 ・少数株主にはいくつかの権利が与えられているが、濫用を防止するために持株の要件がある。	ひっかけ
単独株主権	1株しか持たない株主でも行使できる権利。	

⑶ 株主平等の原則

同じ種類の株式には、すべて同じ内容の権利があり、株主は**持株数**に比例して会社に対する権利を持っています。

1 株式の譲渡の自由と定款による制限

(1) 自由な譲渡とその制限

株主にとっては、投資の回収は株式の譲渡による以外にないので、株式には強い譲渡性が必要となります。一方で、望ましくない株主を排除するために、会社はこの譲渡性に制限を加えることができます。会社が発行する全部の株式について譲渡を制限したり、一部の種類の株式だけ譲渡を制限することもできます。

(2) 譲渡制限の定め

株式の譲渡が制限されると、株主が投資を回収するのが不便になるので、譲渡制限を新しく設ける定款変更手続は厳格です。具体的には、全部の株式について譲渡を制限する場合は、株主総会で議決権を行使することができる株主の頭数で2分の1以上、議決権の3分の2以上が賛成する必要があります（特殊決議）。この要件は定款で加重できますが軽減はできません。

この定款変更に反対の株主は、持株の買取りを会社に請求することができます。また、株式の譲渡が制限されることは登記によって公示し、株券にもそのことを記載する必要があります。

2 自己株式（金庫株）の取得

会社が自社の発行する株式を取得すると、出資の払戻しと同じことになります。また、自己株式の取得は株価操作や取締役の地位防衛の手段になる等、株価によっては株主に不平等をもたらします。

このような弊害を防止するため、自己株式の買受けや処分については、手続き、財源、取得方法や取締役の責任などが定められています。株主総会が株式数・対価や期間（1年以内）を定めて決議すれば、会社は自己株式を取得することができます。

決議	取得の相手株主を特定しない限り、株主総会の普通決議で足りる。この総会決議は、定めた枠の範囲内で取得することを、取締役会（設置しない会社では取締役）に授権するもの。
財源	配当に回すことのできる剰余金のみ。
取得方法	市場取引、公開買付け、特定の株主からの取得。

会社が取得した自己株式は、消却や処分をしてもよく、そうしないで保有しておくこともできます。▼注意

保有していると会社自身が株主ですが、**議決権**や**剰余金**の配当を受ける権利などはありません。自己株式を処分すればその相手が株主になり、新株発行をするのと同じ結果になります。処分の相手や価格の定め方が不公正にならないよう、新株発行と同じ手続きで行う必要があります。

3 その他の譲渡制限

(1) 会社の設立登記前や新株発行前での譲渡

会社の設立登記前や新株発行前には、まだ株式はありません。この段階で株式引受人の地位（**権利株**）を譲渡しても、当事者間では**有効**ですが、会社との関係では**無効**となります。

(2) 独占禁止法による譲渡制限 ▼注意

独占禁止法上、金融会社がある会社の株式の**5％超**を持つことは原則として禁止されています。

(3) 子会社による親会社株式の取得

議決権の多数を所有するとか、取締役の多数を派遣するなどして、A社がB社の財務及び事業の方針の決定を支配しているとき、A社を**親会社**、B社を**子会社**といいます。子会社が親会社の株式を取得することは原則禁止されています。会社の合併や分割などの例外がありますが、その場合も相当の時期に処分しなければなりません。

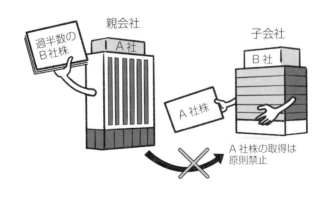

5節 株券と株主名簿

1 株券と不発行

　会社法は、株券のない会社を原則としています。株券を発行しようとする会社は定款にそのことを定める必要があります。このような定款規定のある会社を**株券発行会社**と呼びます。株券発行会社は、株式を発行すれば遅滞なく株券を発行する必要がありますが、公開会社でない会社の場合は、株主から請求があるまでは株券を発行しなくてよいとされています。

2 株券の記載

　株券には、会社の**商号**や**株式数**などを記載し、**代表取締役**（指名委員会等設置会社では代表執行役）が署名または記名押印します。

3 名義の書換え

　株式の譲渡や相続があっても、外部からはわかりません。そこで、会社法では、株式の移転があっても、株主名簿に名義書換えがなされるまでは、会社との関係では移転があったといえないことにしています。

4 株主名簿と基準日

　株主総会の招集通知、剰余金の配当、新株割当通知などは、**株主名簿**に記載された株主宛に送る必要がありますが、株主はたえず変動します。

　会社は、権利を行使することのできる株主を確定するため、一定の日（基準日）に**株主名簿**に載っている株主に権利を行使させることができます。基準日と権利行使日との間は３か月以内でなければなりません。また、定款で指定していない基準日を臨時に設けるには２週間前までに公告が要求されます。

5 株券電子化

　「社債、株式等の振替に関する法律」は、株式・社債・新株予約権・国債など23の有価証券をまとめて「**社債等**」と定義します。また、**振替株式**とは、①発行会社の定款に株券を発行する旨の定めがなく、②譲渡が制限されない、③株式をその振替機関が取扱うことに発行会社があらかじめ同意しているものをいいます。

1 株式会社の概要

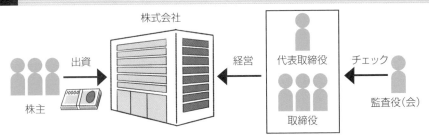

　株式会社は**株式**を発行して資金を調達します。その際、出資をして株式を取得する者が**株主**です。株主には、出資の見返りとして**自益権**や**共益権**などの権利が与えられます。法的には会社の基本的事項は**株主総会**で意思決定しますが、実務的には**取締役**や**代表取締役**がこれを行います。また、株式会社の運営が適切に行われているかチェックする必要があるので、**監査役（会）**などがこれを行います。

　そして株式会社は、**財務諸表**を作成して活動成果を株主総会で報告します。

　株式会社の機関は以下のとおりです。

①株主総会　　　　④監査役　　　　　⑦会計参与　　　　　⑩執行役
②取締役　　　　　⑤監査役会　　　　⑧監査等委員会
③取締役会　　　　⑥会計監査人　　　⑨指名委員会等（指名／監査／報酬）

　このうち株式会社に必ず必要となる機関は、**株主総会**と**取締役**です。**注意**

2 株主総会

　株主総会は株主全員が構成する会議体の機関であり、定められた手続きで会議を開き決議や報告が行われます。しかし、例外的に会議を開催せずにすませてよい場合があります。議決権を行使できる株主の全員が、書面や電磁的記録で同意を示すと、その事項は総会が可決したとみなされます。

(1) 株主総会の招集

　株主総会には、**定時総会**と**臨時総会**の2種類があります。

	定時総会	臨時総会
開催	毎決算期に1回、その年度の成果を確認するために開催。	必要に応じて開催。
招集	定時総会、臨時総会ともに、日時・場所・議題を**取締役会**が決定し、代表取締役が**2週間前**までに招集通知を出す必要がある。例外的に、公開会社ではない会社は、1週間前に出せばよく、定款でこの期間をもっと短縮できる。さらには議決権のある株主全員の同意があれば、招集手続きなしで開催することもできる。	
決議	招集通知に議題として掲げていない事項について決議するのは違法。ただし、取締役会を置かない会社では、株主総会で決議できる事項は無限定。	
株主総会の招集	議決権総数の**3％以上**を（公開会社では引き続き6か月以上）持つ**少数株主**は、取締役に**株主総会の招集**を請求し、拒否されれば裁判所の許可を得て自分で株主総会を招集することができる。	
提案権の行使	取締役会設置会社の場合、議決権総数の**1％以上**または**300個以上**の議決権（単元株制度をとる会社では**300単元**）を（公開会社の場合は引き続き6か月以上）持つ株主には、**提案権を行使**して、議題を株主総会に追加させることが認められている。	

(2) 議決権　▼注意

①1株1議決権の原則（単元株制度をとる場合は1単元1議決権）

　株主総会においては、株主の頭数ではなく、**投下した資本の額**に応じて議決権が与えられます。ただし、会社が持っている**自己株式**には議決権がありません。また、持合株式の抑制のため、以下の制限があります。

> A社がB社の議決権総数の4分の1以上を持つとき、B社がA社株を保有してもそれには議決権はない。■例外 ▼注意

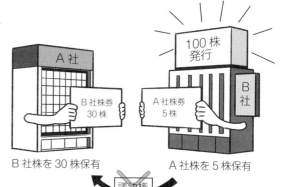

B社株を30株保有　　A社株を5株保有

B社には、A社の株主としての議決権はない

②議決権の行使

　株主本人が株主総会に出席する必要はなく、**代理人**に議決権を行使させてもよいとされています。

③株主総会に出席しない株主

株主総会に出席しない株主は、**議決権行使書面**（書面投票用紙）に賛否を記入して会社に送る方法で決議に参加できます。

(3) 決議

決議には、**普通（通常）決議**と**特別決議**に加えて**特殊決議**があります。

①普通決議（通常決議）	議決権総数の過半数を持つ株主が出席し（定足数）、その出席株主の議決権の過半数の賛成により成立。
②特別決議	議決権総数の過半数を持つ株主が出席し（定足数）、その出席株主の議決権の3分の2以上の賛成により成立。
③特殊決議	議決権を行使できる株主の頭数で半数以上、かつ議決権の3分の2以上の賛成により成立。

ひっかけ

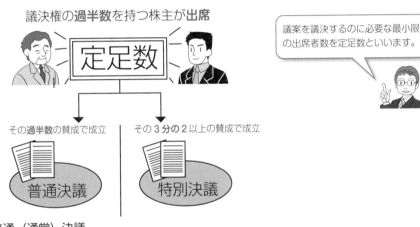

議決権の**過半数**を持つ株主が**出席**

定足数

議案を議決するのに必要な最小限の出席者数を定足数といいます。

その**過半数**の賛成で成立　普通決議

その**3分の2**以上の賛成で成立　特別決議

①普通（通常）決議

株主総会の普通決議（通常決議）による決議事項は以下のとおりです。

- ●取締役・監査役・会計参与・会計監査人の選任
- ●取締役・会計参与・会計監査人の解任
- ●取締役の報酬（取締役の報酬は、株主総会または定款で定めるものとされる）
- ●計算書類の承認

②特別決議　✏️暗記

株主総会の特別決議による決議事項は以下のとおりです。

- ●特定の株主からの自己株式の取得
- ●株式併合
- ●取締役会がない会社の新株発行
- ●**監査役**の解任
- ●取締役・監査役・会計参与・会計監査人・執行役の責任の軽減
- ●**資本金**の額の減少
- ●金銭以外の財産による配当
- ●**定款変更**・事業譲渡・**解散**・清算
- ●組織変更・合併・会社**分割**・株式交換・株式移転・株式交付　など

③特殊決議

株式譲渡の制限を定めた定款を変更する決議などがあります。

(4)　議事録

株主総会の議事録は本店（**10年**）、支店（写しを**5年**）に備え置き、株主と会社債権者の閲覧に供されます（請求に応じて見せなければなりません）。

3　取締役

(1)　取締役の必要人数

取締役会を置く会社には、取締役は**3人**以上必要です。取締役会を置かない会社では、取締役は1人いれば足ります。

(2)　取締役の任期

取締役の任期は原則**2年**以内ですが、短くすることは可能です。また、公開会社でない会社では定款で**10年**まで延ばすことも可能です。

(3)　取締役の選任・解任

取締役は株主総会の**普通決議**で選任され、任期が満了する前でも株主総会の**普通決議**で解任されます。

なお、不正行為をした取締役の解任が否決されたとき、議決権または発行済株式の3％以上を（公開会社の場合は引き続き6か月以上）持つ**少数株主**は裁判所にその取締役の**解任**を請求することができます。

⑷　欠員の場合

　取締役に欠員が出た場合、新取締役が就任するまでの間、**退任取締役が職務を続け**ることになります。なお、取締役の退任により取締役の員数が法定数を欠けた場合でも、その会社の監査役に取締役を兼任させることはできません。

⑸　取締役の報酬

　取締役の報酬は、**定款**または**株主総会決議**で定められるものとされています。金額が確定しない報酬は算定方法を、金銭以外の報酬は具体的な内容を定めます。

⑹　社外取締役

　社長など執行部の独走を防ぎ、適正な経営を保つためには、公正な立場で判断し、執行部に対して直言できる取締役が必要です。そのような人たちを社外取締役と呼びます。

　社外取締役になるには要件があり、例えばその会社または子会社の業務執行取締役・執行役・従業員、あるいは**過去10年内**にそのような地位についたことがある人は社外取締役になれません。

⑺　取締役など役員の責任

　取締役など役員が任務を怠って会社に損害を与えたときはその**賠償責任**を負います。この責任を免除するには、原則として**株主全員**の同意が必要とされます。
〈取締役など役員の会社に対する責任軽減〉
　会社に対する賠償責任を、一定限度で頭打ちにすることができます。具体的には次の方法で行います。

①責任が発生した後に、株主総会の特別決議で軽減する。
②あらかじめ定款に定めておき、発生後に取締役会の決議で軽減する。
③報酬2年分で頭打ちにできる役員の場合は、定款の定めに基づいて責任軽減の契約を結ぶこともできる。

ただし、責任軽減できるのは、単純に**任務を怠った**ことの責任に限ります。利益供与・利益相反取引・違法配当などの責任は軽減できません。

(8) 競業と利益相反取引の制限

取締役は、以下の場合には、取引の重要事実を説明して、**取締役会**（設置しない会社では株主総会）の承認を受ける必要があります。

> ①会社の事業と同種の取引をしたり、競争会社の代表者として取引をする
> ②取締役が**会社と取引**をする
> ③取締役の債務を会社が保証する　など

4 取締役会

取締役会は任意設置の機関ですが、ここでは取締役会設置会社について学習します。

(1) 取締役会

取締役会はすべての取締役で組織する会議体の機関で、以下の職務を行います。

> - 取締役会設置会社の業務執行の決定
> - 代表取締役の**選定及び解職**
> - 取締役の職務の執行の監督

(2) 取締役会の決議事項　✐暗記

取締役会の決議事項は以下のとおりです。

> - 重要財産の処分や譲受け・多額の借財・重要な人事・支店の変更・内部統制システムの整備
> - **社債**の発行
> - **募集株式**の発行
> - 新株予約権の発行　など
> - 株主総会の**招集**
> - **代表取締役**の選定・解職
> - 株式の分割
> - 準備金の資本組入れ

(3) 決議

決議は取締役の**過半数**が出席し、その出席取締役の**過半数**をもって決定します（決

議は**頭数**の多数によります）。また、取締役は株主と違って決議の**代理人**の投票は認められません。さらに決議の公正を期すため、決議に特別の利害関係を持つ取締役は投票してはならないとされています。

(4) 議事録

　取締役会の議事録は**10年間**本店に備え置く必要があります。

5 代表取締役

　代表取締役とは、会社の業務執行を行い、対外的に会社の代表者として行動します。

- 取締役会設置会社には**代表取締役**が**1名**以上必要。代表取締役は、取締役会で取締役の中から選定。
- 代表取締役は株主総会や取締役会の決議を執行。
- 代表取締役は会社の業務に関する一切の行為について権限を持つ。

　なお、指名委員会等設置会社では、（代表）執行役が代表取締役の役割を担うので代表取締役を置きません。

6 監査役

　監査役は、取締役や会計参与の職務の執行を監査する職責を負います（**業務**監査・**会計**監査）。取締役会を置く会社には監査役が必要です。ただし全部の株式に譲渡制限が付いている場合、会計参与を置けば監査役は必要ありません。

　会計監査人を置く会社にも**監査役**が必要です。

　監査等委員会設置会社と指名委員会等設置会社には、**監査役**を置くことはできません。

- 株主総会の**普通決議**で選任、**特別決議**で解任される。
- 任期は**4年**。ただし、全部の株式に譲渡制限を付けた会社は定款で10年まで延ばすことができる。
- 監査役は、会社または子会社の取締役・会計参与・執行役や使用人を兼ねることはできない。

7 監査役会

監査役会は監査役全員で組織する会議体の機関です。

- 公開会社である大会社が、監査等委員会設置会社・指名委員会等設置会社のどちらでもない場合は**監査役会**の設置が必要。
- 監査役会を置く会社の監査役は**3名**以上、その**半数**以上は社外監査役でなければならない。
- 監査役会設置会社では、監査範囲を会計監査に限定することはできない。

8 会計監査人

会計監査人は、計算書類とその附属明細書の監査を行います（決算監査）。この職務を果たすためには、日頃からたえず監査している必要があり（期中監査）、そのための調査権限が与えられています。

- **大会社**はすべて会計監査人を置く必要がある。また、監査等委員会設置会社と指名委員会等設置会社にも会計監査人が必要。
- 会計監査人になることができるのは、**公認会計士**か**監査法人**に限られ、しかも会社と**利害関係**が密な者は除かれる。▼**注意**
- 会計監査人の選任・解任は株主総会の**普通**決議で行うが、職務の遂行に支障がある場合などには監査役全員の同意で解任することができる。
- 任期は**1年**だが、定時総会が特に不再任を決議しない限り、自動的に**更新**される。

9 会計参与

　会計参与は取締役と共同して計算書類などを作成します。ですから監査の機関ではありません。

- ●会計参与になることができるのは、**公認会計士**・**監査法人**・**税理士**・税理士法人。
- ●取締役会設置会社でも、株式全部に譲渡制限を付けていると、会計参与を置けば監査役を設置しなくてすむ。
- ●会計参与の選任・解任は株主総会の普通決議で行う。
- ●任期は**2年**だが、株式全部に譲渡制限を付けた会社は定款で**10年**まで延ばすことができる。
- ●計算書類などを承認する取締役会に出席して意見を述べる義務がある。

---

10 指名委員会等設置会社

　指名委員会等設置会社は「実際の経営にあたる人と、経営の基本方針を立てその遂行状況を監視する人とを分離するほうが、適正な経営を実現しやすい」という考えに基づいて設計されました。

　指名委員会等設置会社では、会社の業務を執行するのは取締役会が選任する**執行役**で、これに幅広い権限を委ねます。取締役会は経営方針の策定や役員人事など、根幹にかかわる重要事項だけを決めます。執行役を兼ねない取締役は、業務執行に関与できません。

　このタイプの会社は、**監査委員会**、**指名委員会**、**報酬委員会**という3つの委員会を置きます。

監査委員会	取締役や執行役の職務の執行を監査するほか、会計監査人の選任・解任・不再任の議案を決める。取締役との訴訟で会社を代表するのも、原則として監査委員。この委員会があるから、委員会設置会社には**監査役**を置かない。
指名委員会	取締役の選任・解任について、総会に提出する議案を決める。
報酬委員会	取締役及び執行役が受ける報酬の内容を個人別に決定する。

　どの委員会も、そのメンバーは取締役会が選ぶ**3名**以上の取締役であり、**過半数**は社外取締役です。監査委員はさらに、子会社も含めて執行役・業務執行取締役・使用人を兼任できません。

11 監査等委員会設置会社

　日本の大会社の多くは**監査役会設置会社**です。

　国際的にも通用しやすい株式会社の設置形態として、指名委員会等設置会社がすでに存在しますが、2014年の会社法改正で、監査役会設置会社と指名委員会等設置会社の中間形態といえる、**監査等委員会設置会社**の制度を設けました。

　監査等委員会設置会社には、**取締役会**と**代表取締役**があり、この点は監査役会設置会社と同じですが、取締役会内部の**監査等委員会**（3名以上で過半数が社外取締役）が監査の職務を行いますので、監査役は置きません。監査等委員は取締役ですが、役割の違いから他の取締役とは区別して選任されます。監査等委員は、報酬も区別して定められ、任期は他の取締役が原則1年なのに対し2年が確保され、解任は株主総会の特別決議によらなければなりません。

1 計算書類

(1) 作成と承認

株式会社は決算期に以下の書類を作成します。

①貸借対照表　　　④株主資本等変動計算書

②損益計算書　　　⑤個別注記表

③事業報告　　　　⑥附属明細書

これらの書類については、以下の過程を経なければなりません。

- それぞれの会社が備える**監査機関**の監査を受ける。

↓

- 監査を受けた後、**取締役会**の承認を受ける。

↓

- 定時株主総会の招集通知に際して、通知の方法に応じて書面や電子メールなどにより、計算書類、事業報告及び監査報告を株主に提供する。

↓

- 計算書類は定時株主総会に提出して承認を受けるが、**事業報告**についてはその内容を報告する。ただし、取締役会設置会社では、会計監査人とその他の監査機関の監査報告が計算書類をすべて適法と認める意見であれば、計算書類についても内容の報告だけで足りる。

↓

- 定時株主総会が終わった後、**貸借対照表**（大会社は**損益計算書**も）を公告する。ホームページなどを使う方法でもよく、官報や日刊新聞紙を使う会社は要旨を公告すれば足りる。

議決権または発行済株式の３％以上を持つ少数株主には次の権利があります。

- もっと詳しく調べるには━━━→**帳簿閲覧権**の行使
- 経営に不正の疑いがあるときは→**裁判所**に申し立て、会社・子会社の状況を調査するための検査役を選任してもらう

2 法定準備金

(1) 法定準備金

法定準備金は法律によって積立てを**強制**しているものであり、**資本準備金**と**利益準備金**からなっています。

資本準備金	株式の払込金額のうち資本金に組み入れない部分や、合併・会社分割・株式交換・株式移転・株式交付の差益金をここに入れる。
利益準備金	配当などを剰余金から支出するたびに、その**10分の1**以上を積み立てなければならないが、資本準備金との合計が**資本金の4分の1**に達した後は積み立てなくてもよいとされている。▼**注意**

また、**資本金と準備金の合計額**に相当する資産を留保したうえでなければ、剰余金の配当や自己株式の買受けはできません。

(2) 法定準備金の減少

資本準備金は、増資を続けるといくらでも増え続けます。増資をすると、払込金額の半分までは、資本金に入れずに資本準備金としてよいので、株価の高い会社では特にその額が大きくなります。準備金が多いことは財務面では望ましいのですが、法定準備金は使途が限られているため会社運営の面からは不便であるといえます。

準備金の額は株主総会の決議によって減少することができます。減らした分を会社が自由に使える剰余金にする場合は、債権者のための拘束から解かれることになるため、債権者保護の手続きをとらなければなりません。

3 剰余金の配当 ▼注意

(1) 配当の財源

　株式会社では剰余金があるときしか配当は認められません。配当に回すことのできる分配可能額は、貸借対照表の**資産**の額から**負債**の額を引いて**純資産額**を出し、純資産額から資本金の額と法定準備金、その他法令が定める額を引くことによって計算されます。

分配可能額がないのに行われた配当（たこ配当）は無効となります。会社債権者は、株主にそれを返還するよう要求できます。▼注意

(2) 配当の決定、その他

- ●剰余金の配当は**その都度**、株主総会で決議。この決議は定時総会である必要はない。決算期とは別に臨時決算日を定め、その日現在の臨時計算書類を株主総会、または要件を満たせば取締役会で承認すると、それに基づいて年に**何度でも**配当できる。
- ●配当は金銭以外の財産を支給する方法ですることもできる（**現物配当**）。
- ●取締役会設置会社は、**定款**に定めておけば、**期央**に１回、**取締役会**の決議で金銭配当をすることができる（**中間配当**）。期末に欠損になるおそれのないことが必要であり、年度末に欠損が生じれば取締役が責任を問われる。

4 資本金の減少

　資本金の額を減少するには、株主総会の**特別決議**が必要です。ただし、欠損を穴埋めするだけのために定時総会で決議する場合は、**普通決議**で足ります。▼注意

8節 新株発行・社債

重要度 ★★　問題集 P28

1 新株発行

(1) 授権資本制度　⚠️注意

会社を設立するときは、定款に定めた**発行可能株式総数**の**4分の1**以上を発行すれば足ります。残りは必要に応じて、**取締役会**の決議で随時発行できます。また、定款を変更して、発行可能株式総数の枠を広げることができますが、発行済株式数の**4倍**までしか増やせません。

なお、全部の株式に譲渡制限を付ける会社では、設立時の発行が4分の1未満でよく、定款変更で4倍超にしてもよいので、一挙に多額の増資をすることができます。

(2) 新株発行の手続き

①増資の方法

株主割当て	現在の**株主**に、持株数に比例して新株を割り当てる方法。この方法による発行価額は、時価よりかなり低くすることが多くなっている。
公募 （時価発行）	株主割当ての方法をとらない場合には、会社の財務内容に見合う公正な額を発行価額にすることが必要。
第三者割当て	原則として公募と同じ考え方をとるが、**提携先・取引先・従業員**などに、時価より著しく低い価額で新株を割り当てたいときは、それが必要な理由を示し、株主総会の特別決議を経なければならない。

②発行決議

発行条件は**取締役会**決議で決めます。市場価格のある株式を公正な価額で発行する場合は、発行決議で払込金額そのものを決めなくても、**決定方法**を定めておけばよいこととなっています。

(3) 新株予約権

新株予約権者が新株予約権を行使すると、会社はその者に新株を**発行**するか、手持ちの**自己株式**を移転しなければなりません。

権利行使の際に払い込む金額はあらかじめ決まっているので、株価がそれより高いときに行使すれば利益が得られます。株価が低いときは権利を行使せずに見送ればよいので、新株予約権を有償で取得した者も、その対価を超えて損をすることはありません。新株予約権は、インセンティブ報酬として取締役や従業員に発行する形をとれば

ストック・オプションと呼ばれます。また、有償で発行すれば資金の調達にも使えます。

公開会社では、新株予約権は**取締役会**の決議で発行します。株主以外の者に特に有利な条件で発行するには**株主総会**の特別決議が必要です。

新株予約権はその行使期間内であれば行使できます。行使に際しては所定の金額を銀行などの払込取扱機関に払い込み、この行使をした日に株主になります。会社自身は自己の新株予約権を取得することはできますが、それを**行使**することはできません。

2 社債

社債は長期借入金の一種であり、有価証券の形をとります。

社債の発行	社債の発行は取締役会の決議事項。取締役会を設置しない会社では取締役が決定する。
社債権者（社債を購入した人）の保護	社債を募集するときは、原則として、銀行等を**社債管理者**（参照▶9章2節）として定めなければならない。
新株予約権付社債	新株予約権を付けた社債のこと。株価が高くなっていても、社債権者は、あらかじめ定められた行使価額を払い込むことによって、一定数の株式を取得できる。 新株予約権付社債には以下の2つのタイプがある。 ・社債権者が新株予約権を行使する際に払込みをし、社債を保有し続けたまま株主になるもの。 ・新株予約権が行使されたときに、社債を繰り上げて償還し、その金額を新株の払込みに充当するもの。従来の転換社債に相当するので、**転換社債型新株予約権付社債**（参照▶9章5節）と呼ばれる。 新株予約権付社債は、新株予約権と社債のどちらかが消滅するまでは、**両方を一体としてしか譲渡できない。**

9節 組織の再編

1 合併

　2つ以上の会社を1つにすることを会社の**合併**といいます。合併には、**新設**合併と**吸収**合併があります。

新設合併	当事会社の全部が解散して新会社を設立する方法。
吸収合併	当事会社の1つが存続して他の会社を吸収する方法。

　どのケースでも、**解散**する会社の**権利義務**が包括的に**新設**会社または**存続**会社に移転します。解散会社の株主は、その株式と交換に新設会社または存続会社の**株式**あるいは金銭その他の財産を交付されます。**注意**

2 会社の分割

　会社の1部門を切り離し、別会社として独立させることを**新設分割**といい、切り離した部門を既存の別会社にくっつけることを**吸収分割**といいます。会社の分割は事業譲渡と違って、その部門を構成する**権利義務**が個別に移転されるのではなく、部門ごと**一括**して承継されます。

　株式会社が新設分割をするに際し、新設される会社が発行する株式を分割会社（元の会社）の株主に割り当てることも可能です。

　新設分割をするには、分割計画書に株式の割当てその他の重要事項を記載し、株主総会の**特別決議**でそれを承認します。吸収分割をするには、分割会社と承継会社の間で吸収分割契約を結び、それを両社の株主総会の**特別決議**で承認します。

　分割に反対の株主は株式買取請求権を行使できます。分割の無効は**6か月内**に起こす訴えによらないと主張できませんし、分割を無効とする判決の効力は過去に遡りません。

3 株式交換 ▼注意

　株式交換とは、A社がB社の発行済株式全部を取得しようとするとき、両者の間で株式交換契約を結び、B社の株主が持つB社株をそっくりA社が発行する新株または保有中の自己株式と交換することをいいます。この場合、A社は資金を使わずに**完全親会社**となり、B社はその**完全子会社**となります。

4 事業の譲渡

　他の会社の事業を譲り受けることで、会社の規模を拡大できます。この場合は合併と違って、事業を構成する財産を**個別**に移転することが必要です。譲受けの対価は金銭その他の財産です。

　譲渡する側の会社では、事業全部を譲渡する場合はもちろん、事業の重要な一部を譲渡する場合も、株主総会の特別決議が必要です。なお、事業全部を譲渡しても、対価で別の事業をすることもできますから、会社は当然には解散しません。

　また、事業の譲渡や譲受けに反対する株主は、株式買取請求権を行使することができます。

5 組織変更

　株式会社は一定の手続きを行えば、その組織を変更して、合名会社、合資会社または合同会社にすることができ、逆に合名会社、合資会社または合同会社を株式会社にすることもできます。

6 会社の解散

　会社は、合併や破産、定款に定めた**存続時期**の満了によって解散するほか、株主総会の**特別決議**によっても解散します。

財務諸表と企業分析

2章

　まずは貸借対照表と損益計算書の仕組みを理解し、これらを構成する各勘定の内訳を覚えましょう。特に貸借対照表と損益計算書の基本型がわからないと、後の企業分析についても理解できません。

　キャッシュ・フロー計算書や連結財務諸表も基本的な事項は出題されるので、押さえておきましょう。

　企業分析は必ず出題されます。特に収益性分析と安全性分析については公式を覚え、与えられた数値でしっかり答えを出せるようにしてください。

　○×問題は貸借対照表と損益計算書の細かなところ、連結財務諸表の基本及び配当性向や流動比率の式からの出題が多くなっています。

　５肢選択問題は計算が中心で、財務諸表、配当性向・配当率、損益分岐点分析などが出題されます。

推定配点&出題形式

○×問題：5問（10点）

5肢選択問題：1問（10点）

計**20点**／440点満点中

※配点・出題形式についてはフィナンシャル バンク インスティチュートの推定です。

1 概要

　企業の経済活動は、最終的には、**貸借対照表、損益計算書及びキャッシュ・フロー計算書**に集約されます。これらを一般的に**財務諸表**といいます。

　逆に、作成された財務諸表を通じて、現実の企業の状況を判断することができます。この行為を**企業分析**といいます。

　また、金融商品取引法に基づく企業内容等開示制度（**参照▶6章6節**）は、**連結財務諸表**を「主」とし、**個別財務諸表**を「従」としています。

2 貸借対照表（BS：Balance Sheet）

　貸借対照表とは、一定時点における企業の**財政状態**の一覧表です。**▼注意**

　貸借対照表の分析を通じて、企業の安全性や流動性を判断することができます。

貸借対照表

調達した資金をどのように使っているのか

資金の運用状況

〈資産の部〉

・流動資産

・固定資産

・繰延資産

〈負債の部〉

・流動負債

・固定負債

〈純資産の部〉

資金の調達源泉

どのように資金を調達したのか

（借方）　　　　　　　（貸方）

　貸借対照表の貸方（右側）は資金の調達源泉を表します。調達した資金は、返済の有無によって**負債**と**純資産**に分けられます（負債は返済の必要があり、純資産は返済の必要がありません）。金融機関からの借入れにより資金を調達する場合を**デット・ファイナンス**、株式等を発行することにより資金を調達する場合を**エクイティ・ファイナンス**といいます。

　一方、貸借対照表の借方（左側）は資金の運用状況を表します。

(1) 資産の部

資産の部は会計学上、**流動資産、固定資産及び繰延資産**に分類されます。

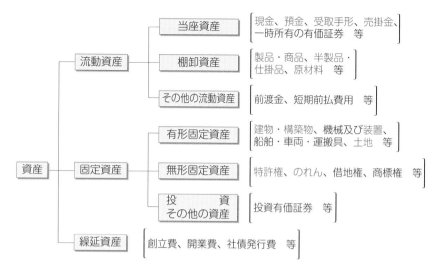

①流動資産と固定資産の分類方法

資産は、**営業循環基準**と**1年基準**により**流動資産**または**固定資産**に分類されます。

営業循環基準	企業の本来の事業活動により現金が商品となり、また現金として戻ってくるような営業循環過程内において発生したものを流動項目とし、それ以外を固定項目とする基準。この過程にある項目はすべて流動項目となる。
1年基準	営業循環基準では分類できないもの（営業循環基準外の債権・債務など）について、原則として1年以内に現金化できるものを流動項目、1年を超えて現金化できるものを固定項目とする方法。

②各資産の内容

・**流動資産**

流動資産は、**当座資産、棚卸資産**、その他の流動資産に細分されます。▼注意

当座資産	販売過程を経ることなく比較的短期間に容易に**現金化**できる資産。 〈例〉**現金、預金、受取手形、売掛金**（商品を販売したが、まだ売代金として回収されていない金額）、一時所有の有価証券　等
棚卸資産	棚卸資産とは以下の資産をいう。 ・通常の営業過程において販売する目的で保有される資産（**商品や製品**） ・販売資産となるために生産過程の途中にある資産（**仕掛品**） ・販売資産の生産のために漸次消費される資産（**原材料等**）

・固定資産

固定資産は、**有形固定資産**、**無形固定資産**、投資その他の資産に分類されます。

有形固定資産	生産準備手段として役立つ実体価値を有する使用資産をいう。 〈例〉建物・構築物、機械及び装置、船舶・車両・運搬具、土地　等
無形固定資産	実体価値を持たない法律上の権利（特許権等）と事実上の権利（のれん等）からなっている。 〈例〉**特許権、のれん**、借地権、商標権　等

・繰延資産

繰延資産	〈例〉創立費、開業費、社債発行費　等

(2) 負債の部（他人資本）

負債の部は会計学上、**流動負債**と**固定負債**に分類されます。

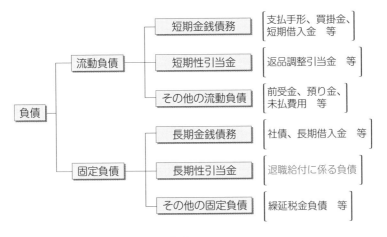

①流動負債と固定負債の分類方法

負債の流動・固定の分類は、資産の分類と同様に**営業循環基準**と**1年基準**によって行います。

②流動負債

流動負債は、原則として1年以内に返済期の到来する債務です。

短期金銭債務	支払手形（いつまでにいくらを支払うかを約束した証書）、買掛金（商品等を購入したが未払いになっている代金）、短期借入金　等
短期性引当金	返品調整引当金（販売した商品等が何らかの理由により返品された場合に払い戻すための準備金）等
その他の流動負債	前受金、預り金、未払費用　等

③固定負債

固定負債は、負債の返済期限が1年を超える債務です。

長期金銭債務	社債、長期借入金　等
長期性引当金	退職給付に係る負債

(3)　純資産の部

純資産の部は、株主資本（右図のⅠ）と株主資本以外（右図のⅡ、Ⅲ、Ⅳ、Ⅴ）の項目に大別することができます。株主資本を構成する主な要素は、**資本金**、**資本剰余金**、及び**利益剰余金**であり、株主資本以外の項目とは、その他の包括利益累計額（連結財務諸表の場合）、株式引受権、**新株予約権**、及び**非支配株主持分**（連結財務諸表のみ）です。

また、法定準備金とは、資本剰余金の中の**資本準備金**と利益剰余金の中の**利益準備金**のことをいいます。

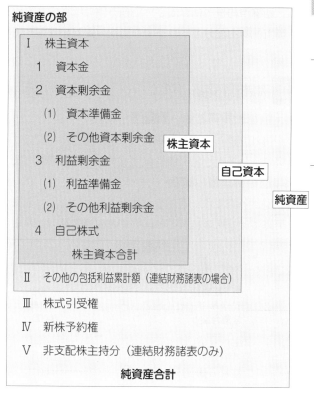

資本金	企業が発行した株式と引換えに株主が**出資**した額。株主が払い込んだ総額のうち、資本金とされなかった額は、**資本準備金**とされる。
資本剰余金	資本準備金とその他資本剰余金に分類される。株式の発行価額の2分の1を資本準備金とすることができる。

利益剰余金	利益準備金と資本準備金の合計（法定準備金）が資本金の4分の1に達するまで、配当金の10分の1以上を利益準備金または資本準備金として積み立てなければならない。なお、資本準備金と利益準備金の合計が資本金の4分の1を超えていれば、その超過分を配当可能利益に振り替えることができる。

株式引受権とは取締役や執行役の報酬として株式を無償交付される権利のことであり、**新株予約権**とは株式を一定の条件で取得できる権利のことをいいます。

非支配株主配分とは、連結子会社の資本のうち、連結財務諸表作成会社である親会社に帰属していない部分をいいます。

3 損益計算書（PL：Profit and Loss statement）

(1) 損益計算書とは ▼注意

損益計算書とは、一定期間（1年、四半期）における**収益**と**費用**とを対応表示することによって、一定期間における企業の**経営成績**を明らかにする報告書です。

(2) 損益計算書の構造

損益計算書では、利用者が利用しやすいように取引の同質性に着目して収益・費用を対応させた区分表示と各区分ごとの段階別利益が表示してあります。

損益計算書

営業損益計算	I	売上高		10,000	→ 会社が最初に稼ぎ出した利益。粗利益ともいう
	II	売上原価（仕入）	−)	4,000	
		売上総利益		6,000	
	III	販売費及び一般管理費	−)	3,000	→ 企業本来の営業活動から稼ぎ出した利益（本業のもうけ）
		営業利益		3,000	
経常損益計算	IV	営業外収益	+)	2,000	
	V	営業外費用	−)	1,000	→ 本来の業績のほか、財務活動を含めた会社トータルな業績を示す利益
		経常利益		4,000	
純損益計算	VI	特別利益	+)	3,000	
	VII	特別損失	−)	1,000	
		税引前当期純利益		6,000	
		法人税、住民税及び事業税	−)	3,000	→ 会社の一会計期間における最終成果を表す利益
		当期純利益		3,000	

(3) 各科目の内訳

販売費及び一般管理費	商品を販売するのにかかる費用や会社全般の業務の管理にかかる費用。〈例〉人件費、貸借料（事務所の賃料等）　等
営業外収益	企業本来の営業活動以外（財務活動等）によって生じた収益。〈例〉**受取利息、受取配当金**　等

営業外費用	企業本来の営業活動以外（財務活動等）によって生じた費用。〈例〉支払利息　等
特別利益	臨時的な収益。　　　〈例〉土地や不動産の売却益　等
特別損失	臨時的な損失。　　　〈例〉土地や不動産の売却損　等

売上高から売上原価を差し引いたものを**売上総利益**といいます。
売上総利益から販売費及び一般管理費を差し引いたものを**営業利益**といいます。
経常利益は、営業利益に**営業外収益**を加算し、**営業外費用**を減算して求められます。また、税引前当期純利益は、経常利益に**特別利益**を加算し、**特別損失**を減算して求められます。❋**重要**

4 キャッシュ・フロー計算書 （Cash Flow statement）

(1) キャッシュ・フロー計算書とは

　キャッシュ・フロー計算書は、一会計期間におけるキャッシュ・フローの状況を表示するものであり、貸借対照表及び損益計算書と同様に企業活動全体についての重要な情報を提供するものです。

(2) 資金（キャッシュ）の範囲

　キャッシュ・フロー計算書におけるキャッシュの概念は、**現金及び現金同等物**を意味します。現金とは手許現金及び要求払預金をさし、現金同等物とは容易に換金可能であり、かつ、価格の変動について小さなリスクしか負わない短期投資をさします。したがって、価格変動リスクの大きい**株式等**は**資金（キャッシュ）**の範囲から除くこととされています。

(3) 資金の表示区分

　キャッシュ・フロー計算書は、企業活動の状況を**営業活動、投資活動、財務活動**という3領域に区分し、そこでのキャッシュ・フローの状況から、企業活動の全般の動きをとらえようとするものです。

営業活動による キャッシュ・フロー	商品の仕入による支出や商品の販売による収入等
投資活動による キャッシュ・フロー	固定資産の取得による支出や固定資産の売却による収入等
財務活動による キャッシュ・フロー	借入金の返済による支出や借入金による収入等

1 連結財務諸表

1節の概要でも述べたように、現在の金融商品取引法に基づく企業内容等開示制度は、**連結財務諸表を「主」**とし、**個別財務諸表を「従」**とした制度になっています。

連結財務諸表は、支配従属関係にある2以上の会社からなる企業集団を単一の組織体とみなして、親会社が当該企業集団の財政状態及び経営成績を総合的に報告するために作成するものです。

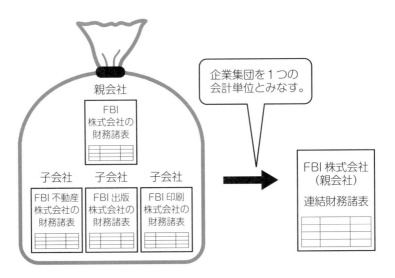

2 連結の範囲

連結財務諸表を考える場合、**支配従属関係**がポイントとなります。支配従属関係とは、1つの企業が他の企業の意思決定や経営活動を支配し、他方がその支配に従って経営活動を行う関係にある場合をいいます。

(1) 連結の範囲を決定する基準
①持株基準

株式（議決権）の過半数（50%超）を実質的に所有しているかどうかによって判定します。議決権の過半数を実質所有している会社を親会社といい、議決権の過半数を実質所有されている会社を子会社といいます。

②支配力基準

　実質的にその会社の経営方針や財務方針等に関して支配しているかどうかで判定します。**現行の会計制度では、支配力基準によって判定しています。**

<**支配力基準により判定する理由**>
　①議決権の所有割合が50%以下であっても、事実上その会社を支配していることもある。
　②国際的には、支配力基準が一般的である。

(2)　親会社・子会社

　親会社とは他の会社を支配している、つまり、他の会社の意思決定機関を支配している会社のことをいいます。また、その支配される会社を**子会社**といいます。

(3)　非支配株主持分・親会社持分

　非支配株主持分とは、**子会社の資本のうち、親会社に帰属しない部分**をいいます。つまり、親会社以外の株主が所有している資本の合計です。親会社以外の株主のことを「非支配株主」、また、親会社の所有株式を「親会社持分」といいます。

3　連結貸借対照表の作成の仕方

作成時期	連結財務諸表の作成は、親会社が他の会社を**支配するに至った日**（支配獲得日）に行う。ただし、支配獲得日に作成されるのは、連結貸借対照表のみで、他の連結財務諸表は後日作成される。
子会社の資産・負債の評価	支配獲得日における子会社の資産・負債の時価（公正な評価額）で行う。

4　連単倍率

　親会社単独の財務諸表と連結財務諸表を比較すれば、グループ全体の売上高や利益、資産等の規模が**親会社単独**の場合の何倍あるかを知ることができます。この倍率を**連単倍率**といいます。

1 増収率と増益率

　増収率とは、売上高の前期比較に対する増減を表しています。また、増益率とは、経常利益の前期比較に対する増減を表しています。

> 増収増益は、企業決算において、前年度と比較して売上高が増加し、かつ経常利益も増加した状態。
> 増収減益は、売上高が増加しても、経常利益が減少した状態。
> 減収減益は、売上高が伸びず、経常利益も前年度に比べ減少した状態。

2 配当性向

　配当性向とは、当期（純）利益に対する配当金の割合を示します。

$$配当性向（％）＝\frac{配当金（年額）}{当期（純）利益}×100$$

✐暗記

> 不況期には利益の落込みが激しいにもかかわらず、一定の配当水準を維持しようとすれば、当然配当性向が上昇することになります。

①典型的なパターン

・不況期→配当性向は高めに現れます。

・好況期→配当性向は低めに現れます。

②配当性向の意味

　配当性向が低いということは、会社にとっては、社外への支払配当金が相対的に少なく、会社内部の蓄積が相対的に多いこと（内部留保率が高い）を意味します。結果として将来の配当可能原資が確保されます。

3 配当率

　株主が拠出した資本金に対して、どれだけの配当金が支払われたかの割合を示します。

$$配当率（％）＝\frac{配当金（年額）}{資本金（期中平均）}×100$$

✐暗記

重要度
★★★

問題集
P44

2
章

財務諸表と企業分析

3
節

景気の動向と収益率・配当性向・配当率

4
節

企業分析

4節 企業分析

企業分析とは、財務諸表の数値を利用して会社の**収益性**、**安全性**、**資本効率性**、**成長性**を分析することをさします。また、企業分析として他に損益分岐点分析もあります。

企業分析は**連結財務諸表**を用いて行いますが、原則として、個別（単独）の財務諸表と同様に考えることができます。

ここでの連結財務諸表と個別財務諸表の主な違いは、連結の貸借対照表には純資産の部の中に**非支配株主持分**という連結固有の勘定科目が出てくることです。

<個別の貸借対照表>

流動資産	流動負債
	固定負債
固定資産	自己資本

}総資本

<連結の貸借対照表>

流動資産	流動負債
	固定負債
固定資産	自己資本
	非支配株主持分

}総資本

総資本（個別）
＝流動負債＋固定負債＋自己資本

総資本（連結）
＝流動負債＋固定負債＋自己資本＋
非支配株主持分

結果として連結の貸借対照表における総資本は以下のように定義できます。

総資本＝流動負債＋固定負債＋自己資本＋<u>非支配株主持分</u>

> 非支配株主持分とは子会社の資本のうち、親会社が所有している資本を除いた部分です。つまり、親会社以外の株主が所有している資本（出資分）の合計をいいます。

1　収益性分析

　一般的に投資を考える場合、まず**収益力**の高い企業であるかどうかがポイントとなります。そこで収益性分析に用いられるのが、**資本利益率**と**売上高利益率**です。

資本利益率	利益というものを、**資本**を利用した結果として生じるものとみた場合、**投下資本**と関連付けて収益力を判断する。
売上高利益率	利益の基本となる源泉は**売上高**であるので、**売上高**と**利益**を関連付ける。

(1)　資本利益率

　資本利益率とは、資本を利用してどれだけ利益を出したかという指標です。分母の資本には総資本、自己資本、資本金が用いられます。

分母の「資本」には、期首の資本と期末の資本を平均したもの（**平均資本**）を用います。また分子の「利益」には、通常、当期（純）利益の額を用います。

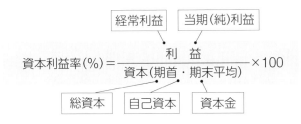

$$資本利益率(\%) = \frac{利　益}{資本(期首・期末平均)} \times 100$$

経常利益　当期(純)利益

総資本　自己資本　資本金

①自己資本利益率（ROE：Return On Equity）✎暗記

　自己資本に対する当期(純)利益の比率を表しています。株主から預かった資金をどれだけ有効に使っているかを示す指標です。

　一般に自己資本利益率が高いほど、企業の収益性は高くなります。

$$自己資本利益率(\%) \atop (ROE) = \frac{当期(純)利益}{自己資本(期首・期末平均)} \times 100$$

②総資本利益率（ROA：Return On Assets）✎暗記

　企業に投下された**総資本**の収益力を表すものです。株主から預かった資金や借入金などの負債をいかに有効に活用し、利益をあげているかを示す指標です。

$$総資本利益率(\%) \atop (ROA) = \frac{当期(純)利益}{総資本(期首・期末平均)} \times 100$$

〈式の分解〉

総資本利益率は**自己資本利益率**と**自己資本比率**に分解できます。

$$総資本利益率（ROA）= \frac{当期純利益}{自己資本} \times \frac{自己資本}{総資本}$$

約分すると

当期純利益
―――――――
総資本

となります。

$$\underset{自己資本利益率（ROE）}{\parallel} \qquad \underset{自己資本比率}{\parallel}$$

したがって

総資本利益率（ROA）＝ 自己資本利益率（ROE）× 自己資本比率

$$\underset{(A)}{\parallel} \qquad\qquad \underset{(B)}{\parallel} \qquad\qquad \underset{(C)}{\parallel}$$

〈この式の意味するところ〉

① 資本構成が一定であるとすれば、 ⟶ 自己資本比率(C)が一定で、

総資本利益率が高い場合には、 ⟶ (A)が高い場合、

自己資本利益率（ROE）も高くなる。 ⟶ (B)も高くなる。

② 総資本利益率が低いにもかかわらず、 ⟶ (A)が低く、

自己資本利益率が高いときは、 ⟶ (B)が高い場合、

資本構成において、総資本の中に ⟶ 自己資本比率(C)が低く
占める他人資本（負債）の割合が高い。 なる必要がある。

総資本 ｛ 他人資本（負債） ／ 自己資本

$$自己資本比率(C) = \frac{自己資本}{総資本}$$

$$= \frac{総資本-他人資本}{総資本}$$

この式により、**他人資本**（負債）の割合が増えれば
(C)自体は低くなることがわかります。

③資本金(純)利益率

資本金(純)利益率は、当期(純)利益と資本金（資本の部の中の資本金で、資本準備金、利益準備金、その他の剰余金は含まない）との割合を示すものです。

$$資本金(純)利益率(\%) = \frac{当期(純)利益}{資本金(期首・期末平均)} \times 100$$

✎暗記

(2) 売上高利益率

売上高利益率とは、売上高に対してどれだけの利益を上げることができたかを表すものです。分子の利益には、純利益、総利益、営業利益、経常利益が用いられます。

| 純利益 | 総利益 | 営業利益 | 経常利益 |

$$売上高利益率(\%) = \frac{利\quad益}{売上高} \times 100$$

①売上高(純)利益率

売上高(純)利益率は、当期の(純)利益額と売上高との割合を示すもので、売上高を100%とした場合、利益額が何%あるかを示すものです。

$$売上高(純)利益率(\%) = \frac{当期(純)利益}{(純)売上高} \times 100$$

②売上高総利益率　＊重要

売上高総利益率は、売上高に対する売上総利益の割合を示すもので、企業の購買・製造活動の良否を示しています。

$$売上高総利益率(\%) = \frac{売上総利益}{(純)売上高} \times 100$$

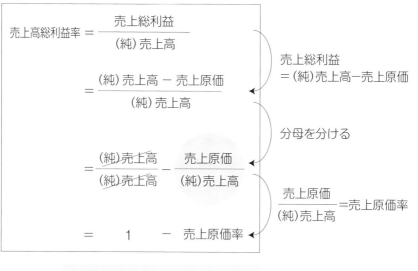

〈式の分解〉

売上高総利益率を売上原価率で表してみましょう。

$$売上高総利益率 = \frac{売上総利益}{(純)売上高}$$

$$= \frac{(純)売上高 - 売上原価}{(純)売上高}$$

売上総利益
＝(純)売上高−売上原価

$$= \frac{(純)売上高}{(純)売上高} - \frac{売上原価}{(純)売上高}$$

分母を分ける

$$\frac{売上原価}{(純)売上高} = 売上原価率$$

$$= 1 - 売上原価率$$

したがって　売上高総利益率 ＝ 1 − 売上原価率

〈この式の意味するところ〉

売上原価率が上昇すれば、売上高総利益率は**低下**します。

③売上高営業利益率

$$売上高営業利益率(\%) = \frac{営業利益}{(純)売上高} \times 100$$

④売上高経常利益率

$$売上高経常利益率(\%) = \frac{経常利益}{(純)売上高} \times 100$$

2 安全性分析

　安全性分析では、企業の資金繰りの健全度合や債務不履行などの形で倒産に陥る危険性の程度を分析します。

(1)　流動性分析

①流動比率

　この比率は、短期的な債務の**返済能力**を表します。1年以内に返済しなければならない**流動負債**に対して、1年以内に**現金化**できる流動資産がどの程度あるかを表しています。

$$流動比率(\%) = \frac{流動資産}{流動負債} \times 100$$

流動資産	流動負債

通常、流動比率は200%以上であることが望ましいとされ「2対1の原則」などともいわれます。
✐暗記

②当座比率

　流動資産の中に含まれる棚卸資産は生産販売活動を経て初めて資金化されるもので、ただちに支払手段となるものではありません。そこで**当座資産**のみを支払手段として、**支払能力**をみようとするのがこの比率です。流動比率よりも**短期間**で現金化できる資産がどのくらいあるかを表しています。

$$当座比率(\%) = \frac{当座資産}{流動負債} \times 100$$

流動資産	当座資産	流動負債

当座比率は100%以上で高い方が望ましいとされています。
✐暗記

⑵ 財務健全性分析

　資金をどうやって調達したか、資金の使い道が妥当であるか、または資本が健全であるかを分析します。

①固定比率

　固定資産が、返済の必要のない**自己資本**でまかなわれているかどうかをみる指標です。

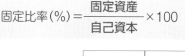

$$固定比率(\%) = \frac{固定資産}{自己資本} \times 100$$

固定比率は100%以下であることが望ましいとされています。🖊暗記

②固定長期適合率

　この指標は、**固定資産**の資金を自己資本に限定せず、短期的な返済の必要がない固定負債も含めて検討しようとするものです。日本企業の場合、銀行からの**長期借入**や**社債発行**による長期借入が多いため、安全性分析では固定比率よりも固定長期適合率が適しているといわれています。

　なお、連結財務諸表においては非支配株主持分を考慮します。

$$固定長期適合率(\%) = \frac{固定資産}{自己資本＋非支配株主持分＋固定負債} \times 100$$

🖊暗記

固定長期適合率も100%以下が望ましく、その数値は低いほどよいとされています。

連結財務諸表においては、固定長期適合率が100％の場合、

固定資産＝固定負債＋非支配株主持分＋自己資本 の関係が成り立ちます。

したがって、流動資産＝流動負債（すなわち流動比率が100％）となります。

↓

逆に、流動比率が100％の場合、固定長期適合率も100％となります。

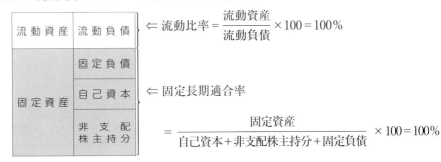

③負債比率

返済の必要のない**自己資本**に対して**負債の総額**（流動負債＋固定負債）がいくらあるのかを示す指標です。

$$負債比率（\%）＝\frac{流動負債＋固定負債}{自己資本}×100$$ ✏暗記

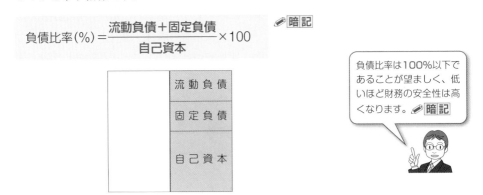

負債比率は100％以下であることが望ましく、低いほど財務の安全性は高くなります。✏暗記

④自己資本比率

資本調達の構成を表す比率であって、総資本の中で返済の必要のない**自己資本**がどの程度あるのかを示す指標です。

$$自己資本比率(\%) = \frac{自己資本}{総資本} \times 100$$

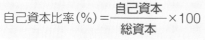

総資本

自己資本

> 一般に、自己資本比率が高いほど不況に対する抵抗力が強く、長期的観点から健全な発展が期待できる企業といえ、安全性が高いと考えられます。
>

3 資本効率性分析

　資本効率性分析とは、資本がどれだけ効率よく運用されているかを判定するもので、回転率や回転期間を利用します。

(1) 回転率と回転期間

①回転率

　回転率は一般に、分子に年間の売上高を、分母に対象となる資本または資産をとって計算します。

$$回転率 = \frac{売上高}{資本または資産}$$

　分母に総資本をとると総資本回転率となります。回転率は、その売上高を得るために、1年間に資本または資産が何回利用されたかを意味します。資本回転率が高ければ、資本効率はよいといえます。

②回転期間

　回転期間は、回転率の逆数であり、資本または資産が1回転するのに要する期間を意味します。回転期間が短ければ、資本効率はよいといえます。

<設例>

下図は、総資本が5,000万円であるA社とB社の回転率と回転期間の関係をまとめたものです。

A社は年間2億円の売上を得るために、総資本5,000万円を4回転させました。1回転に要する期間は3か月です。一方、B社は1億円の売上を得るために、総資本5,000万円を2回転させました。1回転に要する期間は6か月です。

	(月) 0 1 2 3 4 5 6 7 8 9 10 11 12	回転率	回転期間
A社 (売上2億円)	5,000 | 5,000 | 5,000 | 5,000	4回	3か月
B社 (売上1億円)	5,000 | 5,000	2回	6か月

(2) 総資本回転率と総資本回転期間

①総資本回転率

経営活動の能率を判断する指標で、資本の有効な利用度を示すものです。

✍暗記

$$総資本回転率（回／年）＝\frac{年間の（純）売上高}{総資本（期首・期末平均）}$$

②総資本回転期間

総資本回転率の逆数で表されます。

✍暗記

$$総資本回転期間（月）＝\frac{総資本（期首・期末平均）}{年間の（純）売上高}×12$$

$$＝\frac{総資本（期首・期末平均）}{年間の（純）売上高÷12}$$

したがって、次式が成り立ちます。

$$総資本回転期間＝\frac{12}{総資本回転率}$$

$$総資本回転率＝\frac{12}{総資本回転期間}$$

<設例> 計算

総資本回転率が0.94回というケースから総資本回転期間を求めると？

<解答>

$$総資本回転期間 = \frac{12}{総資本回転率} = \frac{12}{0.94} ≒ 12.8（月）$$

〈式の分解〉

総資本 (純) 利益率は、**売上高 (純) 利益率**と**総資本回転率**に分解されます。

$$総資本 (純) 利益率 = \frac{当期 (純) 利益}{総資本}$$
$$(ROA)$$

約分すると

当期 (純) 利益
───────
総資本

となります。

$$= \frac{当期 (純) 利益}{売上高} \times \frac{売上高}{総資本}$$

|| ||
売上高 (純) 利益率　総資本回転率

したがって

総資本 (純) 利益率 ＝ 売上高 (純) 利益率 × 総資本回転率
　　　‖　　　　　　　　　　　‖　　　　　　　　　　　　‖
　　　(A)　　　　　　　　　　 (B)　　　　　　　　　　　(C)

〈この式の意味するところ〉

売上高 (純) 利益率が一定である場合、　　⟶　(B)が一定の場合、

総資本回転率を高めると、　　　　　　　　⟶　(C)を高めると、

総資本 (純) 利益率は高くなる。　　　　　　⟶　(A)が高くなる。

4 成長性分析

(1) 売上高成長率

通常、増収率とは、売上高成長率のことを意味しています。

$$売上高成長率(\%)=\frac{当期売上高}{前期売上高}\times100$$

(2) 利益成長率

$$利益成長率(\%)=\frac{当期利益}{前期利益}\times100$$

5 損益分岐点分析

(1) 損益分岐点分析の意味

企業の将来の利益計画を立てる場合、売上高の増減によって費用と利益がどのように変動するかを把握しなければなりません。このような売上高、費用、利益相互間の分析に用いられるのが**損益分岐点分析**です。

損益分岐点とは、売上高と費用とが均衡し、　　売上高－費用＝0
損益が**ゼロ**となるときの**売上高**をいいます。

損益分岐点を算定するためには、すべての費用を**固定費**と**変動費**に区分しなければなりません。**固定費**とは、売上高の増減に関係なく発生する費用をいうのに対し、**変動費**とは、売上高の増減に比例して発生する費用をいいます。

(2) 損益分岐点分析の公式 ✏暗記

外務員試験の損益分岐点分析については、最終的に以下の公式を覚える必要があります。

$$損益分岐点売上高=\frac{固定費}{1-\dfrac{変動費}{売上高}}$$

$$損益分岐点比率(\%)=\frac{損益分岐点売上高}{売上高}\times100$$

損益分岐点分析はこの公式を最終的にしっかり覚えているかどうかで決まります。

$$変動費率 = \frac{変動費}{売上高} \qquad 限界利益率 = 1 - 変動費率$$

<設例> 計算

ある会社の売上高が3,000万円のとき、変動費は1,500万円、固定費は1,300万円であるとする。この会社の損益分岐点売上高、損益分岐点比率及び限界利益率を求めなさい。

（注）答は小数点第2位以下を切り捨てること。

<解答>

$$損益分岐点売上高 = \frac{固定費}{1 - \dfrac{変動費}{売上高}} = \frac{1,300万円}{1 - \dfrac{1,500万円}{3,000万円}} = 2,600万円$$

$$損益分岐点比率（％） = \frac{損益分岐点売上高}{売上高} \times 100$$

$$= \frac{2,600万円}{3,000万円} \times 100 = 86.66\cdots \quad \therefore \quad 86.6\%$$

$$限界利益率 = 1 - 変動費率 = 1 - \frac{変動費}{売上高}$$

$$= 1 - \frac{1,500万円}{3,000万円} = 0.5 \quad \therefore \quad 50\%$$

3章

株式業務

　ここでは株式の実際の取引業務について学習します。まず「1節 株式と証券会社の全体像」で全体像をしっかりつかみ、その後個別の論点を1つ1つインプットしていきます。

　売買の受託については、実際に顧客との取引をイメージしながら学習することで理解度が上がるでしょう。

　金融商品取引所における株式の売買、店頭取引、外国株式の取引、株式ミニ投資、株式の上場は、制度の細かなところも正誤を問われます。

　証券投資計算は、特にPER、PBR及びROEといった株価指標の計算が点取り問題なので、必ず正解できるようにしたいものです。また、PCFR、EV/EBITDA倍率も出題されています。がんばってマスターしてください。

　株式分割及び受渡金額の問題は、考え方を理解したうえで解き方を覚えておきましょう。

推定配点&出題形式

○×問題：5問（10点）
5肢選択問題：2問（20点）
計**30**点／440点満点中

※配点・出題形式についてはフィナンシャル バンク インスティチュートの推定です。

1節 株式と証券会社の全体像

1 株式の全体像

　これから3章、4章、5章で株式について学習します。各章の役割を大まかに説明すると、まず3章「株式業務」で株式の全体像をつかみます。株式には上場株式と非上場株式がありますが、上場株式の取引ルールについては4章「取引所定款・諸規則」、非上場株式に関しては5章「協会定款・諸規則」の一部で説明します。

　4章と5章には、3章で述べた内容が繰り返し出てくる部分がありますが、先に株式業務について把握しておくことで、それぞれの定款・諸規則が覚えやすくなるはずです。

　では、はじめに以下の図で全体像をイメージしてください。

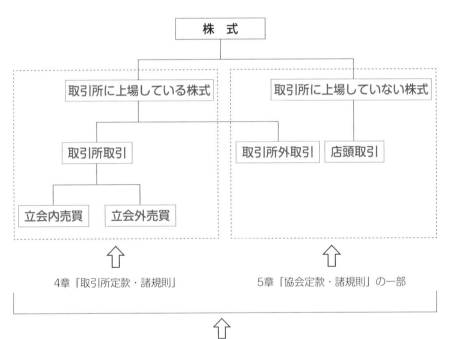

2 証券会社 ▼注意

　一般に株式を扱うのは証券会社ですが、外務員試験においてはこの証券会社のことを「金融商品取引業者」、「（協）会員」や「取引参加者」と呼びます。これは、金融商品取引法（金商法／参照▶6章）、協会定款・諸規則（参照▶5章）や取引所定款・諸規則（参照▶4章）といった法律・規則が、それぞれの名称で証券会社を定義しているからです。

▼注意
証券会社 →
- 金融商品取引業者（金融商品取引法）
- 会員、協会員（協会定款・諸規則）
- 取引参加者（取引所定款・諸規則）

どれも証券会社のことです。

3 その他

　以下の用語については、表現が異なる場合がありますが、試験対策上は同義として読み進めてください。

証券業協会	日本証券業協会、協会、（認可）金融商品取引業協会
取引所	金融商品取引所、株式や債券などの取引であれば東京証券取引所、市場デリバティブ取引であれば大阪取引所

2節 取引の種類・売買の形態

重要度 ★★★　問題集 P62

1 取引の種類

株式の取引は、売買される株式の上場区分と売買される場所によって、大きく区別することができます。株式の上場区分とは、株式が取引所に上場しているか否かの区分です。売買される場所とは、株式が取引所内で売買されているのか、取引所外で売買されているのかの区分です。

取引所取引	わが国では有価証券の現物の売買を行う場所として、東京証券取引所・名古屋証券取引所・福岡証券取引所・札幌証券取引所があり、それぞれ取引所金融商品市場が開設されている。なお、大阪取引所は市場デリバティブに特化した取引所。
取引所外取引	上場株券等の取引所外での取引。
店頭取引	店頭取引の概念には、広義に「有価証券の上場区分にかかわらず取引所の外（金融商品取引業者の店頭）で売買される取引」と「取引所に上場していない有価証券の取引」という2つの考え方がある。

2 売買の形態

株式の売買形態は、大きく以下の5つに区別されます。

(1) 株式の売買（自己取引）▼注意

金融商品取引業者が自己の計算（自社の資金）で行う売買のことを自己取引といい、取引所において執行する売買と取引所外で行う仕切取引とがあります。

66

(2) 株式の売買の取次ぎ（委託取引）▼注意

　顧客からの売買注文を、**顧客の計算**（顧客の資金）において**金融商品取引業者**の名で行う取引です。売買を委託されて執行することから**委託取引**といわれます。

　金融商品取引業者が顧客からの売買注文を取引所で執行する場合は、多くがこの形態となります。

(3) 株式の売買の代理 ▼注意

　顧客からの売買注文を、**顧客の名で金融商品取引業者**が代理人であることを明示して執行する取引形態です。具体的には、公開買付（TOB）時に金融商品取引業者と顧客との間で代理人契約を締結して、金融商品取引業者が公開買付代理人となって行う買付けがあります。

(4) 株式の売買の媒介 ▼注意

　株式の売買に際し、売り手と買い手の間で売買の成約に**尽力**する行為です。具体的には、金融商品取引業者が顧客の要請により取引所外で売買の仲立ちを行うことなどがこれにあたります。

(5) 取引所金融商品市場における売買の委託の媒介、取次ぎまたは代理 ▼注意

　取引所の取引参加者でない金融商品取引業者が、顧客からその取引所に上場されている有価証券の売買注文を受託した際に、注文をその取引所の取引参加者に**再委託**して売買を執行してもらう場合などがこれにあたります。

1 売買等の受託にあたっての注意事項

有価証券の売買等の受託にあたっては、投資者保護及び不公正取引防止等のコンプライアンス上の観点から様々な確認義務が設けられています。

投資者保護の観点からは、取引に応じてそれぞれ取引開始基準、契約締結前の書面交付義務、確認書徴求義務等を設けて、適正な投資勧誘を行うことを求めています。注文の執行、決済についても、注文伝票の作成、契約締結時書面の交付など、投資者保護の立場から種々の条件が付されています。

不公正取引防止の観点からは、売買等の受託時点で内部者（インサイダー）取引、仮名取引など法令諸規則で禁止された取引に該当しないよう、顧客属性の確認を行うことが求められます。

(1) 顧客の住所、氏名等の調査と取引時確認

金融商品取引業者は、有価証券の売買その他の取引を行う顧客について、氏名、住所及び連絡先等を記載した顧客カードの整備を義務付けられています。また、顧客との取引を開始する際など犯罪収益移転防止法が定める場合について、顧客から本人確認書類の提示を受けるなどにより、本人確認を行う必要があります。さらに、取引時確認として、本人確認に加えて、取引を行う目的や職業などの確認を行う必要があります。

(2) 投資勧誘

投資勧誘にあたっては、顧客の投資経験、投資目的、資力等を十分に把握し、顧客の意向と実情に適合した投資勧誘を行うよう努める必要があります。顧客に対し、投資は投資者自身の判断と責任において行うべきものであることを理解させなければなりません。さらに、顧客に迷惑を覚えさせるような時間に電話または訪問により勧誘する行為は禁じられています。

また、金融商品取引契約を締結しようとするときは、あらかじめ、顧客に対し、契約締結前交付書面を交付しなければなりません。■■例外 ただし、過去に書面交付している場合など投資者保護の観点から問題のない場合は、書面交付義務の適用除外となります。

契約締結前交付書面の主な記載事項は次のとおりです。

- 取引の概要、**手数料・報酬等**、相場の変動等により**損失**の生ずるおそれがあること
- その損失が預託すべき委託証拠金等の額を上回るおそれがあること
- 顧客の**注意**を喚起すべき事項　など

　契約締結前交付書面の交付については、リスク情報などについて顧客に理解される
ために必要な方法及び程度による説明をしないで契約を締結する行為が禁止されてい
ます。

(3)　その他受託時の注意事項

①安定操作期間中の受託　▼注意

　金融商品取引法では、何人も有価証券の相場をくぎ付けし、固定し、または安定さ
せる目的をもって、金融商品市場における一連の売買またはその委託、もしくは受託
をする行為（相場操縦行為）を禁止しています。しかし、例外として、有価証券の募
集・売出しなどを円滑に行う目的で、買支え等の売買を行って価格の安定を図る取引
については、一定の要件の下で認められています。これを**安定操作取引**といいます。

　安定操作取引のできる期間を安定操作期間といい、一般に募集・売出しの**価格決定
日の翌日**から募集・売出しの**申込最終日**までをいいます。また、募集・売出しの**発表
日の翌日**から**払込日**までの期間を一般に**ファイナンス期間**といい、この期間中は作為
的相場形成が行われるおそれのある注文でないかなど、受注・執行の管理に注意を払
う必要があります。▼注意

安定操作期間	募集または売出しの価格決定日の翌日から募集・売出しの申込最終日までの期間。
ファイナンス期間	募集・売出しの発表日の翌日から払込日までの期間。

ひっかけ

時間の流れは①募集・売出しの発表日の翌日、②価格決定日の翌日、③申込最終日、④払込日の順となっています。

安定操作期間中の禁止行為は以下のとおりです。

〈元引受金融商品取引業者の禁止行為〉

　元引受金融商品取引業者（いわゆる主幹事証券会社）は、安定操作期間中における自己の計算（自社の資金）による買付けが禁止されるため、原則として自己対当（自社が相手）を伴う取引を顧客から受託することはできない。ただし、「株式累積投資（参照▶8章1節）及び株式ミニ投資（参照▶3章8節）に伴う買付け」については（自己の計算による買付けを伴うが）例外。

〈安定操作取引またはその受託をした金融商品取引業者の禁止行為〉

　安定操作取引またはその受託をした金融商品取引業者は、当該銘柄の株券等に関し、安定操作期間中、顧客に対して安定操作取引が行われた旨を表示しないで買付けもしくは売付けを受託すること、またはその売買に係る有価証券関連デリバティブ取引等を受託することは禁止。

②空売り規制　参照▶6章5節

　空売りとは、保有していない株券や借りてきた株券の売付けを行うことをいいます。例えば株価が下落することを予想し、その時点の株価で株券を借りて売却し、その後株価が下落したところでその株を買い戻し差益を得ようとする取引は、相場の下落につながったり、相場操縦（参照▶6章5節）に利用されるおそれがあるために規制されています。

　金融商品取引業者は、顧客から有価証券の売買の売付けの注文を受ける場合は、その売付けが空売りであるか否かの別を確認しなければなりません。顧客においても、金融商品取引業者に対して空売りか否かの別を明らかにする義務が課されています。

　また、金融商品取引業者は自己の計算による売付け、顧客から受託する売付けが空売りに該当する場合、取引所金融商品市場で行う空売りは取引所に明示しなければなりません。

　なお、増資公表後、新株等の発行価格決定までの間に空売りを行った場合には、その増資に応じて取得した新株等により空売り等に係る借入れの決済を行うことは禁止されています。

2 注文の執行と決済（受渡し）

(1) 株式の委託注文内容の確認

取引所では、受託契約準則で、以下のように顧客が金融商品取引業者に有価証券の売買の委託の都度、指示すべき事項を定めています。

- ●売買の種類
- ●銘柄
- ●売付けまたは買付けの区別
- ●数量
- ●値段の限度：成行（価格を指定しない注文）または指値（売りの場合は下限を、買いの場合は上限を指定する注文）がある
- ●売付けまたは買付けを行う売買立会時（寄付き、引け、ザラ場など）
- ●委託注文の有効期間（本日中、今週中など）
- ●現物取引または信用取引の別

(2) 注文伝票の作成　▼注意

顧客から売買を受託した場合、金融商品取引業者は必ず注文伝票を作成しなければなりません（売買が成立した場合に限り注文伝票を作成するわけではありません）。注文伝票は一定の要件の下に電磁的記録により作成可能です。

また、注文伝票の記載事項は、次のとおりです。

- ●自己または委託の別
- ●顧客からの注文の場合には、顧客の氏名または名称
- ●取引の種類
- ●銘柄
- ●売付けまたは買付けの別
- ●受注数量
- ●約定数量
- ●指値または成行の別
- ●受注日時
- ●約定日時
- ●約定価格

⑶　契約締結時交付書面

　顧客からの注文が執行され、売買が成立した場合、金融商品取引業者は内閣府令で定める**契約締結時交付書面**を作成し、遅滞なく顧客に**交付**し、写しを保存することとされています。また、**契約締結時交付書面**の交付方法について、顧客から書面または電磁的方法による承諾を得て、書面に記載すべき事項について、電子情報処理組織を使用する方法、その他の情報通信の技術を利用する方法により提供することができます。

　契約締結時交付書面は、売買が**成立**した場合に限り作成し、主な記載事項は以下のとおりです。

> - 金融商品取引業者等の、商号、名称または氏名、**営業所または事務所の名称**
> - 顧客の氏名または名称　　　　- **手数料**
> - 自己または委託の別　　　　　- **売付けまたは買付けの別**
> - 銘柄　　　　　　　　　　　　- 約定数量
> - 単価　　　　　　　　　　　　- 対価の額
> - 取引の種類　など

⑷　受渡し

　「**受渡し**」とは株式を売買したとき、顧客が代金を渡して株券を受け取る、または株券を渡して代金を受け取って決済することをいいます。

　取引所において**普通取引**で売買したときの受渡しは売買成立の日から起算して**3営業日目の日**に行われます。

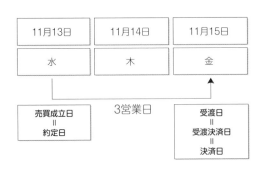

外務員試験においては、「3日目」と「3営業日目」の違いはありません。法文上では前者が用いられ、実際の業務では後者の表現がなされていますが、試験においてその違いを問われることはありません。▼注意

現在は、上場株券の電子化により上場株券は発行されませんので、顧客が株式を買い付けた場合は、取引金融商品取引業者（証券会社）の振替決済口座に振替株式として記載または登録されることになります。反対に株式を売却した場合は、取引金融商品取引業者の振替決済口座において減少の記載または記録がされることになります。

3 株式の売買に係る手数料

　株式売買の手数料の形態には、委託取引の場合と仕切取引の場合があります。

委託取引	金融商品取引業者が売買を委託されて取引を執行する。 金融商品取引業者は株式売買注文が成立したときに、顧客との合意による**委託手数料**を受け取る。委託手数料の額については1999年10月1日以降、**完全自由化**された。
仕切取引	取引所外で金融商品取引業者が顧客と直接相対売買する。 ①委託取引と同様に手数料を徴収する方法 ②売買値段に手数料相当分を含める方法

4節 金融商品取引所における株式の売買

重要度 ★★★　問題集 P66

1 売買の種類

金融商品取引所における株式の売買の種類は以下のように区分されます。

決済日の違いによる区分	(1) 当日決済取引
	(2) 普通取引
	(3) 発行日決済取引
信用供与の有無による区分	(1) 現物取引
	(2) 信用取引
売買立会市場によるか否かの区分	(1) 立会内売買
	(2) 立会外売買

2 決済日の違いによる区分　参照 4章3節

(1) 当日決済取引

売買契約締結の日に受渡決済をする取引です。

(2) 普通取引　▼注意

売買契約締結の日から起算して3営業日目の日に受渡決済をする取引で、最も一般的なものです。この取引には現物取引と信用取引があります。

(3) 発行日決済取引

内国株券の発行者（企業）が株主割当てにより新たに発行する株券を対象とした取引です。

参考 DVP決済（Delivery Versus Payment）

東京証券取引所では、取引所における金融商品取引業者間の決済について、取引相手の決済不履行による元本リスクを排除するため、DVP決済（資金と証券の同時または同日中の受渡し）が導入されています。

3 信用供与の有無による区分

現物取引	投資家が**自己資金を使って株式を買う取引**や自分が保有している株式を売却する取引を現物取引という。
信用取引	投資家が金融商品取引業者から購入代金を借りて株式を買う取引や株券を借りてそれを売り付ける取引を信用取引という。

4 売買立会市場によるか否かの区分

(1) 立会内売買（立会市場による売買） 参照 4章3節

　立会内売買における取引の方法は**オークション方式**による売買となります。

　オークション方式による売買とは、投資家の売り・買いの注文を銘柄ごと値段ごとに集計し、最も低い値段の売注文と最も高い値段の買注文を合致させ、価格優先・時間優先の原則に従って注文を成立させる個別競争売買によって行われる取引です。

(2) 立会外売買（立会市場以外の市場における売買）

　立会外売買とは、立会内売買のように個別競争売買によらず、一般的には売り手と買い手が合意した価格・数量等による**クロス取引**で約定を成立させる取引のことをいいます。クロス取引とは、ある金融商品取引業者が、同じ銘柄について同じ数量、同じ価格での売り注文と買い注文を同時に発注して成立させることをいいます。立会外売買は、以下のように各取引所の電子取引ネットワークシステムを介して行われる売買制度です。

> - 東証：ToSTNeT-1（単一銘柄取引、バスケット取引）　ToSTNeT-2（終値取引）
>   　　　ToSTNeT-3（自己株式立会外買付取引）
> - 名証：N-NET

　立会外売買は取引所取引の一形態です。基本的には対象銘柄・信用取引の利用等は、通常の立会内売買と同様です。**上場株式**（内国株式及び外国株式）だけでなく、**新株予約権付社債、ETF、J-REIT**等についても取引対象となります。

　立会外売買はその取引手法によって、以下のように区分されます。

立会外単一銘柄取引	単一銘柄のクロス取引のこと。
立会外バスケット取引	15銘柄以上かつ売買代金が1億円以上で構成されるポートフォリオをワンセットで売買する取引。
終値取引	終値またはVWAP（売買高加重平均価格）により行う取引。
自己株式立会外買付取引	株式発行会社が自己株式を取得するための取引。

　取引所金融商品市場に上場されていない有価証券は、**店頭有価証券**と定義されています。店頭有価証券は、**店頭取扱有価証券**とそれ以外の店頭有価証券とに分類されます。店頭取扱有価証券の中には投資勧誘を行うことができる**フェニックス銘柄**があります。

　さらに、「**株主コミュニティ銘柄**」と「**株式投資型クラウドファンディング業務に係る株券**」が、顧客（株主コミュニティに関しては当該参加者に限る）に対して投資勧誘可能な**店頭有価証券**とされています。

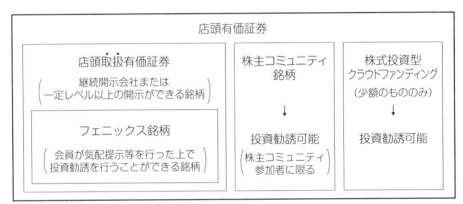

　なお、店頭有価証券は、原則として成行注文の受託や信用取引及び未発行店頭有価証券の店頭取引が禁止となっています。

1 店頭有価証券の種類

店頭取扱有価証券	**店頭有価証券**（日本の法人が日本国内で発行する取引所金融商品市場に上場されていない株券、新株予約権証券及び新株予約権付社債券）のうち、有価証券報告書を提出しなければならない会社または会社内容説明書を作成している会社が発行する株券、新株予約権証券及び新株予約権付社債券のこと。
フェニックス銘柄	店頭取扱有価証券のうち、金融商品取引所を上場廃止となった銘柄で、取引所に上場していた当時から保有する者に対し**流通の機会を提供する必要がある**と取扱会員になろうとする会員が判断したものであり、協会員が投資勧誘を行うものとして証券業協会が指定したもの。なお、フェニックス銘柄は2016年6月30日以降、指定されている銘柄はない。

店頭取扱有価証券以外の店頭有価証券	店頭取扱有価証券以外の店頭有価証券は、原則として顧客に投資勧誘を行うことはできない。このうち株主コミュニティ銘柄や株式投資型クラウドファンディング業務に係る株券などが、顧客に対して投資勧誘可能な店頭有価証券とされている。

2 株主コミュニティ銘柄

　株主コミュニティとは、一の（ひとつの）店頭有価証券に対する投資意向を有する投資者を帰属させるための集合体をいいます。また、株主コミュニティ銘柄とは、一の運営会員が株主コミュニティを運営し、投資勧誘を行う店頭有価証券をいいます。

3 株式投資型クラウドファンディング

　株式投資型クラウドファンディング業務とは、会員等が店頭有価証券のうち株券または新株予約権証券について行う**第一種少額電子募集取扱業務**をいいます。

取引所金融商品市場外取引は、広い意味では「店頭取引」の一種であり、機関投資家（個人以外の投資家で証券投資を本業とする法人投資家）等からの大口売買注文を金融商品取引業者が相手方となって売買する場合に多く用いられます。（参照 5章8節）

1 取引所金融商品市場での売買との相違

一般的に上場株式等の取引所金融商品市場での売買は、取引所において価格優先、時間優先の原則に従った競争売買により取引が行われます。一方、取引所金融商品市場外での売買は取引所を通さず、金融商品取引業者の店頭において金融商品取引業者との相対交渉により行うことになります。したがって、取引所金融商品市場での売買と取引所金融商品市場外での売買では、同一時間に成立した同銘柄の売買であっても価格が異なることがあります。

2 対象となる有価証券

対象となる**上場株券等**は、国内の取引所に上場されている以下のものです。

①株券

②出資証券（優先出資証券を含む）

③転換社債型新株予約権付社債券（いわゆる転換社債）

④交換社債券

⑤新株予約権付社債券、新株予約権証券

⑥投資信託受益証券、外国投資信託受益証券

⑦投資証券、外国投資証券

⑧外国株預託証券（ADR）

3 売買価格等の確認及び記録の保存

協会員は取引所外取引を行うにあたっては、売買の価格または金額が適当と認められるものであることを確認するものとし、その確認の記録を保存しなければなりません。

4 PTS (Proprietary Trading System：私設取引システム)

(1) PTS ▼注意

取引所外取引の一形態としてPTSによる売買があります。

PTSとは、金融商品取引法の定めるところにより、内閣総理大臣※の**認可**を受けた**金融商品取引業者**の開設する「電子取引の場」であり、このPTSに対して投資家あるいは金融商品取引業者が注文を出し、取引が行われます。

なお、2019年7月16日からPTSによる信用取引も可能となりました。

※法文上は内閣総理大臣だが、その権限の多くは金融庁長官に委譲されている。

(2) PTSの売買価格決定方法

PTSの売買価格の主な決定方法は以下の方法、もしくはこれに類似する方法によるものとされています。

- **オークション**（競売買）の方法
- **上場株式**について、その株式が上場されている取引所の売買価格を用いる方法
- **店頭売買有価証券**について協会が公表するその有価証券の売買価格を用いる方法
- **顧客の間の交渉**に基づく価格を用いる方法
- **顧客の提示した指値**が、取引相手方となる他の顧客の提示した指値と一致する場合に、その指値を用いる方法　など

PTSで売買される有価証券は上場株式だけでなく店頭売買有価証券もあります。

7節 外国株式の取引

1 外国証券取引口座の設定

　金融商品取引業者が顧客から外国証券（外国株券など）の取引の注文を受ける場合、顧客と外国証券の取引に関する契約を締結しようとするときは、あらかじめ各金融商品取引業者が定める様式（日本証券業協会規則及び金融商品取引所の受託契約準則の要件を満たしているもの）の「外国証券取引口座に関する約款」を顧客に交付し、その顧客から約款に基づく取引口座の設定に係る申込みを受ける必要があります。

2 外国証券取引の形態

　一般投資者が行う外国証券取引は、取引形態により①国内委託取引、②外国取引及び③国内店頭取引の3種類に区分されます。

①国内委託取引	日本国内に上場されている外国証券の取引。
②外国取引	顧客から外国証券の委託注文を受け、外国の金融商品市場に取り次ぐ取引。
③国内店頭取引	株式注文を現地の市場に出すのではなく、金融商品取引業者が相手方となり売買を成立させる取引。

ひっかけ

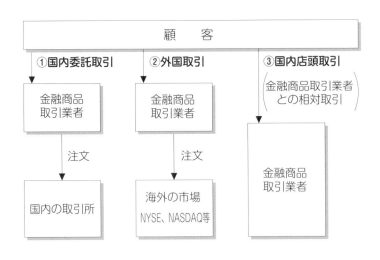

⑴ 国内委託取引の売買

国内委託取引とは、国内の取引所に上場されている外国証券の取引です。

取引所における外国証券の売買等は、国内証券と同様に取引所業務規程に基づいて国内証券と同様に執行され、決済も国内株券と同様に行われます。

ただし、国内委託取引による外国証券の売買の種類は、**普通取引**と**当日決済取引**の２種類のみです。

⑵ 外国取引の売買　⚠注意

外国取引とは、外国証券（外国投資信託証券を除く）の売買注文を**外国の金融商品市場**（店頭市場を含む）への媒介、取次ぎまたは代理の方法により執行する取引及び外国証券の公開買付けに対する売付けを取り次ぐ取引をいいます。

金融商品取引業者が顧客に勧誘を行うことのできる銘柄は、**適格外国金融商品取引市場**で取引が行われている外国証券または取引が予定されている外国証券で**一定の要件を満たす**ものです。

顧客は売買の種類、売買注文の執行地及び執行方法を金融商品取引業者に指示することになっていますが、海外市場への注文であるため、時差等の関係から注文発注日時と約定日時がずれることがあります。このため、約定日は売買注文の成立を金融商品取引業者が確認した日となっています。なお、決済は原則として約定日から起算して３営業日目で、国内の場合と同じです。

⑶ 国内店頭取引の売買

国内店頭取引とは、外国証券（外国投資信託証券を除く）の国内における店頭取引をいいます。金融商品取引業者が投資家の相手方として外国証券を仕切り売買する取引です。

8節 株式ミニ投資

1 売買の方法

　株式ミニ投資とは、金融商品取引業者と顧客との間で行う取引所の定める1売買単位に満たない株式を、株式等振替制度を利用して定型的な方法で行う売買取引です。

　投資家は株を購入したいとき（任意のとき）に**単元未満株のまま**機動的に任意の銘柄の買付けを行い、また、買い付けた単元未満株を**単元未満株のまま**売却することもできます。

　これにより、比較的少額の資金でも数種類の銘柄をまとめてポートフォリオ（多種多様な運用商品を組み合わせた投資資産全体）運用することが可能になります。

2 仕組み

(1) 取引単位等

　取扱金融商品取引業者が顧客との間で行う株式ミニ投資の取引単位等は、以下のとおりです。

- 取引所の定める1売買単位の10分の1単位の株券の持分を取引単位とする。
- 顧客から受託できる株数は、同一営業日において、同一銘柄につき、1取引単位に9倍の単位までとする。
  - →10倍になると1売買単位となり、もはやミニ投資ではなくなる。

(2) 取扱対象銘柄

　取扱金融商品取引業者は、**取引所に上場されている株券**で単元株制度採用銘柄の中から、株式ミニ投資に係る取引の対象とする銘柄を選定します。

(3) 約定価格　▼注意

　株式ミニ投資に係る金融商品取引業者と顧客との約定価格は、約定日におけるあらかじめ定められた取引所の価格に基づき決定するものとします。**指値注文はできません**。

⑷ 約定日・受渡日

約定日は、金融商品取引業者が顧客から注文を受託した日（注文日）の**翌営業日**となります。受渡日は約定日から起算して3営業日目の日です。

1 株式公開のメリット

会社にとって、株式の公開には以下のメリットがあります。

- 資金調達力の拡大
- 財産保全機能の拡大
- 社会的信用の向上
- 経営管理体制の確立
- 企業のPR

2 株式の上場と公開価格の決定

株式の新規上場に際して、公開価格の決定方法には、**ブックビルディング方式**と**競争入札方式**による公募等の2種類があります。

ブックビルディング方式	新規上場申請者（上場予定会社）及び元引受取引参加者（幹事証券会社）である金融商品取引業者が、以下の事項を総合的に勘案し、公開価格に係る**仮条件**（投資者の需要状況の調査を行うに際して投資者に掲示する価格の範囲等）を決定する。 ・上場予定会社の財政状態及び経営成績 ・有価証券に対する投資に係る専門的知識及び経験を有する者の意見その他の公開価格の決定に関し参考となる資料及び意見 その後ブックビルディングにより把握した投資者の需要状況、上場日までの期間における有価証券の相場の変動により発生し得る危険及び需要見通し等を総合的に勘案して、上場前の公募・売出しに際する公開価格を決定する。
競争入札方式	競争入札では、上場前の公開株式数の**50%以上**の株式について一般投資家の参加する入札を行い、公開価格を決定する。 入札は総合取引参加者である金融商品取引業者が投資家から取り次ぐ競争入札の方法による。 入札後の公開価格は、上場申請会社及び元引受取引参加者が、入札における落札価格を加重平均した価格を基準として、その入札の実施状況、上場日までに株式相場の変動で発生し得る危険や入札後の需要の見通し等を総合的に勘案して決定される。

予約（ブック）を積み上げていく（ビルディング）ので「ブックビルディング」といいます。

ひっかけ

10節 証券投資計算

1 株式分割

　株式分割が行われる場合、権利確定日の株主に対して新規に株券が交付されます。

　例えば、1：1.2の株式分割は、1,000株保有している株主に200株が交付され1,200株になるということを意味します。

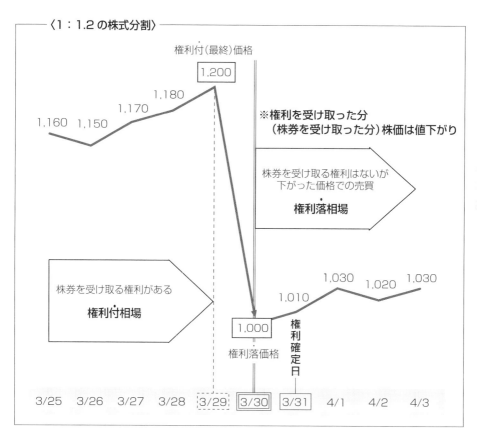

〈1：1.2 の株式分割〉

権利付(最終)価格

1,200

1,180
1,170
1,150
1,160

※権利を受け取った分
（株券を受け取った分）株価は値下がり

株券を受け取る権利はないが
下がった価格での売買
権利落相場

株券を受け取る権利がある
権利付相場

1,000

権利落価格

1,010
1,030
1,020
1,030

権利確定日

3/25　3/26　3/27　3/28　3/29　3/30　3/31　4/1　4/2　4/3

　株式分割の権利がある場合を**権利付相場**といいます。一方、権利が付与されない代わりに権利分株価が下がった場合を**権利落相場**といいます。

権利付相場の株価は分割のプレミアム分を含んでいます。権利付最終日と翌日の権利落日では市況が変わらなかったと仮定すると、権利落価格は権利付価格からプレミアム相当額だけ値下がりするはずです。権利付価格と権利落価格との間には、次の計算が成り立ちます。

権利落相場 ＝ $\dfrac{\text{権利付相場}}{\text{分割比率}}$ 🖊暗記	Q.権利付価格が1,200円で1：1.2の株式分割をすると、権利落相場は？
	A. $\dfrac{1{,}200\,円}{1.2} = 1{,}000\,円$

2 株式利回り

株式の利回りとは、投資金額（取得時の株価）に対する年間の受取配当金の割合です。

株式利回り ＝ $\dfrac{\substack{1株当たり\\配当金年額}}{\text{株　価}} \times 100$	Q.1株当たり予想配当金年額50円の株式の時価が2,500円である場合の株式利回りは？
	A. $\dfrac{50\,円}{2{,}500\,円} \times 100 = 2\%$

利回りを希望の利回りとして株価を算出すると、いくらで買えば希望の利回りが獲得可能かを知ることができます。この株価を採算株価といいます。

採算株価 ＝ $\dfrac{\substack{1株当たり\\配当金年額}}{\text{希望の利回り}}$	Q.1株当たり予想配当金年額50円の株式を利回り年2.5％になるように買い入れたい場合の採算株価は？
	A. $\dfrac{50\,円}{0.025} = 2{,}000\,円$

3 自己資本利益率（ROE：Return On Equity）

ROEは、株主の立場からみて、会社に投資した資金がどのように運用され、成果をあげているかを示すものです。ROEが低ければ、株主にとってはその企業に出資する魅力がないといえます。

🖊暗記

$$自己資本利益率(\%) = \frac{\text{当期純利益（年換算）}}{\text{自己資本（期首・期末平均）}} \times 100$$

4 株価収益率（PER：Price Earnings Ratio）

1株当たり当期純利益に対して、株価がどの程度に買われているかをみる指標です。

1株当たり当期純利益はEPS（Earnings Per Share）とも呼ばれ、EPSが高いほどその企業の収益力が高いということになります。

$$株価収益率(倍) = \frac{株\quad価}{1株当たり当期純利益} \qquad 暗記$$

$$1株当たり当期純利益 = \frac{当期純利益(税引後)}{発行済株式総数}$$

5 株価純資産倍率（PBR：Price Book-value Ratio）

1株当たりの純資産に対して株価が何倍に買われているかを示したものです。純資産とは、企業の持っている総資産から借入金や社債などの負債を差し引いたものです。

$$株価純資産倍率(倍) = \frac{株\quad価}{1株当たり純資産} \qquad 暗記$$

$$1株当たり純資産 = \frac{純資産}{発行済株式総数}$$

6 株価キャッシュ・フロー倍率（PCFR：Price Cash-Flow Ratio）

株価キャッシュ・フロー倍率（PCFR）で用いられるキャッシュ・フローとは、税引後純利益に減価償却費を加えたもので、企業が期中に生み出した自己資金を示すものです。

PCFRが高ければ株価は割高、PCFRが低ければ割安になります。

$$株価キャッシュ・フロー倍率 = \frac{株\quad価}{1株当たりキャッシュ・フロー} \qquad 暗記$$

$$1株当たりキャッシュ・フロー = \frac{税引後純利益 + 減価償却費}{発行済株式総数}$$

7 株式益回り

　株式益回りとは、株価収益率の逆数であり、株価に対する税引後利益の比率を表したものです。

$$株式益回り(\%)=\frac{1株当たり当期純利益}{株　価}\times100$$

8 イールドスプレッド（利回り格差）

　株式益回りと長期国債などが示す長期的な金利水準との比較を行う指標です。イールドスプレッドが小さくなるほど、株価は割安感が強くなります。

$$イールドスプレッド=長期債利回り-株式益回り$$

9 EV／EBITDA倍率

　EBITDA（Earnings Before Interest, Taxes, Depreciation and Amortization）は「金利・税金・償却前利益」の略で、経済のグローバル化により国際的な収益力の比較をするために考えられた利益指標です。各国の金利水準や税率、減価償却方法など会計基準の違いを最小限に抑えた利益がEBITDAです。

✐暗記

$$EBITDA=税引前利益+支払利息+減価償却費$$

　EVは、「企業価値（Enterprise Value）」の略で、株式市場で評価された企業の価値を示します。株式の時価総額に借入金の総額を加えて、保有する現金、預金及び短期有価証券の合計額を差し引いたものです。

✐暗記

$$EV=時価総額+有利子負債-現預金-短期有価証券$$

　EVをEBITDAで除したものがEV/EBITDA倍率です。国際的な同業他社比較に用いられ、この倍率が低ければそれだけ株価は割安ということになります。グローバル

な株価の投資尺度として注目されています。

$$EV/EBITDA倍率 = \frac{EV}{EBITDA}$$

✎暗記

<設例> ▦計算
資本金100億円、時価総額900億円、保有現預金（短期有価証券含む）50億円、有利子負債650億円、EBITDA170億円だった場合のEV/EBITDA倍率を求めなさい。（注）小数点第2位以下は切捨て。

<解答>
EV＝900（時価総額）＋650（有利子負債）－50（現預金＋短期有価証券）
　　＝1,500億円

$$EV/EBITDA倍率 = \frac{1,500億円}{170億円} ≒ 8.8235$$

∴EV/EBITDA倍率は8.8倍

10 株価指数

(1) 日経平均株価（日経225）

東証プライム市場上場銘柄中、流動性が高く代表的な225銘柄の株価を平均し、かつ連続性を失わせないため、増資権利落などを修正したものが日経平均株価です。

(2) 東証株価指数（TOPIX）

時価総額加重平均方式によって算出される株価指数であり、東証上場銘柄のうち**株式会社JPX総研**（日本取引所グループのデータ・デジタル事業を集約するグループ会社）が選定する銘柄の**時価総額**が、基準時の時価総額に比較してどのくらい増減したか、ということを通じて市場全体の株価の動きを表すものです。

TOPIXの算出方法は、基準時を1968年1月4日（終値）に置き、その日の時価総額を100として、その後の時価総額を指数化したものです。

$$東証株価指数 = \frac{指数算出時点の時価総額合計}{基準時価総額} \times 100$$

　株式売買の受渡代金は約定代金（株価×株数）に金融商品取引業者に支払う手数料を加算（買付けの場合）、または減算（売付けの場合）したものになります。

＜設例＞　⊞**計算**

A社株式について成行注文で7,000株の買注文を出したところ、同一日に500円で5,000株、510円で2,000株の約定が成立した。この場合の受渡金額はいくらか（株式委託手数料は、下表により計算すること）。

約定代金	委託手数料額
100万円以下の場合	約定代金×1.150%
100万円超　500万円以下の場合	約定代金×0.900%＋2,500円
500万円超1,000万円以下の場合	約定代金×0.700%＋12,500円
1,000万円超3,000万円以下の場合	約定代金×0.575%＋25,000円
3,000万円超5,000万円以下の場合	約定代金×0.375%＋85,000円

（注）円単位未満は切捨て、10%の消費税相当額を加算する。

＜解答＞

A社株式の約定代金＝（500円×5,000株）＋（510円×2,000株）
　　　　　　　　　＝3,520,000円

委託手数料＝3,520,000円×0.900%＋2,500円＋消費税相当額
　　　　　＝34,180円＋（34,180円×10%）
　　　　　＝37,598円（消費税額は円単位未満切捨て）

受渡金額＝3,520,000円＋37,598円＝3,557,598円

買注文の時の受渡金額は、投資家が金融商品取引業者に支払います。その際、購入にかかった手数料を支払額に加算します。
売注文の時の受渡金額は、投資家が金融商品取引業者から受け取ります。その際、売却にかかった手数料を受取額から減算します。
「買い」でも「売り」でも注文した側が手数料を負担するのです。

取引所定款・諸規則

4章

ここでは主に東京証券取引所の有価証券上場規程、業務規程及び受託契約準則について学習します。

有価証券上場規程では、上場の対象となる有価証券、株券等について、新規上場手続、上場審査基準、上場廃止基準など細かなところまで問われます。また、優先株等、転換社債型新株予約権付社債券及びETFの上場についても出題されます。

業務規程では、株券の配当落ち、権利落ちについては仕組みをしっかり理解したうえで問題を解けるようにしておく必要があります。売買契約の締結では、「価格優先の原則・時間優先の原則」と「板寄せ・ザラ場方式」を押さえてください。板寄せによる価格の決定方法はメカニズムを理解して得点できるようにしましょう。

受託契約準則については、総則、信用取引の代用有価証券、外貨による金銭の授受が狙われます。しっかりチェックしておきましょう。

推定配点&出題形式

○×問題：6問（12点）

5肢選択問題：0問　（0点）

計**12点**／440点満点中

※配点・出題形式についてはフィナンシャル バンク インスティチュートの推定です。

金融商品取引所とは、**有価証券の売買または市場デリバティブ取引**（有価証券の売買等）を行う市場を開設する法人です。金融商品取引所の開設は、内閣総理大臣による**免許制**がとられています。金融商品取引所の主要な諸規則は以下のとおりです。

定款	金融商品取引所の組織・運営に関する基本事項を定めた根本原則
取引参加者規程	取引参加者に関する事項を定めた規程
有価証券上場規程	有価証券の上場・上場廃止・適時開示等を定めた規程
業務規程	金融商品取引所の市場における取引方法等を定めた規程
受託契約準則	会員または取引参加者である金融商品取引業者と顧客の間の受託・委託に関する約款条項を定めたもの

　株式会社東京証券取引所（東証）では有価証券の売買が行われ、株式会社大阪取引所（OSE）では市場デリバティブ取引が行われています。東証及び大阪取引所（OSE）は、**会社法上の株式会社**です。本編では東証の諸規則を中心に学習します。

1 定款

　金融商品取引所を開設する者として、定款には以下の事項が規定されています。

①取引所金融商品市場に関する事項
②規則の作成に関する事項
③取引参加者の法令諸規則等の遵守義務、調査、処分に関する事項
④諮問委員会に関する事項

2 取引参加者規程

(1) 取引参加者の取引資格　＊重要

　東証、大阪取引所（OSE）それぞれが取引参加者規程を定めています。

　取引参加者となるためには、**取引資格の取得の申請**を取引所に行います。これを取引所が承認した時に取引資格が付与されます。

　東証の取引参加者は、有価証券の売買を行うことができる**総合取引参加者**の1種類です。大阪取引所（OSE）の取引参加者は、**先物取引等取引参加者、国債先物等取引参加者、商品先物等取引参加者及び外国為替証拠金取引参加者**の4種類あります。

東証	総合取引参加者 有価証券の売買を行うことができる者	
大阪 取引所 (OSE)	先物取引等取引参加者 国債証券先物取引、金利先物取引、指数先物取引、商品先物取引、有価証券オプション取引、国債証券先物オプション取引、指数オプション取引及び商品先物オプション取引ができる者	金融商品取引業者または取引所取引許可業者
	国債先物等取引参加者 国債証券先物取引、金利先物取引及び国債証券先物オプション取引ができる者	金融商品取引業者、取引所取引許可業者または登録金融機関
	商品先物等取引参加者 商品指数先物取引、商品先物取引及び商品先物オプション取引ができる者	金融商品取引業者、取引所取引許可業者または登録金融機関、商品先物取引業者など
	外国為替証拠金取引参加者 取引所外国為替証拠金取引を行うことができる者	金融商品取引業者または登録金融機関

(2) 取引参加者の義務等

①取引参加者契約の締結

取引参加者は、取引所との間で、取引所の規則等を遵守することなどを承諾する**取引参加者契約**を締結しなければなりません。

②顧客の調査

事故防止の観点から取引参加者は、取引所市場における有価証券の売買等の委託を受けるときは、あらかじめ**顧客の住所**、**氏名その他の事項**を調査しなければなりません。

(3) 取引参加者の処分及び処置等

取引所は、取引所市場の運営の確保及び秩序の維持に反するような取引参加者に対して、厳正な規律のもとに処分または処置を行います。取引所は、以下の事項に該当することとなった取引参加者に対しては、**審問**のうえ、過怠金、戒告、**有価証券の売買等の停止・制限**、清算取次ぎの委託の停止・制限または取引資格の取消しを行うことができます。

〈取引参加者を処分する場合〉

①取引参加者としての適格性を欠いたとき

②**支払不能・契約不履行など財産または取引上の問題が生じたとき**

③取引参加者の義務に違反したとき

2節 有価証券上場規程

重要度 ★★★　問題集 P86

1 上場

　取引所市場において売買の対象となる有価証券は、金融商品取引所に上場されている有価証券です。

　金融商品取引所に上場するということは、金融商品取引所が、企業等の発行する有価証券をその金融商品取引所の開設する市場において売買の対象となる有価証券として認めることをいいます。

　上場の対象となる有価証券は、**金融商品取引法上**の有価証券に限られます。具体的には、株券、国債証券、地方債証券、社債券及び転換社債型新株予約権付社債券などがあります（**小切手や約束手形は含まれません**⚠注意）。

　また、東証の市場区分は以下のとおり**スタンダード市場、プライム市場、グロース市場**の３つです。

スタンダード市場	公開された市場における投資対象として一定の**時価総額**（流動性）を持ち、上場企業としての基本的なガバナンス水準を備えつつ、持続的な成長と中長期的な企業価値の向上にコミットする企業向けの市場
プライム市場	多くの**機関投資家**の投資対象となりうる規模の時価総額（流動性）を持ち、より高いガバナンス水準を備え、**投資家との建設的な対話**を中心に据えて持続的な成長と中長期的な企業価値の向上にコミットする企業向けの市場
グロース市場	高い**成長可能性**を実現するための事業計画及びその進捗の適時・適切な開示が行われ一定の市場評価が得られる一方、事業実績の観点から相対的にリスクが高い企業向けの市場

2 株券等の新規上場手続

　東証では、**国債証券**の場合等を除き、発行者から取引所への申請がない限り、株券等は上場できません。⚠注意

　発行者が、株券等の上場を申請するときは、東証所定の有価証券新規上場申請書及び新規上場申請に係る宣誓書等を提出する必要があります。

> 国債証券の上場は、発行者からの上場申請は不要ですが、地方債券、外国国債証券及び外国地方債証券の上場にあたっては、発行者からの上場申請が必要となります。⚠注意

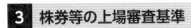

3 株券等の上場審査基準

　株券等の上場審査においては、株券等を東証に上場することが公正な価格の形成や

適正な流通の保持を容易にし、公益または投資者保護のため必要かつ適当であるかに重点を置いています。ここではスタンダード市場への新規上場について説明します。

　上場審査はまず**形式要件**す・べ・て・に適合するものを対象として行い、形式要件に適合したものについて、発行者に関し**実質審査**を行います。

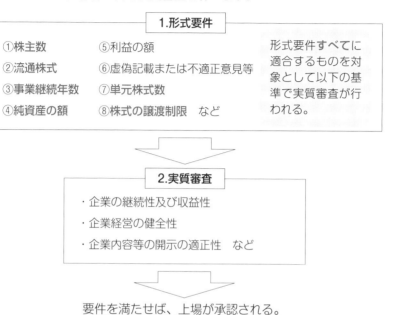

1.形式要件

①株主数　　　⑤利益の額

②流通株式　　⑥虚偽記載または不適正意見等

③事業継続年数　⑦単元株式数

④純資産の額　⑧株式の譲渡制限　など

形式要件すべてに適合するものを対象として以下の基準で実質審査が行われる。

2.実質審査

・企業の継続性及び収益性

・企業経営の健全性

・企業内容等の開示の適正性　など

要件を満たせば、上場が承認される。

　以上が内国株券の上場審査の概要ですが、**外国株券**等の上場審査については、内国株券の上場審査制度を基準にして、外国株券等に**特有な性質**を配慮して審査が行われています。具体的には、本国等における法制度、実務慣行等を勘案した実質審査を行うこととしています。

　また、すでに東証に上場されている株券等の発行者（上場会社）が、同一種類の株券等を**新たに発行**する場合は、原則として上場が**承認**されます。

4 市場区分の変更

　東証は、**他の市場区分**（スタンダード市場・プライム市場・グロース市場のうち、上場株券等が上場している市場区分以外の市場区分）への市場区分の変更申請を受けた場合、**新規上場申請時**と同様に審査を行います。

5 適時開示等上場管理

　東証は、審査基準による審査を経て上場された株券等について、常時、**発行者の経営及び財務の状態等**を把握し、投資家が安心して投資できるよう次の事項の開示を義務付けています。

- ●株券等の発行者の経営に重大な影響を与える事実
- ●株券等に関する権利等に係る重要な決定等の開示

6 株券等の上場廃止基準

　東証は、内国株券が上場廃止に該当する基準として以下を設けており、上場内国株券がこれらのいずれかに該当する場合は、その上場を廃止します。

- ●**上場維持基準への不適合**
- ●銀行取引の停止
- ●破産手続、再生手続または更生手続
- ●事業活動の停止
- ●不適当な合併等
- ●有価証券報告書または四半期報告書の提出遅延
- ●虚偽記載または不適正意見等
- ●上場契約違反等
- ●反社会的勢力の関与　　など

　上場株券等が上場廃止基準に該当する**おそれ**がある場合、または上場株券等の発行者から上場廃止申請が行われた場合には、その事実を投資者に周知させるため、東証は一定期間、その株券等を**監理銘柄**に指定することができます。

　また、上場株券等の上場廃止が**決定**された場合には、その事実を投資者に周知させるため、東証は、上場廃止日の前日までの間、その株券等を**整理銘柄**に指定することができます。

> まずは監理銘柄に指定し、上場廃止が決まれば整理銘柄に指定します。

7 優先株等の上場

　非参加型優先株及び**子会社連動配当株**⊂**用語**（優先株等）の上場は、その**上場申請**については、普通株とほぼ**同様**な手続きにより行うこととしていますが、**上場審査**及び**上場廃止**については、優先株等の特異性を考慮し、普通株とは**異なった**基準を設

⊂**用語** -

子会社連動配当株：トラッキング・ストックともいう。発行者がその連結子会社の業績、配当等に応じて株主に利益配当を支払う種類株をいう。

けています。

(1) 上場審査基準

上場審査は、形式要件を満たす新規上場申請銘柄を対象として実質審査が行われます。

①形式要件

- ●その発行者が**普通株**を上場していること ● 流通株式 など
- ●優先株等の所有者数

②実質審査

- ●剰余金配当を行うに足りる利益を計上する見込みのあること
- ●株式の内容、企業内容等の開示を適正に行うことができる状況にあること など

(2) 上場廃止基準

①発行者に対する基準

発行者が次のいずれかに該当する場合には、発行する優先株等全銘柄の上場が廃止されます。

- ●優先株等に係る重大な上場契約違反、または優先株等に係る上場契約の当事者でなくなることとなった場合
- ●発行する普通株がその普通株の**上場廃止基準**に該当した場合

②上場優先株等に対する基準

上場優先株等が次の基準の**いずれか**に該当する場合は上場が廃止されます。

- ●優先株等の所有者数 ● 優先株等としての存続期間満了
- ●流通株式 ● 売買高 など

8 転換社債型新株予約権付社債券の上場

　転換社債型新株予約権付社債券の上場については、上場申請のあった転換社債型新株予約権付社債券の上場審査基準に基づき審査を行い、上場を決定しています。

(1) 上場審査基準

　上場審査基準は、発行者に対する基準と上場申請銘柄に対する基準があります。

①発行者に対する基準

- ●東証の上場会社であること

②上場申請銘柄に対する基準

- ●発行額面総額
- ●新株予約権の行使条件が適当でないと認められるものでないこと　など

(2) 上場廃止基準

　上場廃止基準は、発行者に対する基準と上場銘柄に対する基準があります。

①発行者に対する基準

　次のいずれかに該当する場合は、その発行者の発行する転換社債型新株予約権付社債券の全銘柄の上場が廃止されます。

- ●重大な上場契約違反、または上場契約の当事者でなくなることとなった場合
- ●発行する株券等が上場廃止基準に該当する場合　など

②転換社債型新株予約権付社債券に対する基準

　転換社債型新株予約権付社債券が次の基準のいずれかに該当する場合は、その銘柄の上場を廃止します。

- ●最終償還期限の1か月前までに上場額面総額が3億円未満となった場合
- ●新株予約権の行使期間満了　など

9 その他の証券の上場

　以下の有価証券の上場については、上場申請があったものについて、上場審査基準に基づき審査を行い、上場を決定しています。

- ●内国指標連動型ETF　　●不動産投資信託証券

　内国指標連動型ETFの上場については、**投資信託委託会社等**及びその受託者である**信託会社等**からの上場申請があったものについて、上場審査基準に基づき審査を行い、上場を決定しています。

東証における有価証券の売買については、業務規程にその細目を規定しています。

1　有価証券の売買の態様

東証の取引所市場内における有価証券の売買は、**立会市場**による有価証券の売買と、立会市場以外の市場（**ToSTNeT市場**）による有価証券の売買に大別されています。個人投資家が株式投資を普通に行うのは立会市場による売買です。

(1)　有価証券の売買の種類

立会市場における有価証券の売買には、売買立会による売買として、**当日決済取引**、**普通取引**、**発行日決済取引**があり、売買立会による売買以外の売買として、過誤訂正等のための売買や立会外分売等があります。

過誤訂正等の ための売買	過誤等（システム障害等）のため取引所市場で執行できなかった顧客の注文を、自己（金融商品取引業者自身）が相手方となって売買立会によらないで執行できる市場内売買。 過誤訂正等のための売買は、やむを得ない事由のときに、取引所の事前承認を受け、取引所の認める適正な値段によって行う。過誤訂正等のための売買取引の決済は、通常どおり執行できたと仮定した場合の、本来の決済日に行う。
立会外分売	顧客が、金融商品取引業者に大量の大口売注文を委託した場合に、広く数多くの一般投資家の参加を求めて大口注文の換金性を確保し、かつ、混乱等を防ぐために行われる。 最近では株式の分布状況の改善を図るため、大株主の保有株式を一般投資家に分散する手段として利用されている。

ToSTNeT市場における有価証券の売買（ToSTNeT取引）は、①単一銘柄取引、②バスケット取引、③終値取引及び④自己株式立会外買付取引に分けられます。

なお、債券（転換社債型新株予約権付社債を除く）の売買は、**当日決済取引**と**普通取引**に分けられますが、国債証券の売買については普通取引しか行われません。

(2) 株券の配当落ち、権利落ち等の売買　▼注意

　東証の、株券の普通取引においては、配当金（中間配当を含む）交付株主の確定期日または新株予約権その他の権利確定期日の**前日**から、**配当落ち**または**権利落ち**として売買を開始します。

■（例）３月末のカレンダー

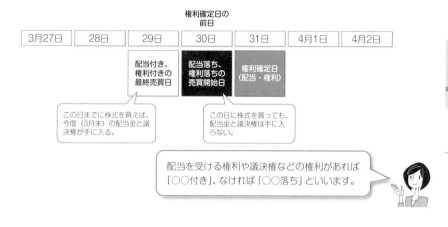

権利確定日の
前日

| 3月27日 | 28日 | 29日 | 30日 | 31日 | 4月1日 | 4月2日 |

配当付き、
権利付きの
最終売買日

配当落ち、
権利落ちの
売買開始日

権利確定日
（配当・権利）

この日までに株式を買えば、今度（3月末）の配当金と議決権が手に入る。

この日に株式を買っても、配当金と議決権は手に入らない。

配当を受ける権利や議決権などの権利があれば「○○付き」、なければ「○○落ち」といいます。

(3) 信用取引と貸借取引

①信用取引　参照▶15章

　信用取引とは、顧客が金融商品取引業者から信用の供与を受けて（資金や株券を借りて）行う取引のことをいいます。信用取引には、制度信用取引と一般信用取引の2種類があります。なお、**新株予約権証券**及び上場廃止の基準に該当した銘柄、その他東証が適当でないと認めた銘柄については、信用取引を行うことができません。

制度信用取引	品貸料、弁済の繰延期限については、東証の規定に従い、また、東証の定める銘柄に限り、信用取引を行うことができる取引。
一般信用取引	金利・品貸料、弁済の繰延期限について、顧客との間で合意した内容に従って行う取引。

②貸借取引

　証券金融会社（参照▶6章4節）と金融商品取引業者の間の資金または株券の貸借関係（資金の融資や株券の貸付け）を貸借取引といいます。

2 売買立会

(1) 呼値・売買（取引）単位

①呼値の単位

　売買立会による売買等を行おうとするときは、呼値を行わなければなりません。呼値とは、株券や債券などを注文するときの値段のことです。株券と国債の呼値の単位は、原則として以下のとおりです。

種類	呼値の単位			売買（取引）単位
株券	1株（口）の値段が			
		3,000円以下	1円	
	3,000円超	5,000円以下	5円	
	5,000円超	3万円以下	10円	1単元の株式の数を定めている会社
	3万円超	5万円以下	50円	⇒1単元の株式数
	5万円超	30万円以下	100円	（例：100株）
	30万円超	50万円以下	500円	
	50万円超	300万円以下	1,000円	1単元の株式の数を定めていない会社
	300万円超	500万円以下	5,000円	⇒1株
	500万円超	3,000万円以下	1万円	
	3,000万円超	5,000万円以下	5万円	
	5,000万円超		10万円	
国債	額面100円につき1銭			額面5万円

　呼値の単位とは、株券や国債価格がいくらずつ動くのかを意味します。例えば、あるA株式の買注文を出す際、前日の終値が7,000円であった場合、呼値は10円単位となるので、6,995円という値段の注文はできず、6,990円や7,010円であれば注文の執行が可能となります。また、国債の呼値の単位は、額面100円につき1銭です。

②売買単位

　株券については、1単元の株式の数を定めている会社の場合は、1単元の株式数（100株、1,000株）です。1単元の株式の数を定めていない会社の場合は1株です。

　また、国債の売買単位は、額面5万円です。

⑵ 売買契約の締結 ▼注意

東証の取引所市場における売買立会による売買は、売買注文を売り・買い別に市場に集中し、**価格優先・時間優先**の原則に従い、競争売買によって行われます。その際、まず**価格優先の原則**を適用し、同じ値段が2個以上あるときは時間優先の原則に従います。

価格優先の原則	売呼値は**低い値段が優先**、買呼値は**高い値段が優先**。 例えば、売注文は、1,100円よりも1,090円が優先され、買注文は、1,090円よりも1,100円が優先される。
時間優先の原則	同一値段の呼値の間では、時間の早い注文が優先。 例えば、同じ銘柄に対して、1,200円の買注文が2件ある場合には、先に注文を出したほうが優先する。

成行呼値（値段を指定しないで、そのときの市場価格で売り買いする注文）は、**指値**（値段を指定して、いくら以上で売りたい、いくら以下で買いたいとする注文）による呼値よりも優先されます。

以上のように、売呼値及び買呼値の間で競合が行われ、売買約定の優先順位が確保されますが、約定値段そのものの決定の方法としては、**個別競争売買**の方法が採用されています。これは、多数の売注文のうち一番安い値段と、多数の買注文のうち一番高い値段が合致する場合に、その値段を約定値段として、価格優先の原則、時間優先の原則にそって売買を成立させる方法です。

⑶ 板寄せとザラ場方式

売買価格の決定方法として、**板寄せとザラ場方式**があります。

板寄せ	売買立会の**始値**を定める場合や、売買立会終了時における**終値**を定める場合の方法。
ザラ場方式	始値決定後の値段の決定方法を**ザラ場方式**という。ザラ場とは、始値と終値との間に行われる継続売買のこと。

(4) 価格の決定方法（板寄せ及びザラ場方式）

①板寄せの価格決定

■始値直前の注文控（板）状況

	売呼値	値段	買呼値	
(イ)	15,000	**成行**	20,000	(A)
(ト)	1,000	503		
(ヘ)	3,000	502	1,000	(B)
(ホ)	3,000	501	2,000	(C)
(ニ)	2,000	500	4,000	(D)
(ハ)	3,000	499	4,000	(E)
(ロ)	5,000	498	5,000	(F)
		497	6,000	(G)
		496	5,000	(H)

（左側：優先↑／優先↓　右側：優先↓）

■成立過程

	売呼値			買呼値			売買が成立した株
(イ)	成行	15,000株	⇔ (A)	成行	20,000株	→	15,000株
(ロ)	498円	5,000株	⇔ (A)	成行	5,000株	→	5,000株
(ハ)	499円	3,000株	⇔ (B)	502円	1,000株	→	1,000株
(ハ)	499円	2,000株	⇔ (C)	501円	2,000株	→	2,000株
(ニ)	500円	2,000株	⇔ (D)	500円	4,000株	→	2,000株

・価格優先原則及び成行注文優先により、まず成行売呼値15,000株(イ)と成行買呼値20,000株(A)を対当させる。この時点で成行買呼値5,000株が残る。

・次に、(A)の残りの成行買呼値5,000株と最も低い売呼値の498円5,000株(ロ)を対当させる。ここで成行呼値の売・買と498円5,000株(ロ)は執行された形になる。しかし、498円より高い買呼値の(B)、(C)、(D)、(E)が残る。

・そこで残りの呼値のうち、まず最も高い買呼値502円1,000株(B)を最も低い売呼値499円3,000株(ハ)と対当させる。次に(ハ)の残株2,000株と501円2,000株(C)を対当させる。

・最後に、買呼値500円4,000株(D)と売呼値500円2,000株(ニ)を対当させた時点で、板寄せによる約定価格決定の条件が整い、始値500円となる。

∴　始値：500円　　売買高：25,000株

> 始値の成立過程で対当された呼値は、すべて500円の単一価格で約定されることとなります。また、それぞれ対当した株数の合計が売買高となります。

②ザラ場の価格決定

■始値決定後注文控の（板）状況

	売呼値	値段	買呼値	
		成行		
(ト)	1,000	503		
(ヘ)	3,000	502		
(ホ)	3,000	501		
		500	2,000	(D)
		499	4,000	(E)
		498	5,000	(F)
		497	6,000	(G)
		496	5,000	(H)

<設例1>

始値決定後、売呼値として499円5,000株が発注された場合

まず、最も高い買呼値500円2,000株(D)と対当、次に売残株3,000株と499円4,000株(E)を対当させる。その結果、順に500円で2,000株、499円で3,000株の価格で約定が成立する。

<設例2>

その後、成行買呼値5,000株が発注された場合

最も低い売呼値501円3,000株(ホ)と対当、次に買残株2,000株と502円3,000株(ヘ)を対当させる。その結果、順に501円で3,000株、502円で2,000株の価格で約定が成立。

この2つの設例にみられるように、ザラ場での約定においては、価格は必ずしも単一ではありません。

3 有価証券の売買等の適正化措置

(1) 呼値の値幅の制限（ストップ高・ストップ安）

　価格の急激かつ大幅な変動は、投資者に不測の損害を及ぼします。このような事態を防止するため、1日の値幅を前営業日の終値から一定の範囲に制限しています。

株券の呼値の制限値幅	株券の制限値幅は株価によって区分されている。 制限値幅の上限まで上昇することを**ストップ高**、下限まで下落することを**ストップ安**という。
債券の呼値の制限値幅	債券（転換社債型新株予約権付社債券などを除く）の呼値の制限値幅は1円。
転換社債型新株予約権付社債券の呼値の制限値幅	転換社債型新株予約権付社債券の呼値の制限値幅は、行使対象上場株券の呼値の制限値幅に転換比率を乗じた額になる。 $$転換比率＝\frac{額面100円当たりの発行価額}{新株予約権の行使により発行する株式の発行価額}$$

　東証は売買の状況に異常があると認める場合またはそのおそれがあると認める場合には、全部もしくは一部の銘柄について呼値の**制限値幅を変更**することができます。

4 有価証券の売買等の取消し

　金融商品取引においては、一度成立した売買は取り消されることがなく、確実に決済まで行われることが大前提です。

　しかしながら、誤注文により通常想定し得ない規模の売買が成立し、その結果、長期にわたって決済が行われなくなる場合には、金融商品市場の機能が麻痺し、大きな混乱を招く事態になります。

　そこで取引所は過誤のある注文により売買が成立した場合において、その決済が極めて困難であり、取引所市場が混乱するおそれがあると認めるとき等は、一度成立した売買等を取り消すことができる**約定取消ルール**を制定しています。

5 有価証券の清算・決済

　東証における有価証券の売買の清算・決済は、株式会社**日本証券クリアリング機構**で行われています。なお、有価証券等清算取次ぎとは、清算参加者（清算機関の参加者）に清算機関との間で清算を行わせるために名義上清算参加者の名によって売買を成立させるための行為です。

1 総則

取引参加者（証券会社）が取引所市場における有価証券の売買等を受託するにあたっては、取引所の定める**受託契約準則**によらなければならないとされています。

①取引参加者と顧客との間における取引所取引の委任契約は受託契約準則によって締結される。

②受託契約準則は金融商品取引所が定め、金融庁長官の認可事項とされている。

したがって、**取引参加者**のみならず**顧客**もまた対等の契約を締結した者としてこの準則を熟知し遵守すべき義務があるのです。

2 取引の受託

顧客は有価証券の売買の委託に際しては、売買の種類、銘柄、売付けまたは買付けの区別、数量、値段の限度、売付けまたは買付けを行う売買立会時、委託注文の有効期間、空売り・信用取引の場合はその旨などを、取引参加者に明確に指示しなければなりません。

3 信用取引 参照 15章

信用取引は顧客が一定の保証金（委託保証金）を担保として差し入れて、株券等の売買取引に必要な資金や株券等を金融商品取引業者から借りて行う取引です。委託保証金は現金（円貨だけでなく米ドルも可）が原則ですが、有価証券で代用することができます。**代用有価証券**の主なものは以下のとおりです。

- ●国内上場株券 （外国株券を含む）
- ●国債証券　　　　●公社債投資信託の受益証券
- ●**地方債証券**　　　●その他の投資信託の受益証券
- ●政府保証債
- ●国内の金融商品取引所に上場されている外国国債証券

国内取引所に上場していれば、外国株券は、信用取引の代用有価証券にできるだけではなく、信用取引を行うことも可能です。

4 外貨による金銭の授受

　有価証券の売買等に係る顧客と取引参加者との間の金銭の授受は、すべて**円貨**で行うことが前提になっていますが、受託取引参加者が同意した場合は、顧客の指定する**外貨**により行うことができます。

5 債務不履行

　顧客の債務不履行に対しては、取引参加者は任意にその顧客の計算で、売付または買付契約を締結することができます。さらに、これによって取引参加者が損害を被った場合には顧客のために占有し、または「社債、株式等の振替に関する法律」に基づく取引参加者の口座に記録している顧客の金銭や有価証券によりその損害の賠償にあてることができ、なお不足額があればその不足額の支払いを顧客に請求することができます。

　有価証券の売買についての債務不履行とは以下のとおりです。

- 所定の時限までに売付証券または買付代金を取引参加者に交付しないとき
- 所定の時限までに信用取引に関し、取引参加者に預託すべき委託保証金または支払うべき金銭を預託しない、または支払わないとき
- 所定の時限までに信用取引に関し、取引参加者に貸付けを受けた買付代金または売付証券の弁済を行わないとき

協会定款・諸規則

5章

　本章では日本証券業協会の諸規則を中心に学習します。出題頻度が高いのは、「協会員の投資勧誘・顧客管理等に関する規則」（以下「投資勧誘規則」）及び「協会員の従業員に関する規則」（以下「従業員規則」）です。ここは確実に得点できるようにしましょう。

　「投資勧誘規則」では、顧客カードの整備、内部者登録カードの整備や取引開始基準が狙われます。「従業員規則」では、従業員の採用や禁止行為が幅広く出題されます。また、「有価証券の寄託の受入れ等に関する規則」や「協会員の外務員の資格・登録等に関する規則」も出題されやすいところです。

　この科目は推定配点が46点と高いので、取りこぼしのないようにしましょう。

　店頭有価証券、外国証券の取引、上場株券等の市場外売買については、3章の「株式業務」でも出てきましたが、日本証券業協会の規則として再度学習します。

推定配点&出題形式

○×問題：8問（16点）
5肢選択問題：3問（30点）
計**46**点／440点満点中

※配点・出題形式についてはフィナンシャル バンク インスティチュートの推定です。

1 日本証券業協会の定款

　日本証券業協会は、金融商品取引法（参照▶6章）の規定により第一種金融商品取引業を行う者及び登録金融機関によって組織され、内閣総理大臣の認可を受けた法人です。

(1) 協会員の種類

　協会の協会員は、以下の3種類に区分されています。❗注意

会員	第一種金融商品取引業を行う者（証券会社）
特定業務会員	特定店頭デリバティブ取引等業務のみ、株式投資型クラウドファンディング業務のみ、商品関連市場デリバティブ取引取次ぎ等業務のみを行う者
特別会員	登録金融機関（銀行）

(2) 目的

　協会の目的は、以下のとおりです。

> 協会員の行う「有価証券の売買その他の取引等」を公正かつ円滑ならしめ、金融商品取引業の健全な発展を図り、もって投資者の保護に資すること。

2 日本証券業協会の諸規則

自主規制規則	協会員の有価証券の売買その他の取引等に関する公正な慣習を促進して不当な利得行為を防止し、取引の信義則を助長するために定める規則。
統一慣習規則	協会員の有価証券の売買その他の取引等及びこれに関連する行為に関する慣習を統一して、取引上の処理を能率化し、その不確定、不統一から生じる紛争を排除するために定める規則。
紛争処理規則	協会員の業務に関する顧客からの苦情の解決及び有価証券の売買その他の取引等に関する顧客と協会員との間の紛争解決のあっせん及び協会員相互間の紛争の解決を図ることを目的とした規則。

> 諸規則の中でも自主規制規則は特に重要で、試験においてもその内容が問われます。

(1) 業務遂行の基本姿勢

協会員は、その業務遂行にあたっては常に投資者の信頼の確保を第一義とし、金融商品取引法その他の法令諸規則等を遵守し、投資者本位の事業活動に徹しなければならないとされています。

また、協会員は有価証券の売買その他の取引等に関し、**重要な事項**について、顧客に**十分な説明**を行うとともに、**理解を得る**よう努めなければなりません。

重要な事項とは、例えば顧客（特定投資家を除く）に**ブル・ベア型投資信託** ◁用語 を販売する場合は、以下のことを説明するとともに、理解を得るよう努めなければなりません。 ✻重要

ブル型	ブル型のレバレッジ型については、対象となる指数が下落した場合に、その指数と比べて大きな損失が生じる可能性があること。
ベア型	ベア型は、対象となる指数に対して一定倍率反対となる投資効果を目指して運用されるため、対象となる指数が上昇した場合に、その指数に比べて大きな損失が生じる可能性があること。

さらに、協会員は、顧客の投資経験、投資目的、資力等を十分に把握し、顧客の意向と実情に適合した投資勧誘を行うよう努めなければなりません（**適合性の原則**）。

(2) 自己責任原則の徹底

協会員は、投資勧誘にあたっては、顧客に対し、投資は投資者自身の判断と責任において行うべきものであることを理解させる必要があります。

(3) 顧客カードの整備

協会員は、顧客調査、顧客管理の適正化を図る観点から、有価証券の売買等を行う顧客（特定投資家を除く）の顧客カードを備え付けなければなりません。顧客カードへの記載事項は、次のとおりです。

◁用語 ------

ブル・ベア型投資信託：デリバティブ（先物やオプションなど）を利用して、基準となる指数を上回る投資成果を目指す投資信託。「ブル」は強気、「ベア」は弱気を意味し、ブル型は指数が上昇したときに、ベア型は指数が下落したときに利益が出るように運用されている。

5章 協会定款・諸規則

1 2節 節 日本証券業協会の定款と諸規則 協会員の投資勧誘・顧客管理等に関する規則

111

- ●氏名または名称　●投資目的　●取引の種類
- ●住所または所在地及び連絡先　●資産の状況
- ●生年月日　●投資経験の有無
- ●職業　●その他各協会員において必要と認める事項

本籍地、家族構成、最終学歴は含まれません。▼注意

　なお、顧客カードには、顧客の資産状況等が記録されていることからその守秘義務が課されており、協会員は、顧客について顧客カード等により知り得た秘密を他に洩らしてはならないとされています。

⑷　勧誘開始基準

　協会員は、顧客（個人に限り、特定投資家を除く）に対し、以下①～③の販売の勧誘を行うにあたっては、①～③の販売ごとに勧誘開始基準を定め、その基準に適合した者でなければ、販売の勧誘を行ってはなりません。

①店頭デリバティブ取引に類する複雑な仕組債に係る販売
②店頭デリバティブ取引に類する複雑な投資信託に係る販売
③レバレッジ投資信託に係る販売

⑸　取引開始基準

　以下のハイリスク・ハイリターンな取引については、慎重を期する必要があるので、協会員がそれぞれ取引開始基準を定め、その基準に適合した顧客との間で取引等の契約を締結しなければなりません。

- ●信用取引　　●外国株式信用取引
- ●新株予約権証券の売買その他の取引
- ●有価証券関連デリバティブ取引等
- ●特定店頭デリバティブ取引等
- ●商品関連市場デリバティブ取引取次ぎ等
- ●店頭取扱有価証券の売買その他の取引
- ●株主コミュニティ銘柄の取引等
- ●株式投資型クラウドファンディング業務に係る取引
等　など

現先取引、着地取引、債券貸借取引、新株予約権付社債には取引開始基準はありません。また、信用取引には、「取引開始基準」は必要ですが、次の「確認書の徴求」は必要ありません。

(6) 確認書の徴求

協会員は、顧客（特定投資家を除く）と以下の取引の契約を初めて締結しようとするときは、顧客が契約に係る**契約締結前交付書面**等に記載された金融商品取引行為についてのリスク、手数料等の内容を理解し、顧客の判断と責任においてその取引等を行う旨の確認を得るため、顧客からその取引に関する**確認書**を徴求するものとされています。

- 新株予約権証券等または**カバード・ワラント**◁用語の売買その他の取引
- 有価証券関連デリバティブ取引等、特定店頭デリバティブ取引等または商品関連市場デリバティブ取引取次ぎ等

---

(7) 注意喚起文書の交付等

協会員は、顧客（特定投資家を除く）と以下の有価証券等の販売に係る契約を締結しようとするときは、あらかじめ、その顧客に対し、**注意喚起文書**を交付しなければなりません。

---

① 有価証券関連デリバティブ取引等
② 特定店頭デリバティブ取引等
③ 商品関連市場デリバティブ取引取次ぎ等
④ 店頭デリバティブ取引に類する複雑な仕組債
⑤ 店頭デリバティブ取引に類する複雑な投資信託

ただし、上記①〜③の有価証券等で以下の場合はこの限りではありません。

- 販売に係る契約の**締結前1年以内**にその顧客に対し同種の内容の有価証券等の販売に係る注意喚起文書を交付している場合
- その顧客が目論見書の交付を受けないことについて同意している場合

---

(8) 高齢顧客に対する勧誘による販売

協会員は、高齢顧客（個人に限り、特定投資家を除く）に有価証券等の勧誘による

◁用語 -

カバード・ワラント：株式や株価指数を売買する権利を証券化したもの。

販売を行う場合には、当該協会員の業態、規模、顧客分布及び顧客属性並びに社会情勢その他の条件を勘案し、高齢顧客の定義、販売対象となる有価証券等、説明方法、受注方法等に関する社内規則を定め、適正な投資勧誘に努める必要があります。

⑼ 店頭有価証券の投資勧誘の禁止

協会員は、店頭有価証券については、店頭有価証券規則に規定する場合を除き、顧客に対し、投資勧誘を行うことは禁止されています。

⑽ 信用取引、新株予約権証券取引及びデリバティブ取引等の節度ある利用

協会員は、信用取引、新株予約権証券等の売買その他の取引、有価証券関連デリバティブ取引等、特定店頭デリバティブ取引等及び商品関連市場デリバティブ取引取次ぎ等の契約の締結については、各社の規模、業務の実情に応じて、節度ある運営を行うとともに、過度になることのないよう常時留意する必要があります。

また、協会員は、顧客の有価証券関連デリバティブ取引等、特定店頭デリバティブ取引等及び商品関連市場デリバティブ取引取次ぎ等の建玉（取引において未決済の契約総数）、損益、委託証拠金、預り資産等の状況について適切な把握に努めるとともに、それらの取引等を重複して行う顧客の評価損益については、総合的な管理を行う必要があります。

⑾ 主観的または恣意的な情報提供となる一律集中的推奨の禁止

協会員は、顧客に対し、主観的または恣意的な情報提供となる特定銘柄の有価証券または有価証券の売買に係るオプションの一律集中的推奨をしてはなりません。

⑿ 仮名取引の受託及び名義貸しの禁止

協会員は、顧客から有価証券の売買取引等の注文があった場合に、本人名義以外の名義を使用していることを知りながら、その注文を受けてはならないとされています。

協会員を含む金融機関には、「犯罪による収益の移転防止に関する法律」（犯収法）により、顧客の取引時確認が義務付けられています。

また、協会員は顧客が株券の名義書換えを請求するに際し、自社の名義を貸与してはならないとされています。

⒀ 会員の顧客に対する保証等の便宜の供与

会員は、有価証券の売買その他の取引等に関連し、顧客の資金または有価証券の借

入れにつき行う**保証、あっせん**等の便宜の供与については、顧客の取引金額その他に照らして過度にならないよう、適正な管理を行う必要があります。

⑭ 特別会員の自動的な信用供与の禁止等

特別会員は、登録金融機関業務に係る取引において、顧客に対して、損失の穴埋め、**委託証拠金**の新規または追加の差入れのための信用の供与を自動的に行ってはなりません。また、特別会員は登録金融機関金融商品仲介行為に係る取引について、顧客に対しその顧客が会員に開設した取引口座に残高不足が生じた場合に、信用の供与を**自動的**に行い、またはこれを行うことを約した登録金融機関金融商品仲介行為は行ってはならないとされています。

⑮ 内部者登録カードの整備

協会員は、上場会社等の**特定有価証券**（その上場会社等の株券・新株予約権証券・社債券）等の売買を初めて行う顧客から、上場会社等の役員等にあたるかどうかについて届出を求め、その届出に基づき、上場会社等の役員等である顧客については、上場会社等の特定有価証券等の**売買が行われるまでに内部者登録カード**を備え付けなければなりません。内部者登録カードには次の事項を記載する必要があります。

- ●氏名または**名称** ●住所または所在地及び連絡先
- ●生年月日 ●**会社名、役職名及び所属部署**
- ●上場会社等の役員等に該当することとなる上場会社等の名称及び銘柄コード

本籍地、家族構成及び続柄は含まれません。

⑯ 取引の安全性の確保 ▼注意

協会員は、**新規顧客、大口取引顧客**等からの注文の受託に際しては、あらかじめ当該顧客から買付代金、または売付有価証券の**全部**または一部の預託を受けるなど取引の安全性の確保に努める必要があります。

⑰ 顧客の注文に係る取引の適正な管理

協会員は、有価証券の売買その他の取引等を行う場合には、**顧客の注文**に係る取引と**自己の計算**による取引とを峻別しなければならず、顧客の注文に係る伝票を速やかに作成のうえ、整理・保存するとともに、自己の計算による取引と区分するための番号等を端末機に入力するなど、顧客の注文に係る取引を適正に管理する必要があります。

1 従業員

　この規則で「従業員」とは、会員（証券会社）においてはその使用人で国内に所在する本店その他の営業所などに勤務する者をいいます。外務員とは、従業員のうち、所属する協会員のために**外務員の職務**を行う者をいいます。

2 従業員の採用

(1) 法令等違反行為を行った従業員への対応等

　協会員は、従業員を採用する際の審査において採用しようとする者が**二級不都合行為者**としての取扱いの決定を受けた者であったこと等が判明した場合には、**法令等違反行為の抑止**及び**投資者保護に係る研修等**を行う必要があります。

(2) 採用の禁止　▼注意

　従業員に対する監督責任の所在を明らかにするため、協会員が、他の協会員の使用人を自己の従業員として採用することを**禁止**しています。

　ただし、**出向により受入採用する場合等**については、この規制の対象外となっています。

　不都合行為者制度に基づき協会が**一級不都合行為者**として取り扱う者は、期限を設けず協会員の従業員としての採用は禁止されています。また、協会が**二級不都合行為者**として取り扱う者については、協会員は、その取扱いの決定の日から**5年間**は、これを採用してはならないこととなっています。

(3) 協会への照会

　協会は、従業員として不適格な者、特に不都合行為者の取扱いを受けている者の排除に万全を期する趣旨から、**従業員の採用前における照会制度**を設けています。

　協会員は、他の協会員の従業員または金融商品仲介業者もしくはその外務員であった者、または現に他の協会員の従業員、金融商品仲介業者もしくはその外務員である者を採用しようとする場合は、**一級不都合行為者**としての取扱いについて、協会に照会しなければなりません。

また、過去5年間のいずれかの時点において他の協会員の従業員、金融商品仲介業者もしくはその外務員であった者または金融サービス仲介業外務員であった者または現に他の協会員の従業員、金融商品仲介業者もしくはその外務員である者または金融サービス仲介業外務員である者を採用しようとする場合は、**二級不都合行為者**などとしての**取扱い及び決定・処分**について、協会に照会しなければなりません。

3 禁止行為

(1) 信用取引及び有価証券関連デリバティブ取引等の禁止 ▼注意

協会員は、その従業員が**いかなる名義**を用いているかを問わず、自己の計算で**信用取引**、**有価証券関連デリバティブ取引**、**特定店頭デリバティブ取引**または**商品関連市場デリバティブ取引**を行うことがないようにしなければなりません。

例えば、信用取引を禁止されている者として、会員の従業員及び登録金融機関業務に従事する特別会員の従業員があります。

ただし、従業員が行う取引が、報酬の一部として給付されることが決定した株式やストック・オプションについては、一定の期間において、その保有にかかる価格変動リスクを減少させるためであり、専ら投機的利益の追求を目的としないものとしてその協会員の承諾を受けた場合は認められます。

(2) いわゆる「仮名取引」の受託の禁止 ▼注意

仮名取引とは、口座の名義人とその口座で行われる取引の効果帰属者が一致しない取引のことです。例えば、顧客が架空の名義や他人の名義を使用して取引を行い、その取引の法的効果を得ようとすることをいいます。

従業員は、顧客から有価証券の売買その他の取引等の注文を受ける場合において、**本人名義**以外の名義を使用していることを**知りながら**、その注文を受けてはならないこととなっています。

ただし、特例として、名義人の**配偶者**及び**二親等内**の**血族**である者が名義人本人の取引としての注文であることを**明示**して取引を発注した場合、その確認が行われているのであれば**本人名義**の取引とみなされます。

(3) その他の禁止行為 ✏️暗記

協会員の従業員による以下の行為は禁止されています。

①**顧客カード**等により知り得た投資資金の額その他の事項に照らし、**過当な数量の有価証券**の売買その他の取引等の勧誘を行うこと。

②有価証券の売買その他の取引について、顧客と**損益**をともにすることを約束して勧誘し、または実行すること。

③顧客から有価証券の売買その他の取引等の注文を受けた場合において、**自己**がその相手方となって有価証券の売買その他の取引等を成立させること。

④顧客の有価証券の売買その他の取引、有価証券関連デリバティブ取引、特定店頭デリバティブ取引または商品関連市場デリバティブ取引または有価証券名義書換えについて、自己もしくはその親族、その他の自己と特別な関係にある者の名義または住所を使用させること。

⑤自己の有価証券の売買その他の取引等について、顧客の**名義**または**住所**を使用すること。

⑥顧客から有価証券の**名義書換え**等の手続きの依頼を受けた場合において、所属協会員を通じないでその手続きを行うこと。

⑦顧客から所属協会員に交付するために預託された金銭、有価証券または所属協会員から顧客に交付するために預託された金銭及び有価証券を、**遅滞なく相手方に引き渡**さないこと。

⑧所属協会員から顧客に交付するために預託された業務に関する書類を、遅滞なくその顧客に交付しないこと。

⑨有価証券の売買その他の取引等に関して、顧客と金銭、有価証券の**貸借（顧客の債務の立替えを含む）**を行うこと。

⑩職務上知り得た秘密を漏洩すること。

⑪広告審査担当者の審査を受けずに、**従業員**限りで広告等の表示または景品類の提供を行うこと。

⑫顧客から有価証券の売付けの注文を受ける場合において、当該有価証券の売付けが**空売り**であるか否かの別を確認せずに注文を受けること（例外あり）。

⑬顧客から注文を受けた空売りを他の会員に委託をする場合において、当該空売りに係る有価証券につき直近公表価格以下の価格で当該空売りを行うよう指示すること。

⑭投資信託受益証券等の**乗換え**を勧誘するに際し、顧客（**特定投資家**を除く）に対して、当該乗換えに関する**重要な事項**について説明を行わないこと。

⑮会員に係る有価証券の売買その他の取引において、顧客が**反社会的勢力**であることを知りながら、契約の締結をすること。

⑯顧客に対して、**融資**、**保証**等に関する特別の便宜の提供を約し、登録金融機関業務に係る取引または当該取引を勧誘すること。

⑰登録金融機関業務に係る取引について、明らかに**委託証拠金**の新規または追加差入れとなるような信用の供与を行うこと。

⑷ 不適切行為

協会員は従業員が以下の**不適切行為**を行わないよう指導及び監督する必要があります。

- 有価証券の売買その他の取引等において、**銘柄**、**価格**、**数量**、**指値**または**成行の区別**等、顧客の注文内容の確認を行わないまま注文を執行すること。
- 有価証券等の性質や取引の条件について、**顧客を誤認させるような勧誘**を行うこと。
- 有価証券の価格等について、騰貴または下落することに関し、顧客を誤認させるような勧誘を行うこと。
- 顧客の注文の執行において、**過失**により事務処理を誤ること。

⑸ 不都合行為者制度

審査の結果、その従業員等が退職または協会員より解雇に相当する社内処分を受けた者で、かつその行為が金融商品取引業の信用を著しく失墜させるものと認めたときは、決定により、その者を不都合行為者として取り扱うこととし、外務員資格、営業責任者資格及び内部管理責任者資格を取り消します。

また、このうち、金融商品取引業の信用への影響が特に著しい行為を行ったと認められる者は**一級不都合行為者**として取り扱い、その他の者は**二級不都合行為者**として取り扱います。

⑹ 特定有価証券に係る売買

協会員は、従業員における上場会社等の**特定有価証券**に係る売買等に関し、従業員の範囲に関する事項や売買等の手続に関する事項などについて規定した**社内規則**を定める必要があります。

(1) 外務員とは

外務員とは、協会員の役員または従業員のうち、その所属協会員のために、外務員の職務を行う者をいいます。会員の外務員は、以下の5種類に分けられます。**注意**

一種外務員	外務員のうち、外務員の職務のすべてを行うことができる者。
信用取引外務員	外務員のうち、二種外務員の外務員の職務、信用取引及び発行日決済取引に係る外務行為を行うことができる者。
二種外務員	外務員のうち、有価証券に係る外務員の職務及び有価証券等清算取次ぎに係る外務員の職務を行うことができる者をいう。ただし、二種外務員は外務員の職務のすべてを行うことはできない。 〈二種外務員が行うことができない外務員の職務〉 ・有価証券関連デリバティブ取引等、選択権付債券売買取引、信用取引、発行日決済取引、**新株予約権証券**、カバード・ワラント等に係る外務員の職務 ・店頭デリバティブ取引に類する複雑な仕組債、店頭デリバティブ取引に類する複雑な投資信託及び**レバレッジ投資信託**に係る外務員の職務 **例外**　信用取引及び発行日決済取引については、所属会員の一種外務員、信用取引外務員が**同行**して注文を受託するものに限り行うことができる。
特例商先外務員	外務員のうち、商品関連市場デリバティブ取引等に係る外務員の職務を行うことができる者。
特例商先外務員（ディーリング限定）	外務員のうち、協会員の計算による商品関連市場デリバティブ取引（いわゆる自己取引）に係る外務員の職務を行うことができる者。

(2) 外務員資格

外務員は営業所、事務所の内外を問わず協会員に代わって職務を行い、その効果は直接協会員に帰属します。協会員は、その役員または従業員のうち、外務員の種類ごとに定める一定の資格を有し、かつ外務員の**登録**を受けた者でなければ、外務員の職務を行わせてはなりません。

(3) 外務員の登録 **参照** 6章2節

協会員は、その役員または従業員に外務員の職務を行わせる場合は、その者の氏名、生年月日その他の事項につき、協会に備える**外務員登録原簿**に登録を受ける必要があります。また、協会員は、登録を受けている外務員について、氏名等に変更があった

とき、退職その他の理由により外務員の職務を行わないこととなったときは、遅滞なく所定の様式によりその旨を協会に届け出なければなりません。

(4) 外務員に対する処分

協会は、登録を受けている外務員が金融商品取引法上の**欠格事由**に該当したとき、金融商品取引業のうち外務員の職務またはこれに付随する業務に関し法令に違反したとき、その他外務員の職務に関して著しく不適当な行為をしたと認められるときは、**その登録を取り消し**、または2年以内の期間を定めて外務員の**職務の停止**の処分を行うことができます。

(5) 外務員に対する資格更新研修　▼注意

協会員は、外務員登録を受けている外務員及び外務員登録を受けていない者について、それぞれ以下の期間（受講義務期間）内に、協会の外務員資格更新研修を受講させなければなりません。

外務員登録を受けている外務員	外務員登録日を基準として5年目ごとの日の属する月の初日から1年間
外務員登録を受けていない者	新たに外務員の登録を受けたときは、外務員登録日後180日

受講義務期間の初日前2年以内に外務員試験に合格した者は、外務員資格更新研修を受講して修了したものとみなされます。

(6) 資格の効力停止・取消し

受講義務期間内に外務員資格更新研修を受講することができなかった場合には、外務員資格更新研修を修了するまでの間、すべての**外務員資格**の効力が停止し、外務員の職務を行うことができなくなります。

また、受講義務期間の**最終日の翌日**から180日までの間に、外務員資格更新研修を修了しなかった場合には、すべての外務員資格が**取り消され**、外務員の職務を行うことができなくなります。

(7) 資質の向上のための社内研修の受講

協会員は、登録を受けている外務員について、外務員資格更新研修とは別に、毎年、外務員の**資質の向上**のための社内研修を受講させる必要があります。

1 寄託の受入れの制限

協会員が顧客から有価証券の寄託を受けることができるのは、以下の5つのケースに限定されています。▼注意

単純な寄託契約	協会員が顧客から有価証券の保管の委託を受け、その有価証券を顧客ごとに個別に保管する。
委任契約	顧客から有価証券に関する**常任代理業務**◁用語に係る事務の委託を受ける場合など。
混合寄託契約	複数の顧客から預託を受けた同一銘柄の有価証券を混合して保管し、返還のときは、各自の寄託額に応じて混合物から返還する。
協会員が質権者	協会員が質権者である場合とは、例えば顧客から有価証券を信用取引の保証金等の担保として預かる場合などがある。
消費寄託契約	受託者（預かる側）が寄託物を消費し、後日、同種同等同量のものを返還することを約束する寄託。顧客から消費寄託契約により有価証券の寄託を受けるときは、契約書2通を作成して、その1通を顧客に交付し、もう1通を保存しなければならない。

2 保護預り契約

(1) 保護預り契約の締結 ▼注意

- ●会員及び特別会員は、顧客から単純な寄託契約または混合寄託契約で有価証券の寄託を受けるときは、顧客と保護預り契約を締結しなければならない。
- ●保護預り契約を締結するときは、顧客から保護預り口座設定申込書を受け入れ、保護預り口座を設定した場合は、顧客にその旨を通知しなければならない。
- ●抽選償還◁用語される可能性のある債券を混合寄託契約で受け入れるときは、抽選方法等の取扱いについての社内規程を設け、事前に顧客に了承を得なければならない。
- ●保護預り口座を設定した場合、会員及び特別会員は顧客から単純な寄託契約または混合寄託契約により寄託を受けた有価証券は、すべてその口座により出納保管しなければならない。

◁用語 ----

常任代理業務：外国人投資家等の顧客に代わって、配当金の受領・送金、議決権の行使、新株予約権の行使・処分などを行う業務。
抽選償還：抽選で償還する債券を決定して償還すること。

(2) 保護預り契約の適用除外　▼注意

以下の有価証券の寄託については、保護預りに関する契約を締結する必要はありません。

- ●累積投資契約（**参照** 8章1節）に基づく有価証券
- ●常任代理人契約に基づく有価証券
- ●国内CP　など

(3) 保護預り約款

保護預り約款は、有価証券の「保護預り」に関し、**受託者**（預かる側）である会員または特別会員と**寄託者**（預ける側）である顧客との権利義務関係を明確にしたものです。

この約款は、保護預り証券の保管や返還などについて規定しています。

保護預り証券の保管	保護預り証券は、原則として**会員**が保管。なお、金融商品取引所または決済会社の**振替決済**に係る保護預り証券については、決済会社で混合保管。
保護預り証券の返還	保護預り証券の返還は、各会員所定の手続きを経て行う。

3　照合通知書及び契約締結時交付書面

(1) 照合通知書による報告　▼注意

会員は、顧客の債権債務の残高について、顧客の取引区分に従って、**それぞれに定める頻度**で照合通知書により報告しなければなりません。

ただし、その顧客が**取引残高報告書**を定期的に交付している顧客である場合で、取引残高報告書に照合通知書に記載すべき項目を記載している場合には、照合通知書の作成・交付が免除されます。

■照合通知書による報告の頻度

①有価証券の売買その他の取引のある顧客	1年に1回以上
②有価証券関連デリバティブ取引、特定店頭デリバティブ取引または商品関連市場デリバティブ取引のある顧客	1年に2回以上
③金銭または有価証券の残高がある顧客で①②の取引または受渡しが1年以上行われていない顧客	随　時

(2) 照合通知書の記載事項 ▼注意

この照合通知書に記載すべき主な事項は、以下の金銭または有価証券の**直近**の残高（MMFなどのキャッシングによるものは除く）です。

- ●**立替金、貸付金、預り金または借入金**
- ●**単純な寄託契約**、委任契約、**混合寄託契約または消費寄託契約**に基づき寄託を受けている有価証券
- ●**質権の目的物としての金銭または有価証券　など**

なお、金銭及び有価証券の**残高がない**顧客の場合でも、直前に行った報告以後**1年**に満たない時期にその残高があった場合には、**照合通知書**により、現在は残高がないことを**報告しなければなりません**。

(3) 照合通知書の作成、交付 ▼注意

- ●照合通知書の作成は、会員の**検査**、**監査**または**管理を担当する部門**で行うこととされている。
- ●照合通知書を交付するときには、顧客との連絡を確保する趣旨から、住所、事務所の所在地または顧客の指定した場所に、原則として、**郵送**しなければならない。ただし、照合通知書を直ちに顧客に交付できる状態にある場合において、顧客に店頭で**直接交付**する場合や、顧客から特に申し出があり、**協会で定める方法**で処理するときは郵送以外の方法でもよいとされている。
- ●顧客から金銭または有価証券の残高についての照会があったときは、会員の**検査**、**監査または管理を担当する部門**が受け付け、遅滞なく回答を行わなければならない。

(4) 契約締結時交付書面（取引報告書）の交付 ▼注意

契約締結時交付書面を交付するときも照合通知書と同様に、顧客の住所、事務所の所在地または顧客の指定した場所に原則として**郵送**しなければなりません。ただし、照合通知書同様、（契約締結時交付書面を直ちに交付できる状態にあれば）証券業協会の定める方法で処理すれば郵送以外でもよいとされています。

また、顧客が**法人**等である場合は、**主管責任者**の承認を受けて契約締結時交付書面を顧客の事務所に**持参**して直接交付したときは、郵送で**交付**したものとみなされます。

4 取引残高報告書制度

　顧客が有価証券等の売買取引を行った場合には、会員は、その売買取引の都度、契約締結時交付書面（取引報告書）を作成・交付するとともに、原則として四半期ごとに**取引残高報告書**を作成し交付することが義務付けられています。

　取引残高報告書は、約定報告に基づく**受渡決済**の状況とその後の**残高**を顧客に報告するための書面です。

広告等の表示及び景品類の提供に関する規則のポイントは以下のとおりです。

定義	この規則では、金融商品取引業の内容について金融商品取引法などに規定する広告及び表示を「広告等の表示」と定義している。
広告等の基本原則	協会員が広告等の表示を行うときは、**投資者保護**の精神に則り、取引の信義則を遵守し、品位の保持を図るとともに、的確な情報提供及びわかりやすい表示を行うよう努めなければならないとされている。 また、協会員は、景品類の提供を行うときは、取引の信義則を遵守し、品位の保持を図るとともに、その適正な提供に努めなければならない。
内部審査等 ▼注意	①協会員は、広告等の表示または景品類の提供を行うときは、広告等の表示または景品類の提供の審査を行う担当者（**広告審査担当者**）を任命し、禁止行為に違反する事実がないかどうかを広告審査担当者に審査させなければならない。ただし、金融商品取引法の定める特定投資家のみを対象として行う場合などは除く。 ②協会員は、広告審査担当者の審査を受けずに、従業員限りで広告等の表示または景品類の提供を行うことのないようにしなければならない。
社内管理体制の整備	協会員は、広告等の表示及び景品類の提供の適正化を図るため、広告等の表示及び景品類の提供に係る審査体制、審査基準及び保管体制に関する社内規則を制定し、これを役職員に遵守させる必要がある。
禁止行為	協会員は、以下のいずれかに該当するような広告を行ってはいけない。 ・取引の信義則に反するもの ・協会員として品位を損なうもの ・金融商品取引法その他の法令等に**違反**する表示のあるもの ・**脱法行為**を示唆する表示のあるもの ・投資者の投資判断を誤らせる表示のあるもの ・協会員間の公正な競争を妨げるもの ・恣意的または過度に**主観的**な表示のあるもの ・判断、評価等が入る場合において、その**根拠**を明示しないもの

7節 店頭有価証券に関する規則

重要度 ★★★　問題集 P120

1 店頭有価証券に関する規則

(1) 定義

この規則における用語の定義は以下のとおりです。 ⚠注意

店頭有価証券	日本の法人が日本国内において発行する、取引所金融商品市場に**上場されていない株券、新株予約権証券及び新株予約権付社債券**。
店頭取扱有価証券	店頭有価証券のうち、継続開示会社または**一定レベル以上の開示**ができている会社が発行する**株券、新株予約権証券及び新株予約権付社債券**。 継続開示会社または一定レベル以上の開示とは以下の要件のどちらかを満たしている場合をさす。 ①金融商品取引法に基づき**有価証券報告書**を内閣総理大臣に提出していること。 ②会員などが投資勧誘を行う際の説明に用いる**会社内容説明書**を作成していること。
店頭取引	協会員が自己または他人の計算において行う店頭有価証券の売買その他の取引。

(2) 店頭有価証券の投資勧誘の禁止

協会員は、**店頭有価証券**については、原則として顧客に対し**投資勧誘を行ってはな**りません。 ▮例外 ただし、以下の例外があります。

- 経営権の移転等を目的とした取引に係る投資勧誘や**適格機関投資家**（参照▶10章2節）に対する投資勧誘を行う場合
- 企業価値評価等が可能な特定投資家に対し投資勧誘を行う場合
- 店頭取扱有価証券の募集等の取扱いを行う場合
- 上場有価証券の発行会社の発行する店頭取扱有価証券の投資勧誘を行う場合
- 「株式投資型クラウドファンディング業務に関する規則」や「株主コミュニティに関する規則」などの規定による場合

⑶　店頭取扱有価証券の注文

　協会員は、顧客から店頭取扱有価証券の取引の注文を受ける際は、**その都度**、その有価証券が店頭取扱有価証券であることを明示し、募集等の取扱い等を行う場合には、**有価証券届出書**、**目論見書**または**会社内容説明書**を取扱部店に備え置き、顧客の縦覧に供しなければなりません。

8節 上場株券等の取引所金融商品 市場外での売買等に関する規則

重要度 ★★★　問題集 P120

1 売買価格等の確認及び記録の保存

協会員は取引所外売買を行うにあたっては、売買の価格または金額が適当と認められるものであることを確認するものとし、その確認の記録を保存する必要があります。

2 売買の停止等

協会は、公益または投資者保護のために必要かつ適当であると認めるときは、会員（証券会社）が行う取引所外売買及び協会員が媒介等を行う取引所外売買を停止することができます。

3 報告及び公表

報告及び公表の決まりは以下のとおりです。

①会員は、同時に多数の者に対し、取引所金融商品市場外での上場株券等の売付けまたは買付けの申込みを行ったときは、銘柄名、買いに係る申込みにあたってはその銘柄中最も高い価格を、売りに係る申込みにあたってはその銘柄中最も低い価格を、数量等と併せて協会に報告しなければならない。

②会員は、取引所外売買が成立したときは、銘柄名、売買価格、売買数量等を協会に報告しなければならない。

③協会は、会員から①及び②の報告を受けたときは、所定の時期に会員に通知するとともに公表する。

4 顧客への説明

協会員は、顧客から取引所外売買に関する注文を受ける場合には、あらかじめ、その顧客に対し、受渡決済に関する条件など会員が必要と認める事項について十分に説明する必要があります。

9節 外国証券の取引に関する規則

重要度 ★★★　　問題集 P122

国内の取引所金融商品市場に上場されている外国証券に関しては、**国内委託取引**としてその取引所の諸規則によって規制されることとなるため、この規則の対象から除かれています。この節では**国内店頭取引**及び**外国取引**について学習します。

1 契約の締結及び約款による処理

- 協会員は、顧客または他の協会員から外国証券の売買取引の注文を受ける場合には、その顧客または他の協会員と外国証券の取引に関する**契約**を締結しなければならない。
- 協会員は、顧客と**契約**を締結しようとするときは、「外国証券取引口座に関する**約款**」を当該顧客に交付し、その顧客から約款に基づく取引口座の設定に係る申込みを受けなければならない。ただし、すでに約款を交付している場合で、その顧客から改めて約款の交付を求める旨の申し出がないときは、約款を交付する必要はない。協会員は**申込書**の提出を受けた後、申込みを承諾して口座を設定した場合は、その旨を顧客に**通知**する。

約款には、顧客の注文に基づく外国証券の売買等の執行、売買代金の決済、証券の保管、配当・新株予約権その他の権利の処理等について規定されています。顧客との外国証券の取引は、公開買付けに対する売付けを取り次ぐ場合を除き、すべて**約款の条項**に従って行われます。

2 資料の提供

- 協会員は顧客から、日本国内での開示の行われていない外国証券の注文を受ける場合、このことを顧客に説明しなければならない。
- 協会員は顧客から保管の委託を受けた外国証券について、**発行者**から交付された通知書及び資料等を保管し、**顧客の閲覧**に供しなければならない。また、顧客より請求を受けた場合には、発行者から交付された通知書及び資料等を顧客に交付する必要がある。
- 外国証券の発行者が公表した顧客の投資判断に資する重要な資料を顧客の閲覧に供するよう努めなければならない。

3　すでに発行された外国証券の勧誘

　協会員が顧客（適格機関投資家及び一定の事業会社等を除く）に勧誘を行うことができるすでに発行された外国株券等、外国新株予約権証券及び外国債券は、投資者保護の観点から、原則として次の外国証券に限られます。

> ●適格外国有価証券市場で取引されている外国株券等、外国新株予約権証券及び外国債券
> ●外国国債等や日本が加盟している国際機関が発行する債券
> ●金融商品取引所による開示が行われている外国債券や外国優先出資証券
> ●国内の取引所金融商品市場で取引されている外国株券等、外国新株予約権証券及び外国債券　など

4　国内店頭取引

　協会員が顧客との間で**外国株券**等、外国新株予約権証券及び**外国債券**の国内店頭取引を行うにあたっては、「**社内時価**（合理的な方法で算出された時価）」を基準とした適正な価格により取引を行わなければなりません。

　なお、協会員は、顧客の求めがあった場合には、取引価格の算定方法等について、**口頭**または**書面**等により、その概要を説明しなければなりません。

5 外国投資信託証券の販売等

国内で販売等が行われる外国投資信託証券については、特に投資者保護の観点から、その選別基準、資料の公開等についての規定があります。

対象証券	協会員が顧客（適格機関投資家を除く）に勧誘することにより販売等ができる**外国投資信託証券**は、外国投資信託証券に係る制度及び開示について法令等が整備されていること等の要件を満たす国または地域で設立され、募集の取扱いまたは売出しに該当する場合は、外国投資信託受益証券または外国投資証券ごとに定められた**選別基準**に適合しており、投資者保護上問題がないと協会員が確認した**外国投資信託証券**であることとされている。
選別基準	外国投資信託証券の選別基準は、外国投資信託受益証券、外国投資証券の別に定められている。
買戻し義務	協会員は、外国投資信託証券が選別基準に適合しなくなった場合でも、顧客から買戻しの取次ぎまたは解約の取次ぎの注文があったときは、これに**応じなければならない**。
資料の公開	協会員は、**外国投資信託証券**を販売した顧客に対しては、原則としてその外国投資信託証券に関する**決算報告書**その他の書類を送付しなければならない。 さらに、協会員は、自社が顧客に販売した外国投資信託証券が選別基準に適合しないこととなったときは、遅滞なくその旨を顧客に通知する必要がある。

6 外国株券等の国内公募の引受等

協会員が国内公募の引受等を行うことができる外国株券等は以下の証券に限られます。

- **適格外国金融商品市場**において取引が行われているものまたはその市場における取引が予定されているもの
- 国内の取引所金融商品市場において取引が行われているものまたはその市場における取引が予定されているもの

1 協会員における法人関係情報の管理態勢の整備に関する規則

法人関係情報の管理態勢の整備について、協会員には、以下のような規則が定められています。

- 法人関係情報の**管理部門**（法人関係情報を統括して管理する部門）を定めなければならない。
- 法人関係情報の管理に関し、その情報を利用した不公正取引が行われないよう、「法人関係情報を取得した際の手続きに関する事項」や「法人関係情報の伝達手続に関する事項」などについて規定した**社内規則**を定めなければならない。
- 法人関係情報を取得した役職員に対し、その取得した法人関係情報を直ちに**管理部門に報告**するなど法人関係情報を取得した際の管理のために必要な手続きを定めなければならない。
- 法人関係部門について、他の部門から物理的に隔離するなど、法人関係情報が業務上不必要な部門に伝わらないよう管理しなければならない。
- 法人関係情報の管理に関し、社内規則に基づき適切に行われているか否かについて、定期的な検査等の**モニタリング**を行わなければならない。

2 反社会的勢力との関係遮断に関する規則

反社会性勢力との関係遮断に関する規則として、次のような規則が定められています。

- 相手方が**反社会的勢力**であることを知りながら、その相手方との間で有価証券の売買その他の取引等を行ってはならない。
- 相手方が反社会的勢力であることを知りながら、その相手方への**資金の提供**その他便宜の供与を行ってはならない。
- 初めて有価証券の売買その他の取引等に係る顧客の口座を開設しようとする場合は、あらかじめ、当該顧客から**反社会的勢力でない旨の確約**を受ける必要がある。

3 CFD取引に関する規則

CFD（Contract For Difference）取引とは、一般的には、証拠金を預託し、有価証券の価格や有価証券指数を参照する取引開始時の取引価格と取引終了時の取引価格の差額により決済を行う**差金決済取引**のことを指します。

協会員は、特定投資家以外の顧客に対して行う上場CFD取引の勧誘に関して、**勧誘受諾意思の確認義務**と**再勧誘の禁止**が適用されます。

6章

金融商品取引法

　金融商品取引法（金商法）上の有価証券を判別する出題や金融商品取引業の定義を問う出題は必ず得点できるようにインプットしておきましょう。また外務員制度もよく出題されています。

　金融商品取引業者に対する行為規制や市場阻害行為の規制は金商法出題の肝といえるところです。得点できるようにしっかりと理解したうえで問題を解いておきましょう。特に内部者取引の規制は多くの出題がなされます。また、情報開示制度の出題ウェイトが高まっているので、届出や各種書類についてもしっかりマスターしてください。

　「株券等の大量保有の状況に関する開示制度等」では報告基準、報告義務者、提出期限など細かな制度が問われるので注意が必要です。

　法律用語も多く大変な科目ですが、配点は高く、金商法を得点源とすることが合格の必要条件だといえます。がんばってマスターしてください。

推定配点&出題形式

○×問題：6問（12点）	
5肢選択問題：2問（20点）	
計**32**点／440点満点中	

※配点・出題形式についてはフィナンシャル バンク インスティチュートの推定です。

金融商品取引法のポイントは、次の4つに大きく分けられます。各論点を意識しながら、学習を進めていってください。

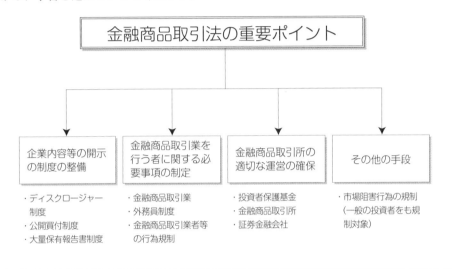

1 金融商品市場

金融商品市場は、有価証券の**発行市場**と**流通市場**から成り立っています。

発行市場	資金を調達したい者（企業、国、公共団体等）が株式や債券といった有価証券を発行して、特に長期資金を調達する場のこと。
流通市場	有価証券購入者（投資家）が、購入した有価証券を換金する場のこと。有価証券の換金先があるので投資家は安心して発行市場で有価証券を購入することができる。また、流通市場の価格等の状況により発行市場における発行条件が決まる。

このように発行市場と流通市場は**密接**に結びついています。金融商品取引法はこの2つの市場を中心とする有価証券市場が公正・円滑に機能するよう規制し、投資家の保護を図るための法律なのです。

2 金融商品取引法上の有価証券

金融商品取引法上の有価証券は、以下のように第一項有価証券と第二項有価証券に区分されます。▼注意

第一項有価証券	①**国債証券** ②**地方債証券** ③特別法により法人の発行する債券 ④資産流動化法に規定する**特定社債券** ⑤社債券 ⑥特別法により設立された法人の発行する出資証券（日本銀行の出資証券等） ⑦優先出資法に規定する優先出資証券（信金中金の出資証券など） ⑧資産流動化法に規定する優先出資証券または新優先出資引受権を表示する証券 ⑨**株券**または新株予約権証券 ⑩投信法に規定する投資信託または外国投資信託の受益証券 ⑪投資法人の投資証券もしくは投資法人債券または外国投資証券 ⑫**貸付信託の受益証券** ⑬資産流動化法に規定する特定目的信託の受益証券 ⑭受益証券発行信託の受益証券 ⑮法人が事業に必要な資金を調達するために発行する約束手形（CP：コマーシャル・ペーパー） ⑯抵当証券 ⑰外国または外国法人の発行する上記①〜⑨または⑫〜⑯の性質を有する証券または証書 ⑱CARDs◀**用語**等 ⑲カバード・ワラント ⑳DR（預託証券） ㉑**海外CD**◀**用語**、学校債券　など なお、上記①〜㉑までの有価証券は、その権利を表示する証券が発行されていなくても**有価証券**とみなされる。
第二項有価証券 （みなし有価証券）	証券または証書に表示されるべき権利以外の権利であっても、信託の受益権や集団投資スキーム持分などは、有価証券とみなされる。

> 小切手、個人の発行する約束手形及び**国内CD**は金融商品取引法上の有価証券ではありません（国内CDは預金です）。

◀**用語** -

CARDs：海外の金融機関の貸付債券を信託した資産金融商品。
海外CD：海外の金融機関が発行する譲渡性預金証書。

3 金融商品取引法の目的 ▼注意

金融商品取引法では、金融商品取引法の目的を第1条で以下のように定めています。

〈金融商品取引法第1条〉
この法律は、企業内容等の開示の制度を整備するとともに、金融商品取引業を行う者に
関し必要な事項を定め、金融商品取引所の適切な運営を確保すること等により、有価証
券の発行及び金融商品等の取引等を公正にし、有価証券の流通を円滑にするほか、資本
市場の機能の十全な発揮による金融商品等の公正な価格形成等を図り、もって国民経済
の健全な発展及び投資者の保護に資することを目的とする。

4 デリバティブ取引及び金融商品 参照 16章、17章、18章

　金融商品取引法の適用対象には一定のデリバティブ取引が含まれます。デリバティ
ブ取引の基礎となる原資産を金融商品といい、これには有価証券のほかに通貨、預金
や商品なども含まれます。

　金融商品取引法においてデリバティブ取引は、市場デリバティブ取引、店頭デリバ
ティブ取引及び外国市場デリバティブ取引に区分されます。

市場デリバティブ取引	金融商品市場において、金融商品市場を開設する者の定める基準及び方法に従って行われる取引。 〈例〉金融商品・金融指標の先物取引、オプション取引、商品関連市場デリバティブ取引など
店頭デリバティブ取引	市場デリバティブ取引と同様の取引を、金融商品市場及び外国金融商品市場によらないで行う取引。
外国市場デリバティブ取引	外国金融商品市場において行う取引で、市場デリバティブ取引と類似の取引。

2節 金融商品取引業者

金融商品取引業者とは、内閣総理大臣の登録を受け、金融商品取引業を営む者です。

1 金融商品取引業

金融商品取引業の主な業務には、次のようなものがあります。

(1) 有価証券などの売買

- ●有価証券の売買
- ●市場デリバティブ取引または外国市場デリバティブ取引

これは、金融商品取引業者の**自己売買**にあたります。

(2) 有価証券などの売買の媒介、取次ぎまたは代理 ✎暗記

媒介	他人間の取引の成立に尽力すること。
取次ぎ	委託者の計算（顧客の資金）で自己の名（金融商品取引業者の名前）で有価証券を買い入れまたは売却すること等を引き受けること。ブローカー業務といわれる。一般に個人投資家が株を売買するときは、有価証券の売買の取次ぎにあたる。
代理	委託者の計算（顧客の資金）で委託者の名で（又は委託者の代理人としての立場を示して）有価証券の売買等を行うことを引き受けること。

(3) 有価証券等清算取次ぎ

対象取引に基づく債務を**金融商品取引清算機関**（参照▶6章4節）（または外国金融商品取引清算機関）に負担させることを条件に、顧客の委託を受けて、その顧客を代理して取引を成立させる等の業をいいます。

⑷ 有価証券の引受け　✏️暗記

　有価証券の引受けとは、有価証券の募集・売出しまたは私募・特定投資家向け売付け勧誘等に際し、**発行体・売出人**のためにその**販売**を引き受けることをいいます。法的にはその有価証券の全部または一部を取得し（**買取引受け**）、または売れ残りがあった場合にはそれを取得する（**残額引受け**）契約を結ぶことです。発行体・売出人から直接引き受ける場合は「**元引受け（いわゆる主幹事）**」にあたり、金融商品取引業者がこの元引受けを行う場合には、高度な引受審査能力が求められることなどから、**第一種金融商品取引業**を行う者として内閣総理大臣の**登録**を受ける必要があります。

⑸ 有価証券の売出し　✏️暗記

　有価証券の売出しとは、**すでに発行された**有価証券の売付けの申込みまたはその買付けの申込みの勧誘のうち、有価証券の区分に応じて以下のように定められています。

第一項有価証券	多数の者（50名以上）を相手方として行う場合。
第二項有価証券	売出しに係る有価証券を相当程度多数の者（500名以上）が所有することとなる場合。

⑹ 有価証券の募集もしくは売出しの取扱いまたは私募の取扱い

　ここでは有価証券の発行者以外の第三者（具体的には金融商品取引業者）が勧誘を行う場合を扱います。

①有価証券の募集

　新たに発行される有価証券の取得の申込みの勧誘のうち、有価証券の区分に応じて以下のように定められています。⚠️注意

第一項有価証券	・多数の者（50名以上）を相手として行う場合。 ・適格機関投資家私募、特定投資家私募、少人数私募のいずれにも該当しない場合。
第二項有価証券	募集に係る有価証券を相当程度多数の者（500名以上）が所有することとなる場合。

②募集もしくは売出しの取扱い

　他人が有価証券の募集もしくは売出しをする際に、その者のために有価証券の取得の申込みの勧誘行為を引き受ける業務をいいます。引受けとは異なり、**売残り**リスクを負担しません。

③私募

　新たに発行される有価証券の取得の申込みの勧誘のうち、適格機関投資家、特定投資家や少人数の投資家を対象とするために、有価証券の募集に該当しないものを私募といいます。

　勧誘対象者が有価証券投資について専門知識や経験を持った一定の適格機関投資家のみである場合には、人数が多数であっても**募集に該当しません**。 **例外**

　また、勧誘対象者が50名未満の場合や適格機関投資家のみの場合であっても、**転売制限**を満たさなければ募集に該当します。

⑺　私設取引システム（PTS）運営業務

　私設取引システム（PTS）の運営とは、有価証券の売買またはその媒介、取次ぎもしくは代理であって、電子情報処理組織を使用して、同時に多数の者を一方の当事者または各当事者として、競売買（オークション）の方法など定められた売買価格の決定方法またはこれに類似する方法により行うものをいいます。

　金融商品取引業者がPTS運営業務を行う場合、内閣総理大臣の**認可**を受ける必要があります。

> 日本では許認可行政が行われています。外務員試験は金融の話が主となり、金融機関の監督官庁である金融庁によって、届出、登録、認可という許認可が行われていることを覚えておきましょう。規制の強さでは、**認可＞登録＞届出**という順番です。また、**免許**は特定の権利を設定するものです。

2 金融商品取引業の分類

金融商品取引法は、金融商品取引業への参入規制については、原則として登録制としつつも、金融商品取引業を第一種金融商品取引業、第二種金融商品取引業、投資助言・代理業、投資運用業の4つに分類し、それぞれの業務内容に応じて財務の健全性の確保、コンプライアンスの実効性、経営者の資質等につき異なった要件を定めています。

区分	対象業
第一種金融商品取引業	・有価証券について 　①売買、市場デリバティブ取引または外国市場デリバティブ取引 　②①の取引の媒介、取次ぎまたは代理 　③①の取引の委託の媒介、取次ぎまたは代理 　④有価証券等清算取次ぎ 　⑤売出し 　⑥募集・売出し・私募の取扱いを行う行為 ・**有価証券の引受け** ・私設取引システム（PTS）運営業務 ・有価証券等管理業務 ・商品関連市場デリバティブ取引の媒介・取次ぎまたは代理　など ・店頭デリバティブ取引またはその媒介・取次ぎもしくは代理　など
第二種金融商品取引業	・自己募集　など
投資助言・代理業	・投資助言業務 ・**投資顧問契約または投資一任契約の締結の代理または媒介**
投資運用業	・投資一任契約に係る業務 ・投資法人資産運用業 ・投資信託委託業　など

3 付随業務　参照 8章

金融商品取引業者のうち、**第一種金融商品取引業または投資運用業**を行う者は、金融商品取引業務に付随する業務を行うことができます。なお、付随業務については、金融商品取引業者は内閣総理大臣への届出や承認を得る必要はありません。 注意

4 金融商品取引業者の登録と認可 　注意

金融商品取引業は内閣総理大臣の登録を受けた者でなければ行うことができません。

さらに、私設取引システム（PTS）運営業務を金融商品取引業者が行う場合には、

内閣総理大臣の**認可**が必要となります。

　また、業務の態様に従い、登録または認可の条件として、原則として次のように最低資本金及び営業保証金の額が決められています。

①第一種金融商品取引業	**5,000万円**
②投資運用業	5,000万円
③第二種金融商品取引業	1,000万円
④投資助言・代理業	500万円

　なお、上記③第二種金融商品取引業及び④投資助言・代理業については、法人に限らず**個人**が行うこともできます。

5　外務員制度

(1)　外務員の登録　▼注意

　外務員とは、勧誘員、販売員、外交員その他名称の如何を問わず、金融商品取引業者等の役員または使用人のうち、その金融商品取引業者等のために有価証券等の売買などの行為を行う者をいいます。また、金融商品取引業者等は**登録外務員**以外の者に外務員の職務を行わせてはならないとされています。

　金融商品取引業者等は、外務員の氏名、生年月日その他所定の事項について、内閣府令で定める場所（**証券業協会**）に備える**外務員登録原簿**に登録を受ける必要があります。登録外務員以外の者は**外務行為**◀**用語**が許されず、登録にあたっても厳しい要件が課されています。

　外務員は登録制度をとっていますが、**欠格要件**を定めること及び法令違反等による**登録取消処分**を行うことによって、外務員としての適格性をチェックしています。内閣総理大臣は、次に該当するときまたは登録申請書等に**虚偽の記載**があった場合、重要な事実の記載が欠けている場合は、外務員の登録を**拒否**しなければなりません。

- ●**欠格事由**のいずれかに該当する者
- ●監督上の処分により外務員の登録を取り消され、その取消しの日から**5年**を経過しない者
- ●登録申請者以外の金融商品取引業者等もしくは金融商品仲介業者または金融サービス仲介業者に所属する外務員として登録されている者　など

内閣総理大臣は、次に該当するときは、登録の**取消し**または**2年**以内の職務停止を命じることができます。

①欠格事由のいずれかに該当することとなった場合

②法令違反もしくは**著しく不適当**な行為をした場合

③過去**5年**間に退職等により登録を抹消された場合に、
　当該期間に②に該当していたことが判明した場合

また、金融商品取引業者は、登録を受けている外務員が退職その他の理由により外務員の職務を行わないこととなったときは、遅滞なくその旨を**内閣総理大臣**（金融庁長官）に届け出る必要があります。

(2)　外務員の法的地位

代理権 ▼注意	外務員は、その所属する金融商品取引業者等に代わって、その有価証券の売買その他の取引等に関し、一切の裁判外の行為を行う権限を有するものとみなされる。この結果、外務員の**行為の効果**は金融商品取引業者等に直接帰属し、金融商品取引業者等は外務員の負った**債務**について直接履行する責任を負うことになる。 また、金融商品取引業者等は、金融商品取引法に違反する悪質な行為を外務員が行った場合に、そうした行為が**代理権の範囲外**であることを理由として、その**監督責任**を免れることはできない。
顧客の悪意 ▼注意	金融商品取引業者等は、外務員の行った営業行為に対して責任を負うが、相手方の顧客に「悪意」がある場合は、金融商品取引業者等は責任を負わない。法律において「悪意」とは、ある事情を知ったうえで、不当な行為を行わせることを意味する。 例えば、顧客がその外務員の代理権に社内ルールなどの制限があることを知ったうえで、権限外の行為を行わせる場合が該当する。このような場合は、顧客に「悪意」があったとして、金融商品取引業者は責任を追及されない。

用語 --

外務行為：所属する金融商品取引業者等のために、有価証券等の売買もしくは委託等の勧誘を行うこと。

1 一般的義務

(1) 誠実・公正義務

金融商品取引業者等とその役員及び使用人は、顧客に対し、誠実かつ公正に業務を遂行しなければなりません。

(2) 広告規制 ▼注意

金融商品取引法では、金融商品取引業者等が**広告等**をする場合に、一定の表示を義務付けるとともに、利益の見込み等について著しく事実に相違する表示、または著しく人を誤認させる表示をすることを禁止しています。

金融商品取引業者等は、その行う金融商品取引業の内容について広告その他これに類似する行為をするときは、以下の事項を表示しなければなりません。

- 金融商品取引業者等の**商号**、**名称**または**氏名**
- 金融商品取引業者等である旨及び**登録番号**
- 金融商品取引業者等の行う金融商品取引業の内容に関する事項で、顧客の判断に影響を及ぼすこととなる重要なものとして政令で定めるもの

対象となる広告類似行為の具体的な範囲として、**郵便**、信書便、**ファクシミリ**、**電子メール**、またはビラ・パンフレットの配布等の「**多数の者に対して同様の内容で行う情報の提供**」が規定されています。このような要件に該当する限り、例えば**販売用資料**も広告等規制の対象となります。

広告等の表示事項については、手数料等、元本損失または元本超過損が生ずるおそれがある旨、その原因となる指標及びその理由、重要事項について顧客の不利益となる事実、金融商品取引業協会に加入している場合にはその名称等と定められています。また、広告等の表示方法についても、特に**リスク情報**については、広告で使用される**最も大きな文字・数字と著しく異ならない大きさ**で表示することを義務付けています。

(3) **書面交付義務及び説明義務** ✐暗記

契約締結前の書面交付義務	金融商品取引業者等は、**金融商品取引契約を締結**しようとするときは、あらかじめ顧客（特定投資家を除く）に対し以下の事項を記載した書面（**契約締結前交付書面**）を交付しなければならない。 ・金融商品取引業者等の商号、名称又は氏名及び住所 ・金融商品取引業者等である旨及び登録番号 ・金融商品取引契約の概要 ・**手数料、報酬**その他の当該金融商品取引契約に関して顧客が支払うべき対価に関する事項で内閣府令で定めるもの ・顧客が行う金融商品取引行為について、金利、通貨の価格、金融商品市場における相場その他の指標に係る変動により損失が生ずることとなるおそれがあるときは、その旨 ・損失の額が顧客が預託すべき委託証拠金その他の保証金を上回るおそれがあるときは、その旨 ・金融商品取引業の内容に関する事項で顧客の判断に影響を及ぼすこととなる重要なもの ただし、以下の場合は、この限りではない（適用除外）。 ・金融商品取引所に上場されている有価証券の売買等（デリバティブ取引・信用取引等を除く）については、金融商品取引契約の締結前1年以内にその顧客に対して包括的な書面である**上場有価証券等書面**を交付している場合 ・金融商品取引契約の締結前1年以内にその顧客に対して**同種の内容**の金融商品取引契約について契約締結前交付書面を交付している場合 ・顧客に対し契約締結前交付書面に記載すべき事項のすべてが記載されている**目論見書**を交付している場合　など また、契約締結前交付書面を顧客に交付したうえで、顧客に対してその書面の内容などの説明を行う必要がある。なお、契約締結前交付書面に**クーリング・オフ**の規定の適用の有無について記載する際は、枠の中に**12ポイント**以上の大きさの文字・数字を用いて明瞭・正確に記載することが義務付けられている。
契約締結時の書面交付義務	金融商品取引業者等は、金融商品取引契約が成立したときは、**遅滞な**く契約締結時交付書面を作成し、これを顧客に交付しなければならない。ただし、その金融商品取引契約の内容その他の事情を勘案し、書面を顧客に交付しなくても公益または投資者保護のため支障を生ずることがないと認められるものは、この限りではない。 なお、書面交付義務に違反した場合には、**行政処分**の対象になるほか、**違反行為者**と**法人**が処罰の対象となる。

個人向けの店頭デリバティブ取引の禁止事項	**(1) 不招請勧誘の禁止** 金融商品取引業者等またはその役員もしくは使用人は、契約締結の勧誘の要請をしていない顧客に対し、訪問しまたは電話をかけて、金融商品取引契約の締結を勧誘することは禁止されている。 **(2) 再勧誘の禁止** 金融商品取引業者等またはその役員もしくは使用人は、勧誘を受けた顧客が金融商品取引契約を締結しない旨の意思を表示したにもかかわらず、その勧誘を継続することは禁止されている。
取引態様の事前明示義務	金融商品取引業者等は、顧客から有価証券の売買または店頭デリバティブ取引に関する注文を受けたときは、あらかじめその顧客に対し、自己（金融商品取引業者等自身）がその相手方となって売買を成立させるのか（**仕切注文**◁**用語**）、媒介し、取次ぎし、もしくは代理して行うのか（**委託注文**◁**用語**）の別を明らかにしなければならない。 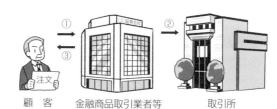 顧 客　　金融商品取引業者等　　取引所 ・①＋②の流れ：顧客の注文を取引所に発注する→**委託注文** ・①＋③の流れ：顧客の注文を金融商品取引業者等が相手となって売買を成立させる→**仕切注文**

(4) 適合性原則の遵守義務

　金融商品取引業者等は、金融商品取引行為について、顧客の知識、経験、財産の状況及び金融商品取引契約を締結する目的に照らして、不適当と認められる勧誘を行って投資者の保護に欠けることのないように業務を行わなければなりません。

(5) 最良執行義務

　金融商品取引業者等は、有価証券の売買等に関する顧客の注文について、政令で定

◁**用語** -

仕切注文：「自己が相手方になって売買を成立させる」にあたる部分をいう。例えば、顧客が売りたい銘柄がある場合に、金融商品取引業者等自らが顧客の取引相手となって（買い取って）取引を成立させる等のこと。

委託注文：「媒介し、取次ぎし、もしくは代理して行う」にあたる部分で、顧客の注文を公正に市場に発注すること。

めるところにより、最良の取引の条件で執行するための方針及び方法（**最良執行方針等**）を定める必要があります。金融商品取引業者等は最良執行方針等を公表しなければならず、最良執行方針等に従って、有価証券等取引に関する注文を執行しなければなりません。

　金融商品取引業者等が、金融商品取引所に上場されている有価証券及び店頭売買有価証券の売買その他の取引で政令で定めるものに関する<u>顧客の注文を受けよう</u>とする場合には、**あらかじめ顧客**（特定投資家を除く）に対し、その取引の**最良執行方針等**を記載した書面を交付しなければなりません。また、注文を執行した後に、その顧客から求められたときは、その注文が最良執行方針等に従って執行された旨を説明した書面を、顧客に交付しなければなりません。なお、これらの書面の交付は**電子交付**によることができます。

⑹　分別管理義務　▼注意

　金融商品取引業者等は、顧客資産が適切かつ円滑に返還されるよう、顧客から預託を受けた有価証券及び金銭を、**自己の固有財産**と**分別**して管理しなければなりません。また、金融商品取引業を廃止した場合等に顧客に返還すべき金銭を、**顧客分別金**として**信託会社等**に信託しなければなりません。さらに、金融商品取引業者は分別管理の状況について、定期的に**公認会計士・監査法人**の監査を受ける必要があります。

⑺　損失補塡等の禁止　▼注意

　金融商品取引業者等は顧客から受託した有価証券の売買取引等について以下の行為を行い、または**第三者**を通じて行わせてはならないとされています。

損失保証・ 利回り保証	有価証券の売買等において、顧客に損失が生じたり、またはあらかじめ定めた額の利益が生じなかった場合には、これを補塡したり補足するために財産上の利益を提供する旨を、その顧客にあらかじめ申し込んだり、約束したりする行為は禁止。
損失補塡の申込み・約束	有価証券の売買等において、すでに顧客に生じた損失を補塡したり、利益を追加したりするため、財産上の利益を提供する旨をその顧客に申し込んだり、約束したりする行為は禁止。
損失補塡の実行	有価証券の売買等で生じた顧客の損失を補塡したり、利益を追加したりするために、財産上の利益をその顧客に提供することは禁止。

この間から損しっぱなしなんだから、今回の損は何かで穴うめしてよ。

はあ…何とかしてみます。

禁止

顧客である投資家が、金融商品取引業者等に対して損失補填または利益を補足するため、財産上の利益を提供させる行為を**要求**して**約束**させた場合は処罰の対象となります。
また、損失補填等は、金融商品取引業者が**第三者**を通じて行うことも禁止されています。
なお、その補填が事故に起因するもの（業務上のミス等）であることを内閣総理大臣から確認を受けている場合等は、事故処理として扱われるので損失補填には該当しません。

⑻ 特定投資家制度 ▼注意

　金融商品取引法は、投資家を**特定投資家**（いわゆる**プロ**）と**一般投資家**（いわゆる**アマ**）に区分し、この区分に応じて金融商品取引業者等の行為規制の適用に差異を設けることにより、規制の柔軟化を図ることとしています。

　その知識・経験・財産の状況から金融商品取引に係る適切な**リスク管理**を行うことができる者を特定投資家と位置付けたうえで、金融商品取引業者等が特定投資家との間で取引を行う場合には、顧客との間の情報格差の是正を目的とする行為規制は**適用除外**とされます。具体的には、広告等の規制、不招請勧誘の禁止、再勧誘の禁止、**契約締結前の書面交付義務等、最良執行方針等記載書面の事前交付義務**などがあります。**例外** ただし、**損失補填の禁止、断定的判断の提供等の禁止**といった市場の公正確保を目的とする行為規制は適用除外とされません。

　金融商品取引法は、特定投資家として、**適格機関投資家、国、日本銀行、投資者保護基金**、その他内閣府令で定める法人を挙げています。

特定投資家とは、上記のとおり**適格機関投資家、国、日本銀行、投資者保護基金**などです。このうち、**適格機関投資家**とは、**金融商品取引業者、銀行、保険会社**、信金・信組、厚生年金基金、外国政府・外国金融機関、一定の基準に該当する国内の一般の事業法人、金融商品取引業者の顧客で特定の条件を満たした法人や個人（届出を行っている者）などをいいます。

⑼ 業態・業務状況に係る行為規制 ▼注意

名義貸しの禁止	金融商品取引業者等は、**自己の名義**で他人に金融商品取引業を営ませることは禁じられている。これを禁止しなければ、登録を受けなくても、名前を借りることで金融商品取引業を営むことが可能になってしまうからである。
社債管理者になること等の禁止	有価証券関連業務を行う金融商品取引業者は、**社債管理者**（**参照** 9章2節）、社債管理補助者または担保付社債信託契約の**受託会社**になることはできない。
回転売買等の禁止	顧客の意向を考慮しないで回転売買等が行われることになれば、投資者保護にそむくことになる。**あらかじめ顧客の注文の内容を確認せず、頻繁に売買等を行うことは禁じられている。**
過当な引受競争の禁止	金融商品取引業者等が、引受けに関する自己の取引上の地位を維持したり有利にしたりするため、**著しく不適当と認められる数量、価格その他の条件**により有価証券の引受けを行うことは禁じられている。
金融機関との誤認防止	金融商品取引業者が本店その他の営業所または事務所を、金融機関の本店その他の営業所・事務所・代理店と同一の建物に設置してその業務を行う場合には、顧客がその金融商品取引業者をその金融機関と誤認しないようにするために、適切な措置を講じなければならない。
引受人の信用供与の制限	有価証券の引受人となった金融商品取引業者は、引き受けた有価証券を売却する場合、引受人となった日から**6か月**を経過するまでは、その買主に対して**買付代金**を貸し付けてはならない。

⑽ 投資勧誘・受託に関する行為規制 ▼注意

一括受注の制限	**不特定多数の投資者**から委任を受けて、**一括**して売買等の発注を行う投資顧問業者や投資グループからの注文は、**投資者の意思が反映**されているものであったかどうか、後日問題となる事例がある。金融商品取引業者等は、これら投資グループ等からの受注にあたっては、あらかじめ投資者の意思を確認しなければならない。

断定的判断の提供による勧誘の禁止	確定していない配当や新株の発行、有価証券の値動き等について、**断定的な判断**を提供して勧誘することは禁止されている。また、このような勧誘はそれが結果的に**的中**し、顧客の**利益**につながったとしても違法性はなくならない。結果ではなく、断定的な表現を使って勧誘すること自体が違法行為となる。 また、「必ず」とか「きっと」といった言葉を使わなくても断定的判断の提供となる場合があるので注意が必要。 なお、断定的判断を提供した業者は、金融サービス提供法に基づいて、それによって顧客が被った損害を賠償する責任を負うことになる。 
虚偽の表示の禁止	金融商品取引業者等またはその役職員は、金融商品取引契約の締結またはその勧誘に関して、**虚偽の表示**をし、または重要な事項について誤解させるような表示をすることは禁止されている。以上のような行為は、**勧誘行為**がなくても適用される。 表示方法には、口頭、文書、図画、放送、映画等がある。また、誤解させる表示には、特に必要な表示を欠く**不作為**も含まれる。これらは、**故意・過失**の有無を問わないとされている。
特別の利益の提供等の禁止	金融商品取引業者等またはその役職員は、金融商品取引について、顧客に**特別の利益**の提供をすることを約束し、または顧客に特別の利益の提供をしてはならない。 これには**社会通念上**のサービスと考えられるものは含まれない。公開株を優先的に割り当てるとか、不当に安い値段で有価証券を販売することを特約することが、特別の利益提供にあたる。

大量推奨販売の禁止	顧客にある銘柄を重点的に勧めることは、金融商品取引業者等の営業政策により株価が左右されるおそれがあり、またそれに付随して株価操縦が行われたり、顧客の資力を無視した無理な勧誘が行われるおそれが強いといえる。 そのような観点から、金融商品取引業者等またはその役職員は、**特定かつ少数**の銘柄の有価証券またはデリバティブ取引を**不特定かつ多数**の顧客に対し、その売買等を一定期間継続して、一斉かつ**過度**に勧誘し、公正な価格形成を損なうおそれがある行為をすることは禁止されている。特に、その銘柄がその金融商品取引業者等が**保有している有価証券**である場合は厳しく禁止されている。
インサイダー取引注文の受託の禁止	金融商品取引業者等またはその役職員は、顧客の取引が**インサイダー取引**であることを知りながら、あるいはそのおそれがあることを知りながら、当該売買取引の相手方となり、または当該取引の受託等をしてはならない。 相場操縦（**参照** 6章5節）目的であることを知りながら受託する行為等も同様に禁止されている。
法人関係情報の提供による勧誘の禁止	金融商品取引業者等またはその役職員は、有価証券の売買その他の取引等につき、顧客に対して当該有価証券の発行者の**法人関係情報**を提供して投資勧誘を行ってはならない。
自己または他の顧客の利益を図るための過度の勧誘の禁止	金融商品取引業者等またはその役職員は、顧客の取引に基づく価格、指標、数値または対価の額の変動を利用して、自己または当該顧客以外の第三者の利益を図ることを目的として、**不特定かつ多数**の顧客に対し、有価証券の買付けもしくは売付け、もしくは市場デリバティブ取引またはこれらの委託等を、**一定期間継続して一斉に**かつ過度に勧誘してはならない。

(11) 市場価格歪曲に係る市場阻害行為　▼注意

フロントランニングの禁止	顧客から有価証券の売買や市場デリバティブ取引の委託等（注文）を受けて、その委託等売買を成立させる前に、自己の計算でその有価証券と同一の銘柄の売買を成立させることを目的として、その顧客の委託価格と同一またはそれよりも有利な価格で売買をする行為は禁じられている。 この行為は、金融商品取引業者等の注文が顧客注文の前（front）を走っているとの意味で、フロントランニングといわれる。
無断売買	金融商品取引業者等またはその役職員が、あらかじめ顧客の同意を得ることなく、その顧客の計算において有価証券等の売買等をしてはならない。
自己計算取引及び過当数量取引の制限	取引一任契約等に基づいて有価証券の売買またはデリバティブ取引を行う場合には、委任の本旨または当該契約の金額に照らして過当と認められる数量の売買で、取引所金融商品市場等の秩序を害すると認められる行為を行ってはならない。
作為的相場形成等の禁止	金融商品取引業者等またはその役職員が、主観的な目的の有無を問わず、特定の銘柄の有価証券等について、実勢を反映しない作為的相場が形成されることを知りながら、売買取引の受託等を行うことは禁止されている。

信用取引における客向かい行為の禁止	顧客の信用取引を市場で執行した金融商品取引業者は、取引所取引の決済に必要な現金または株券を自己の責任で調達しなければならない。 例えば、顧客がある銘柄を信用取引で買注文を委託してきた場合に、金融商品取引業者が自己の信用取引で売注文を対当させて注文を成立させたとします。その後、顧客が決済のために、売注文の委託をしてきたときに、金融商品取引業者が自己の信用買いを対当させた場合、結果的に、金融商品取引業者は株券も現金も調達することなく信用取引を行えることになってしまいます。この場合、顧客と金融商品取引業者の利害関係が全く反対となってしまう（金融商品取引業者が利益となる場合は、顧客は損失となる）ため、投資者保護の観点からこのような行為は禁止されているのです。
役職員の地位利用・投機的利益の追求	自己の職務上の地位を利用して、顧客の注文の動向などの職務上知り得た特別の情報に基づいて売買等を行うこと、または、専ら投機的利益の追求を目的として売買等を行うことは禁じられている。
引受金融商品取引業者による安定操作期間中の自己買付け等の禁止	安定操作を行うことができる金融商品取引業者等は、募集・売出しに係る有価証券の発行者の発行する株券等で、金融商品取引所に上場されているものについて、安定操作期間中に自己の計算による買付け、他の金融商品取引業者に対する買付委託等を行ってはならない。
法人関係情報の利用取引	金融商品取引業者等またはその役職員は、法人関係情報に基づいて、自己の計算において有価証券の売買その他の取引を行ってはならない。

(1) 投資運用業に関する行為規制

　金融商品取引法では、投資運用業を行う金融商品取引業者等が**投資一任契約**を締結しようとする場合などにおいては、**契約締結前の書面交付義務**等の販売・勧誘ルールが適用されます。

忠実義務・ 善管注意義務	金融商品取引業者等は、以下の権利者のために忠実に投資運用業を行わなければならない。また、金融商品取引業者等は、権利者に対し、**善良な管理者**の注意をもって投資運用業を行わなければならない。 〈権利者とは〉 ・その資産の運用を委託された投資法人 ・投資一任契約の相手方 ・投資信託の受益者　など
禁止行為 ▼**注意**	金融商品取引業者等は、その行う投資運用業に関して、以下の行為を行ってはならない。ただし①及び②の行為については、投資者保護が確保され、もしくは取引の公正を害するものではなく、または金融商品取引業の信用を失墜させるおそれのないものとして内閣府令で定めるものは除外される。 ①自己またはその取締役もしくは執行役との間における取引を行うことを内容とした運用（いわゆる**自己取引**）…原則禁止（例外あり） ②運用財産相互間において取引を行うことを内容とした運用（いわゆる**運用財産間取引**）…原則禁止（例外あり） ③特定の金融商品、金融指標またはオプションに関し、取引に基づく価格、指標、数値または対価の額の変動を利用して、自己または権利者以外の第三者の利益を図る目的をもって、正当な根拠を有しない取引を行うことを内容とした運用（いわゆる**スカルピング行為**）など

(2) 運用権限の委託（自己執行義務）

　金融商品取引業者等は、次の場合に限り、**特定の運用財産**について権利者のために運用を行う権限の**全部または一部**を、他の金融商品取引業者等で投資運用業を行う者に委託することができます。

- ●投資法人の資産の運用に係る委託契約
- ●投資一任契約
- ●**投資信託契約**　など

　運用権限の委託が行われた場合、その運用権限の委託を受けた者は、権利者に対する忠実義務・善管注意義務を負うとともに、各種禁止行為が適用されることとなります。なお、投資運用業を行う金融商品取引業者等は、**すべての運用財産**の権限の全部を委託してはならないこととされています。

⑶　分別管理義務

　金融商品取引業者等は、自らが行う投資運用業に関して自己運用を行う場合には、運用財産と自己の固有財産及び他の運用財産とを**分別して管理**しなければなりません。

⑷　金銭または有価証券の預託の受入れ等の禁止

　金融商品取引業者等は、有価証券等管理業務として行う場合、その他政令で定める場合を除くほか投資信託及び投資法人との資産運用契約、または**投資一任契約**に関して、いかなる名目によるかを問わず、顧客から金銭もしくは有価証券の預託を受けてはなりません。ただし、投資運用業に関し、顧客のために所定の行為を行う場合において、これらの行為による取引の**決済**のために必要なときは、この限りではありません。

⑸　運用報告書の交付義務

　金融商品取引業者等は、運用財産について、定期的に**運用報告書**を作成し、その運用財産に関して**権利者**に交付しなければなりません。ただし、運用報告書を権利者に交付しなくても権利者の保護に支障を生ずることがない場合はこの限りではありません。

(1) 金融商品取引業者と金融機関の業務範囲

　銀行、協同組織金融機関等の金融機関は、原則として**有価証券関連業または投資運用業**を営むことはできません。しかし、金融の証券化の進行は銀行業務の証券業務化の進行を促し（CP等の業務の拡大）、様々な新金融商品開発は両業態の垣根を低くし、一定の条件の下でこの規制も緩和されています。

(2) 金融機関による有価証券関連業務または投資運用業務

　金融機関による有価証券関連業または投資運用業として認められている主なものは次のとおりです。

- 顧客の書面による注文を受けて顧客の計算において行う売買等
- 国債・地方債などの売買等、売買等の媒介・取次ぎ・代理、引受け、売出し、募集の取扱い
- 投資信託または外国投資信託の受益証券、投資法人の投資証券・投資法人債券または外国投資証券の売買等、売買等の媒介・取次ぎ・代理、募集の取扱いまたは私募の取扱い
- 有価証券の売買等について、**有価証券等清算取次ぎ**を行うこと

(3) 金融商品仲介業務

　平成16年改正により、金融商品仲介業務が銀行等に全面的に解禁されました。この改正により、株券、社債券、外国国債等を含め、すべての有価証券の取扱いが、売買の媒介、募集等の取扱いの範囲で可能となりました。

(4) 抱き合わせ的行為の禁止

　登録金融機関またはその役職員は、**金銭の貸付け**その他信用の供与を条件として、有価証券の売買の受託等をする行為は原則として禁止されています。

4 金融商品仲介業制度

⑴ 金融商品仲介業とは

　金融商品仲介業とは、第一種金融商品取引業者、投資運用業者もしくは登録金融機関の委託を受けて、以下の行為のいずれかを当該金融商品取引業者等のために行う業務をいいます。

- 有価証券の売買の媒介
- 取引所金融商品市場等における売買等の委託の媒介
- 有価証券の募集もしくは売出しの取扱い、または私募の取扱い
- 投資顧問契約または投資一任契約の締結の代理または媒介

⑵ 金融商品仲介業の登録

　法人・個人を問わず、銀行、協同組織金融機関その他政令で定める金融機関以外の者（第一種金融商品取引業を行う者、登録金融機関の役員及び使用人を除く）は、内閣総理大臣の登録を受けて、金融商品仲介業を営むことができます。

⑶ 損害賠償

　金融商品仲介業者の所属金融商品取引業者等は、原則として、金融商品仲介業者が金融商品仲介業で顧客に与えた損害の賠償責任を負います。

1 投資者保護基金

(1) 目的

金融商品取引業者の破綻時に投資者を救済し、かつ、市場機能の連続性を維持するため、金融商品取引法は**投資者保護基金**という制度を設けています。

(2) 基金の設立　✏暗記

基金の会員となる者は**金融商品取引業者**に限定され、第一種金融商品取引業者は、原則としていずれか１つの基金に加入しなければなりません。

(3) 基金の運営　▼注意

投資者保護基金は、会員金融商品取引業者に登録取消し等の事由が発生した場合には、顧客資産に係る債権のうち、その金融商品取引業者自身による円滑な弁済が困難と認められるものについて、**1,000万円**を限度として、**一般顧客**（適格機関投資家等を除く）の請求に基づき、所定の手続きを経て支払いを行います。

(4) 補償対象債権　☀重要

基金が補償をする対象債権は、**破綻金融商品取引業者の一般顧客**（適格機関投資家等を除く）が、その金融商品取引業者に対して有する債権であり、具体的には以下のとおりです。

- 先物取引の**証拠金**、信用取引の**保証金**として金融商品取引業者が預託を受けた**金銭及び有価証券**
- 金融商品取引業に係る取引に関し、一般顧客の計算に属する金銭または有価証券、あるいは金融商品取引業者が一般顧客から預託を受けた金銭または有価証券
- 保護預りの対象である金銭または有価証券

ただし、店頭デリバティブ取引等については、投資者保護基金の補償対象ではありません。また、**不法行為に基づく損害賠償請求権**は投資者保護基金の補償対象となる債権には含まれません。

2 金融商品取引所

金融商品取引所は、内閣総理大臣の**免許**を受けて、金融商品市場を開設する金融商品会員制法人または株式会社です。金融商品取引所が開設する金融商品市場を**取引所金融商品市場**といいます。金融商品取引所の法的形態には、**金融商品会員制法人**（会員金融商品取引所）と**株式会社**（株式会社金融商品取引所）とがあります。

金融商品 会員制法人	金融商品取引所は、金融商品会員制法人を設立し、これが金融商品市場開設の免許を得ることで可能となる。
株式会社 金融商品取引所	金融商品取引所を株式会社として設立する場合は、会社法の手法によって設立された株式会社が、金融商品市場開設の免許を得ることになる。設立手続は、原則的には会社法の規定による。 公共性確保のため、一定の財産的基礎を維持する必要性から資本の最低額（10億円）と株式の**取得・保有規制**が定められている。

3 証券金融会社 [参照▶ 15章1節]

証券金融会社は、金融商品取引所の会員等または認可金融商品取引業協会の協会員に対し、**信用取引**の決済に必要な**金銭**や**有価証券**をその金融商品取引所が開設する取引所金融商品市場の決済機構を利用して貸し付ける業務を行う会社です。**内閣総理大臣の免許**を受けたものです。

証券金融会社は、以下の4つを主たる業務とします。

貸借取引貸付け	取引所の会員等である金融商品取引業者に対し、信用取引の決済に必要な**金銭**または**有価証券**を貸し付けること。
公社債貸付け	金融商品取引業者に対し国債等の公社債を担保に公社債の売買及び引受けのため、一時的に必要とする資金を貸し付けること、及び金融商品取引業者の顧客に対し公社債の購入及び保有のための資金を貸し付けること。
一般貸付け	**金融商品取引業者**または**その顧客**に対し、有価証券または金銭を担保として、**金銭**または**有価証券**を貸し付けること。
債券貸借の仲介	金融商品取引業者及び金融機関等の間の債券の貸借の仲介を行うため、債券の借入れ及び貸付けを行うこと。

4 金融商品取引清算機関

金融商品取引清算機関とは、内閣総理大臣の免許または承認を受け、**金融商品債務引受業**等及びこれに付帯する業務を行う者を指します。

5節 市場阻害行為の規制

重要度 ★★★　問題集 P152

1 市場阻害行為の規制

　金融商品取引法が不公正取引の禁止に関する規定を設けているのは、単に金融商品取引が公正に行われることを確保するためではなく、それにより資本市場機能が阻害されるのを防止するところに主目的があります。注意

不公正取引禁止の包括規定	何人も（誰であろうと）、有価証券の売買その他の取引またはデリバティブ取引等について、不正の**手段**、**計画**または**技巧**をしてはならない。重い**刑事罰**がある。
虚偽または不実の表示の使用の禁止	何人も、有価証券の売買その他の取引またはデリバティブ取引等について、重要な事項について虚偽（うそ）の**表示**があり、または誤解を生じさせないために必要で重要な**事実の表示**が欠けている文書その他の表示を使用して、**金銭**その他の財産を**取得**することは禁止されている。
虚偽の相場の利用の禁止	何人も、有価証券の売買その他の取引またはデリバティブ取引等を**誘引**する（誘い出す）目的で、**虚偽の相場**を利用してはならない。
虚偽の相場の公示等の禁止	何人も、有価証券等の相場を**偽って公示**し、または**公示**しもしくは**頒布**する目的をもって有価証券等の相場を偽って記載した文書を作成し、もしくは頒布してはならない。
場外差金取引の禁止	**取引所金融商品市場を通さないで**、取引所金融商品市場の相場により**差金の授受**を目的とする行為は、金融商品の売買を可能とするだけの金融商品や資金がないのに、差金の授受のみを行う行為であり、このような行為は禁じられている。 ただし、金融商品取引業者等が一方の当事者となり、または仲介を行う一定の店頭デリバティブ取引は適用外とされている。
有利買付け等の表示の禁止	株式等の有価証券取引のリスクは投資者が負う。何人も、有価証券の募集や売出しに際し、不特定かつ多数の者が取得した有価証券を、自己または他の者が**特定額**以上の価格で買い付けるとか、**特定額**以上の価格で売り付けることを斡旋するとか、またはそのような趣旨と誤認されるおそれのある表示をすることは禁じられている。
一定配当等の表示の禁止	有価証券等の募集、売出しの際、その株券の配当などの金額が確定しているかのような誤解を生じさせるような表示をしてはならない。
風説の流布の禁止	何人も、有価証券の募集、売出し、売買その他の取引もしくはデリバティブ取引等のために、または有価証券の相場を変動させる目的で、**風説を流布**（噂を世間に広めること）し、**偽計**（人をだますための計画）を用い、**暴行**や**脅迫**をすることは禁止されている。

6章

金融商品取引法

5節　市場阻害行為の規制

相場操縦とは、有価証券やデリバティブ取引に係る市場における価格形成を人為的に歪曲する行為であり、市場の公平性を阻害するものとして厳しく禁止されている。

①仮装取引
上場有価証券等の売買、市場デリバティブ取引や店頭デリバティブ取引について、取引状況に関し他人に**誤解**を生じさせる目的をもって、**権利の移転、金銭の授受**等を目的としない仮装の取引をすること。
例えば、実際にはある銘柄の売注文を出しながら、別の金融商品取引業者から同一人物が同じ銘柄の買注文を出すといった、有価証券の権利の移転や金銭の受渡しを目的としない取引をいう。

②馴合取引
仮装取引と同様の目的で、**自己**が行う売付けもしくは買付けまたはデリバティブ取引の申込みと**同時期**に、それと**同価格で他人**がその金融商品の買付けもしくは売付けまたはデリバティブ取引の申込みを行うことを、あらかじめその者と**通謀**して（申し合わせて）、その売付けもしくは買付けまたはデリバティブ取引の申込みを行うこと。
例えば、自分が売買するときと同時期に、それと同価格で、他の人がその有価証券の売買を行うことをあらかじめその者と通謀して行う取引。ある銘柄の売注文（A銘柄を900円で売る）を出すと同時に、他の人が同じ銘柄の買注文（A銘柄を900円で買う）を出すような場合がこれにあたる。
※上記①②の行為は禁止されているが、さらにこのような目的をもって**委託**をし、または**受託**することも禁止されている。

③現実取引による相場操縦
上場有価証券等の売買を誘引する目的をもって、有価証券売買等が**繁盛**である（盛んである）と誤解させ、または取引所金融商品市場における上場金融商品等の相場を**変動**させるべき一連の有価証券売買等またはその申込み、委託等もしくは受託等をすることも、**相場操縦**として禁止されている。
また、架空の注文を出して売買が成立しそうになると取り消すといった、いわゆる「**見せ玉**」も相場操縦行為として禁止されている。

④市場操作情報の流布
取引を誘引する目的をもって取引所金融商品市場における上場金融商品等の相場が自己または他人の操作によって**変動するべき旨**を流布することも、相場操縦の一類型として禁止される。

⑤虚偽情報による相場操縦
有価証券売買等を行うにつき、取引を誘引する目的をもって、重要な事項について、虚偽の表示や誤解を生む表示を故意にすることも相場操縦として禁止されている。

相場操縦の禁止

ひっかけ

安定操作取引	取引所金融商品市場で上場金融商品等の相場をくぎ付け、固定し、または安定させる目的で、一連の有価証券売買等またはその申込み、委託等もしくは受託等をすることは、市場の価格形成を人為的に歪曲する行為として相場操縦となり何人も禁止されているが、企業による資金調達の便を優先させて、緊急避難的に認められる場合がある。これを**安定操作取引**という（**参照** 3章3節）。
空売りの規制	有価証券を保有しないで売付けを行うことは、相場操縦にも利用されがちであるので、政令の定めに違反して行ってはならない。有価証券を借り入れて売付けまたは売付けの委託、もしくは受託をする場合も、空売り規制の対象となる（**参照** 3章3節）。なお、**信用取引・先物取引等**のように制度として確立している場合は許容される。
内部者 （インサイダー） 取引の規制	特定有価証券（**上場会社等の株券、新株予約権証券、社債等**など）の発行会社の役職員など会社関係者や、会社関係者から発行会社の重要な未公開情報を容易に入手できる立場にある者が、その立場で得た情報を利用して、それが公表される前に当該有価証券を売買することは禁止されている。これは、公正な価格形成を妨げるだけでなく、有価証券市場に対する投資家の信頼を損ね、有価証券市場の健全な発展を阻害することとなるためである。 この取引で損失が出たとしても内部者取引に該当する。 **(1) 内部者取引の要件** 内部者（インサイダー）取引規制は、**会社関係者**がその会社の**重要事実**（インサイダー情報）を知って、その重要事実が**公表される**前に、その会社の特定有価証券の売買をしてはならないというもの。 各適用要件は以下のとおり。 **①会社関係者** 会社関係者の主な範囲は次のとおり。 ・その上場会社等の**役員**、代理人、**使用人**その他の従業者（**役員等**）。役員等には**親会社・子会社の役員等**も含まれる ・上場会社等の**帳簿閲覧権**を有する株主や社員 ・その上場会社等に対して法令に基づく権限、すなわち許認可権や立入検査権、議院の国政調査権等を有する者、帳簿書類の閲覧請求権者等 ・その上場会社等と契約を**締結**している者または締結の交渉をしている者、すなわち**取引銀行、公認会計士、引受人、顧問弁護士**等 なお、現在は上記会社関係者ではないが、**以前**会社関係者であり、会社関係者でなくなってから**1年**以内の者も内部者取引の規制の対象となる。 また、上記会社関係者より情報を受けた者（**第一次情報受領者**）も会社関係者と同様に内部者取引規制の対象となる。

内部者 （インサイダー） 取引の規制	**②重要事実（インサイダー情報）** 上場会社等の業務等に関する重要事実とは、次の事実をいう（ただし、影響が軽い軽微基準に該当するものを除く）。 なお、重要事実については子会社に生じた重要事実についても、親会社と同様に規制対象となるので留意する必要がある。 ・当該上場会社等の業務執行を決定する機関が、以下の事項を行う決定をしたこと、または、いったん行うと決定した事項を**行わないこ と**を決定したこと 　・募集株式・新株予約権の募集 　・資本金の額の減少 　・資本準備金・利益準備金の額の減少 　・自己株式の取得 　・**株式分割** 　・剰余金の配当 　・株式交換、株式移転及び株式交付 　・合併、**会社の分割** 　・解散 　・事業の全部または一部の譲渡または譲受け 　・新製品または新技術の企業化　など ・以下の事実が発生したこと 　・災害に起因する損害または業務遂行の過程で生じた損害 　・**主要株主**（総株主等の議決権の100分の10以上を保有する株 　　主）の異動 **③重要事実の公表** 以下のいずれかの場合に、重要事実が公表されたと認められることになる。 　・上場会社等もしくはその子会社を代表すべき取締役もしくは 　　執行役、またはそれらの者から重要事実を公開することを委 　　任された者により、その重要事実が日刊紙を販売する新聞社 　　や通信社または放送機関等の2つ以上の報道機関に対して公 　　開され、かつ、公開したときから**12時間**以上経過した場合 　・上場会社等が重要事実等を当該金融商品取引所等に通知し、そ 　　の重要事実等が金融商品取引所等において公衆の縦覧に供さ 　　れた場合。この場合には**12時間ルール**は適用されない。実際 　　は、適時開示情報伝達システム（**TDnet**）への掲載によって、 　　公衆の縦覧に供されるとともに直ちに公表されたことになる

④適用除外

内部者取引の要件に該当する場合であっても、次のケースでは違法ではないとされている。

・株式の割当てを受ける権利を有する者がその権利の行使により株券を取得する場合
・新株予約権を有する者がその新株予約権行使により株券を取得する場合
・オプションを行使することによって特定有価証券等に係る売買等を行う場合
・重要情報を知る前に締結された契約の履行　など

**内部者
（インサイダー）
取引の規制**

(2) **会社の役員及び主要株主の報告義務**

金融商品取引所に上場されている株券などの発行者である会社の**役員及び主要株主**（総株主等の議決権の100分の10以上の議決権を保有する株主）は、自己の計算でその上場会社等の株券・新株予約権証券・社債券等（特定有価証券）・そのオプションの売買を行った場合、内閣府令で定める場合を除いて、その内容についての**報告書**を内閣総理大臣に提出しなければならない。

(3) **役員または主要株主の短期売買規制**

上場会社等の役員や主要株主が、その上場会社等の**特定有価証券等**について、自己の計算でその買付けをした後**6か月**以内に売付けをし、または、売付けをした後6か月以内に買付けをして利益を得たときは、その上場会社等は、その者に対し、得た利益の**提供**を請求することができる。

(4) **役員または主要株主による自社株の空売り禁止**

上場会社等の役員や主要株主は、自社株の空売り及びそれと同様の効果を有する取引をすることを**絶対的に**禁止されている。

1 企業内容等開示制度 ▼注意

　大量の有価証券が一般公衆に対して募集・売出しされ、または流通するためには、一般投資者が十分に投資判断ができるように、発行会社の事業の状況、財務状態、経営成績等に関する情報が開示されることが必要となります。金融商品取引法は、このように一定の場合について開示を義務付けることによって、投資者保護を図っています。これが企業内容等開示制度です。

　企業内容等開示制度には、発行市場における開示と流通市場における開示があります。作成される開示書類の真実性、正確性及び明瞭性を担保しまたは確保するため、金融商品取引法上の会計制度及び公認会計士または監査法人の監査証明制度があります。

　企業内容等開示制度の対象となる有価証券は以下のとおりです。

①発行段階では募集または売出しが行われる有価証券、流通段階では継続開示の対象となる有価証券

②資産流動化に係る有価証券、並びに投資信託の受益証券及び投資法人の発行する投資証券等

国債証券、地方債証券、金融債、政府保証債等については、企業内容等開示の適用はありません。

2 発行市場における開示制度

(1) 募集または売出しに際しての届出 ▼注意

　有価証券の募集または売出しは、発行者がその募集または売出しに関し内閣総理大臣に届出をしているものでなければ行うことができません。

　届出を行うと、その内容は直ちに公衆の縦覧に供されます。

　届出が行われると、募集または売出しをしようとしている有価証券について販売用資料や目論見書を使って投資勧誘することが可能となります。ただし、実際に有価証券を取得させたり、売り付けたりするには、届出の効力が発生していなければなりません。発行会社による届出を内閣総理大臣が受理すると、原則として、その日から15日を経過した日にその効力が発生します。

■届出と届出の効力発生

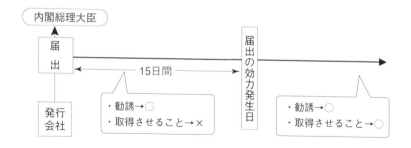

　届出後から届出の効力発生日までは、発行価格または売出価格、利率など、募集または売出しに関する重要事項が未定または未記載となっている**仮目論見書**が使用されるのが一般的です。この場合、発行会社は、未定または未掲載の事項が決定されたときには、「**届出仮目論見書の訂正事項分**」を作成し、これをその仮目論見書にはさみ込む等の方法によって訂正し、正規の目論見書として使用することができます。

　なお、**すでに当該有価証券に関して開示が行われている場合における売出しにおいては、内閣総理大臣への届出は不要**です。

(2) 有価証券届出書　▼注意

　有価証券の募集・売出しの届出をする場合には、内閣総理大臣に対して**有価証券届出書**を提出しなければなりません。

　有価証券届出書の記載事項は、その募集または売出しに関する**証券情報**と発行会社に関する**企業情報**を含みます。証券情報は常に必要な情報ですが、企業情報は有価証券報告書等で継続開示が行われていれば、直近の有価証券報告書等を「参照すべき旨」を記載すれば足ります。この制度の適用を受ける会社を**参照方式適用会社**といいます。

(3) 目論見書　✐暗記

　目論見書は、有価証券の募集または売出しの際、当該有価証券の発行者の事業その他の事項に関する説明を記載する文書であって、直接相手方に交付し、または相手方からの交付の請求があった場合に交付すべきものです。

　発行者、売出人、引受人、金融商品取引業者等または金融商品仲介業者は、届出を要する有価証券またはすでに開示された有価証券を、募集または売出しにより販売する場合には、目論見書（**交付目論見書**）をあらかじめまたは**同時に**投資者に交付しな

ければならないのが原則です。ただし、以下の場合は例外として目論見書を交付しなくてよいこととなっています。📘**例外**

- **適格機関投資家**に取得させ、または売り付ける場合
- 当該有価証券と**同一の銘柄**を所有する者、またはその同居者がすでに当該**目論見書**の交付を受け、あるいは確実に交付を受けると見込まれる者が、当該目論見書の交付を受けないことについて同意した場合に、その者に当該有価証券を取得させ、または売り付ける場合

　目論見書の記載事項は有価証券届出書に記載すべき事項及び特記事項です。運用実績の開示が基本となる投資信託・投資法人に係る有価証券に対しては株券並みの詳細な情報開示を求めることは妥当でないことから、目論見書の記載事項には以下の区分がなされています。

①投資者の投資判断に**きわめて重要**な影響を及ぼす事項
②投資者の投資判断に**重要**な影響を及ぼす事項

　これを受けて、投資信託・投資法人に係る有価証券については、上記①について記載した**交付目論見書**を交付するほか、②の部分については投資者から請求があった場合に直ちに目論見書（**請求目論見書**）を交付すれば足りるとされました。
　なお、その有価証券に関してすでに開示が行われている有価証券の売出しについては内閣総理大臣への届出は**要しない**こととされていますが、この場合での目論見書の交付の要・不要は次のとおりです。⚠**注意**

- 発行者、発行者の関係者及び引受人が売出しを行う場合　→　目論見書の交付が**必要**
- 上記以外の者が売出しを行う場合　→　目論見書の交付は**免除**

虚偽の記載があったり、記載すべき内容が欠けている目論見書を使用することは禁止されています。
さらに、目論見書以外の文書、図画、音声その他の資料を使用する場合には、虚偽の表示や誤解を生じさせる表示が禁止されます。

(4) **発行登録制度** ▼注意

発行登録制度とは、有価証券の募集または売出しを1回以上予定している発行者であって**参照方式適用会社**が、発行予定期間（1年または2年）の有価証券の発行予定額等を記載した**発行登録書**を提出し登録しておけば、発行の都度、届出書を内閣総理大臣に提出する必要が**ない**という制度です。

3 流通市場における開示制度

(1) **流通開示の適用対象会社** ▼注意

金融商品取引法上、流通市場における情報開示義務を負う会社は次の3つです。

①上場会社（金融商品取引所に**上場**された有価証券の発行者）

②上記①以外の者で、募集・売出しにつき内閣総理大臣に届出を要した有価証券の発行者

③上記①②以外の者で、資本金が**5億円以上**で、かつ最近5事業年度のいずれかの末日において株主名簿上の**株主数が1,000人以上**の会社

(2) **有価証券報告書** ✏暗記

有価証券報告書は、事業年度ごとにその事業年度経過後**3か月以内**に**内閣総理大臣**に提出されなければなりません。また、有価証券報告書の提出義務は有価証券の発行者である「会社」に対するものです。

> 有価証券報告書に記載される財務諸表は、特別の利害関係のない**公認会計士**または**監査法人**の監査証明を受ける必要があります。

⑶ その他報告書の提出

以下の書類を必要に応じて内閣総理大臣に提出しなければなりません。

四半期報告書	有価証券報告書の提出を義務付けられる上場会社等は、その事業年度が３か月を超える場合には、その事業年度の期間を３か月ごとに区分した期間ごとに、当該会社の属する企業集団の経理の状況その他の重要事項を記載した**四半期報告書**を、各期間経過後**45日以内**に内閣総理大臣に提出する必要がある。
確認書	経営者が有価証券報告書・半期報告書・四半期報告書の記載内容が**金融商品取引法令に基づき適正**であることを確認し、もって情報開示制度の信頼性を高めるため、**確認書制度**が導入された。 確認書を提出する必要があるのは、広範な投資者層の参加が予定されている流動性の高い流通市場を有する**上場会社等**。また、**外国会社**も提出を義務付けられる。
臨時報告書	有価証券報告書の提出を義務付けられる会社は、財政状態や**経営成績**に著しい影響を与える事象が発生した場合などに、臨時報告書を遅滞なく内閣総理大臣に提出する必要がある。
親会社等状況報告書	上場会社等の親会社等は、その親会社等の株式を所有する者に関する事項等を記載した**親会社等状況報告書**の提出が義務付けられている。親会社等状況報告書は、親会社等の事業年度終了後**３か月以内**に内閣総理大臣に提出する必要がある。また、親会社等状況報告書も公衆縦覧の対象となる。 記載内容には、**親会社**の株式の所有者別状況及び**大株主**の状況、役員の状況、その他計算書類等が含まれる。
自己株券買付状況報告書	上場会社に自己株式の取得に関する株主総会決議または取締役会決議があった場合には、**自己株券買付状況報告書**を作成し、各月ごとに内閣総理大臣に提出しなければならない。
訂正届出書・訂正報告書	有価証券届出書、有価証券報告書等の提出後、記載すべき重要事項について**変更等**がある場合に、発行会社が提出する。

4 公衆縦覧

　有価証券届出書、発行登録書、発行登録追補書類、有価証券報告書、半期報告書、四半期報告書、確認書、内部統制報告書、臨時報告書、親会社等状況報告書、自己株券買付状況報告書等は、一定の場所に備え置かれ、各々の書類ごとに定められた期間、公衆の縦覧に供されます。

5 企業内容等の開示制度の電子化（オンライン化）

有価証券報告書・半期報告書・四半期報告書・有価証券届出書・公開買付届出書・大量保有報告書等の開示書類はオンライン化されています。また、目論見書のオンライン交付も可能になっています。

電子開示手続（有価証券報告書等の提出に係る手続）は、EDINET（Electronic Disclosure for Investors' NETwork）を使用して行う必要があります。

6 内部統制報告書制度

有価証券報告書提出義務のある上場会社等は、事業年度ごとに、その会社の属する企業集団及びその会社に係る財務計算に関する書類その他の情報の適正性を確保するために必要な体制について評価した報告書（**内部統制報告書**）を、有価証券報告書と併せて**内閣総理大臣**に提出しなければなりません。

7 公開買付制度　▼注意

公開買付けとは、**不特定**かつ**多数**の者に対し、公告により株券等の買付け等の申込みまたは売付け等の申込みの勧誘を行い、**取引所金融商品市場外**で株券等の買付け等を行うことです。

公開買付けの条件は均一でなければなりません。公開買付けの途中で価格を引き上げることは認められますが、引き**下げる**ことは原則として認められません。

7節 株券等の大量保有の状況に関する開示制度(5%ルール)等

重要度 ★★★　問題集 P162

1 5%ルール ✎暗記

　上場会社等が発行する株券等の保有者で、その株券等保有割合が5%を超える者（大量保有者）は、大量保有者となった日から5日以内に**大量保有報告書**を内閣総理大臣に提出する必要があります。これを一般に5%ルールと呼んでいます。

対象有価証券	上場株券等の発行者である法人が発行する有価証券が対象。 ①株券（議決権のない株式を除く） ②新株予約権証券及び新株予約権付社債券 ③外国の者が発行する証券・証書で①②の有価証券の性質を有するもの ④**投資証券**等及び新投資口予約権証券等　など 議決権を持たない無議決権株及び自己株式は、規制の対象外となっています。
大量保有者	大量保有報告書の提出義務を負うのは、**対象有価証券**（株券等）の保有者でその保有割合が**5%を超える者**（**大量保有者**）。 ここでいう保有者には、以下の者が含まれる。 ・自己または他人の名義で株券等を所有する者 ・金銭の信託契約等により議決権行使等の権限を有する者であって、その発行者の事業活動を支配する目的を有する者 ・投資一任契約等により株券等に投資をするのに必要な権限を有する者　など したがって、報告義務者は名義の如何にかかわらず、株券等の**実質的な保有者**である。
株券等保有割合	基本的には、保有者の保有する株券等の数に**共同保有者**⊂**用語**の保有する株券等の数を加え、それを**発行済株式総数**で除した割合が株券等保有割合になる。
大量保有報告書	大量保有者は、大量保有者となった日から**5日**以内に、内閣総理大臣に大量保有報告書を提出しなければならない。提出はEDINET（有価証券報告書等の電子開示システム）で行う必要がある。また、その株券等の**発行者**に大量保有報告書の写しを送付しなければならないが、EDINETを通じて提出された大量保有報告書については発行者への写しの送付義務が免除されている。

⊂**用語** --

共同保有者：保有者と共同して株券等の取得・譲渡または議決権行使等をすることを合意している他の保有者。夫婦関係や親子会社関係などがある場合には、共同保有者とみなされる。

変更報告書	大量保有報告書を提出すべき者は、大量保有者となった後に株券等保有割合が1%以上増減した場合等には、その日から5日以内に変更報告書を提出しなければならない。
公衆縦覧	大量保有報告書・変更報告書は、5年間公衆の縦覧に供される。
特例報告	銀行、金融商品取引業者等については、大量保有報告書及び変更報告書の提出頻度・期間に一定の緩和が図られている。 しかし、銀行、金融商品取引業者等が、上場会社の事業活動を支配することを目的としなくても、当該上場会社の株券を5%超保有している場合であれば、大量保有報告書を提出する必要がある。

1 金融行政機関と権限の委任 ▼注意

　金融商品取引法は、金融商品取引法に係る法令上の行政機関の諸権限を**内閣総理大臣**に付与しています。内閣総理大臣は、その権限を**金融庁長官**に委任しています。

　さらに、金融庁長官は、内閣総理大臣から委任を受けた権限のうち、一部を**証券取引等監視委員会**（参照▶13章2節）へ委任しています。

> 権限は内閣総理大臣ですが、実務上は金融庁長官が行うということです。外務員試験においては、「届出」などの許認可は、「内閣総理大臣」ではなく「金融庁長官」で出題されても同じと考えてください。

2 証券取引等監視委員会 ＊重要

　証券取引等監視委員会は、金融庁長官から一定の権限の委任を受け、主に、日常的な**市場監視や業者に対する検査、有価証券報告書等についての検査**、課徴金調査、犯則事件の調査等を行います。

3 課徴金

　課徴金は一定の不公正取引があった場合に、内閣総理大臣が一定の手続きに基づいて、不公正取引に応じて決められた額の課徴金を国庫に納付すべき旨を命ずる制度です。課徴金制度が適用される主な違反は以下のとおりです。

- 有価証券届出書の虚偽記載等の発行開示義務違反
- 風説の流布、偽計取引の禁止違反
- 相場操縦行為の禁止違反
- インサイダー取引の禁止違反

7章

金融商品の勧誘・販売に関係する法律

ここでは金融サービス提供法、消費者契約法、犯罪収益移転防止法及び個人情報保護法について、試験で狙われやすいポイントを学習します。テキストの記述を押さえ、問題集に収録された問題は必ず解けるようにしてください。

推定配点&出題形式

○×問題：3問（6点）

5肢選択問題：0問（0点）

計**6**点／440点満点中

※配点・出題形式についてはフィナンシャル バンク インスティチュートの推定です。

金融商品の勧誘・販売に関係する法律

重要度 ★★★　問題集 P172

金融商品を顧客に勧誘・販売するにあたり、外務員が遵守し、考慮しなければならない法律には、金融商品取引法だけではなく、金融サービスの提供に関する法律、消費者契約法、犯罪による収益の移転防止に関する法律、個人情報の保護に関する法律などがあります。

1 金融サービスの提供に関する法律（金融サービス提供法）

金融サービス提供法は、以下について定めた法律です。

> ①金融商品販売業者等が金融商品を販売する際の顧客に対する**説明義務**
> ②**説明義務違反**により顧客に損害が生じた場合の**損害賠償責任**及び**損害額の推定等**
> ③その他の金融商品の販売等に関する事項
> ④金融サービス仲介業を行う者について登録制度を実施し、その業務の健全かつ適切な運営を確保すること

(1) 説明義務

金融商品販売業者等は、金融商品の販売等を業として行うときは、金融商品の販売が行われるまでの間に、顧客に対して**重要事項**を説明する必要があります。重要事項の説明は、書面の交付による方法も可能ですが、顧客の知識や経験、財産の状況及びその金融商品の販売に係る契約を締結する目的に照らして、その**顧客に理解されるために必要な方法及び程度**によるものでなければなりません。

販売までに説明すべき主な重要事項は以下のとおりです。

①金利、通貨の価格、市場の相場その他の指標に係る変動（市場リスク）を直接の原因とする元本欠損が生じるおそれまたは当初元本を上回る損失が生ずるおそれがある場合	・元本欠損が生ずるおそれがある旨または当初元本を上回る損失が生ずるおそれがある旨 ・当該指標 ・当該金融商品の販売に係る取引の仕組みの重要な部分
②当該金融商品の販売者その他の者の業務または財産の状況の変化（信用リスク）を直接の原因とする元本欠損が生ずるおそれまたは当初元本を上回る損失が生ずるおそれがある場合	・元本欠損が生ずるおそれがある旨または当初元本を上回る損失が生ずるおそれがある旨 ・当該者 ・当該金融商品の販売に係る取引の仕組みの重要な部分
③権利行使期間の制限及び**クーリングオフ期間の制限**があるときはその旨	

　ただし、重要事項の説明義務は、金融商品の販売等に関する専門的知識及び経験を有する者として政令で定める「**特定顧客**」（金商法上の「特定投資家」にあたります）に対しては適用されません。

　また、重要事項について説明は不要だという顧客の意思の表明があった場合には、（商品関連市場デリバティブ取引及びその取次ぎの場合を除き）重要事項の説明義務は金融サービス提供法上は免除されますが、この場合でも、金商法上の説明義務は免除されません。

(2)　因果関係・損害額の推定

　金融サービス提供法では、金融商品の販売等に際して、①金融商品販売業者等が一定の重要事項の説明をすべき義務があるにもかかわらずこれを行わなかった場合や、②断定的判断の提供の禁止に違反する行為を行った場合に、**不法行為**による損害賠償責任があることを明確にしています。

　金融サービス提供法では、重要事項の説明義務に違反して重要事項の説明を行わなかった場合については、**故意または過失の有無**を問わず、損害賠償の責任を負います（無過失責任）。

　また、金融サービス提供法では、不法行為と損害の発生との間の因果関係及び損害額について、金融商品取引業者等側に**立証責任**があります。

立証責任を顧客から業者側に転換しています。

2 消費者契約法

　消費者契約法は、消費者保護の観点に基づいた法律で、消費者を**誤認させる行為**または**消費者を困惑させる行為**が行われた場合の消費者による**取消権**や、**不当な契約条項の無効**、適格消費者団体による**差止請求権等**を定めています。

　消費者契約法は、消費者と事業者との間で締結される契約（**消費者契約**）に適用されます。ここでいう「**消費者**」とは、個人のうち、「事業としてまたは事業のために契約の当事者となる場合におけるもの」を除いた者です。

　この法律は、契約の相手方から媒介の委託を受けた者や代理権の授与を受けた者による勧誘などの行為についても適用されます。例えば、**協会員**が投資信託の販売を行う場合などは、顧客との間の直接の相手方となるわけではありませんが、このような場合も消費者契約法の適用対象になります。

　消費者が消費者契約法により**契約の取消し**を行うことができるのは、事業者が消費者契約の締結について勧誘を行う際に、主に以下のケースに該当し、それによってその消費者契約の申込みまたはその承諾の意思表示をした場合です。

重要事項の不実告知	消費者に対して重要事項について事実と異なることを告げたことにより、その告げられた内容が事実であると消費者が誤認した場合
断定的判断の提供	物品、権利、役務その他消費者契約の目的となるものに関し、将来におけるその価額、将来において消費者が受け取るべき金額その他の将来における変動が不確実な事項について断定的判断を提供することにより、その提供された断定的判断の内容が確実であると消費者が誤認した場合
不利益事実の故意または重過失による不告知	消費者に対してある重要事項またはその重要事項に関連する事項について消費者の利益となる旨を告げ、かつ、その重要事項について消費者の不利益となる事実を故意または重大な過失によって告げなかったことにより、当該事実が存在しないと消費者が誤認した場合
不退去	消費者が事業者に対し、その住居またはその業務を行っている場所から退去すべき旨の意思を示したにもかかわらず、事業者がそれらの場所から退去しないことによって消費者が困惑した場合
退去妨害	事業者が消費者契約の締結について勧誘をしている場所から消費者が退去する旨の意思を示したにもかかわらず、その場所から消費者を退去させないことによって消費者が困惑した場合

　消費者が取消権を行使する方法については、消費者契約法において定められておら

ず、民法123条により、相手方に対して、意思表示を取り消す旨を伝えればよいと考えられます。必ずしも**裁判**において主張する必要はありません。

消費者契約法に基づく取消権は、原則として、追認することができる時から**1年間**行使しない場合、または消費者契約の締結時から**5年**を経過した場合に消滅します。消費者が取消権を行使した場合、当初にさかのぼって契約が**無効**であったことになります。

3 犯罪による収益の移転防止に関する法律（犯罪収益移転防止法）

犯罪収益移転防止法は、**マネー・ローンダリング（資金洗浄）**の防止の観点に基づいた法律です。犯罪による収益の移転防止、テロリズムに対する資金供与の防止に関する国際条約等の的確な実施を確保し、もって国民生活の安全と平穏を確保するとともに、経済活動の健全な発展に寄与することを目的としています。

顧客に有価証券を取得させる内容の契約を締結する際、協会員は最初に顧客について**本人特定事項等の確認**を行う必要があります。本人特定事項等の取引時確認は、本人確認書類の提示または送付を受ける等により行います。本人確認書類は、個人の場合は、**運転免許証・在留カード・特別永住者証明書・個人番号カード・各種健康保険証・年金手帳**などとされています。

なお、本人確認書類は、有効期限のある証明書については提示または送付を受ける日において有効なものに限られ、有効期限のない証明書については提示または送付を受ける日の前6か月以内に作成されたものに限られます。

代理人が取引を行う場合には、本人の取引時確認に加えて**代理人**についても本人特定事項の確認が必要です。

なりすましが疑われる取引や取引時確認に係る事項を偽っていた疑いがある顧客等との取引では、**ハイリスク取引**として厳格な取引時確認を行う必要があります。

取引時確認を行った場合、直ちに確認記録を作成し、その契約の取引終了日及び取引時確認済み取引に係る取引終了日のうち後に到来する日から**7年間**保存する必要があります。

顧客から受け取った財産が犯罪による収益である疑いがあるかどうか、または顧客が犯罪収益の取得や処分について事実を仮装したり、犯罪収益を隠匿している疑いがあるかどうかを判断し、これらの疑いがあると認められる場合には、速やかに行政庁（金融取引であれば**金融庁**）に対して**疑わしい取引**の届出を行わなければなりません。

個人情報取扱事業者である協会員は、顧客の**個人情報保護**のため、個人情報保護法や金融分野ガイドラインなどに従い、個人情報取扱事業者の義務を遵守する必要があります。

⑴ 個人情報など

個人情報保護法が対象としているのは、「**個人情報**」、「**個人データ**」、「**保有個人データ**」、「**要配慮個人情報**」、「**仮名加工情報**」、「**匿名加工情報**」及び「**個人関連情報**」です。

また、金融分野ガイドラインでは、「**機微（センシティブ）情報**」について定められています。

個人情報	生存する個人に関する情報で、①その情報に含まれる氏名、生年月日その他の記述等により**特定の個人を識別する**ことができるもの、または②個人識別符号が含まれているもののいずれか。また、情報それ自体からは特定の個人を識別できなくても、他の情報と容易に照合することができ、それにより特定の個人を識別することができる場合にも、個人情報に該当する。
個人データ	個人データベース等を構成する個人情報。
保有個人データ	個人情報取扱事業者が、開示、内容の訂正、追加または削除、利用の停止、消去及び第三者への提供の停止を行うことができる権限を有する個人データで、その存否が明らかになることにより公益その他の利益が害されるものとして政令で定めるもの以外のもの。
要配慮個人情報	本人の「人種」、「信条」、「社会的身分」、「病歴」、「犯罪の経歴」、「犯罪により害を被った事実」及び「その他本人に対する不当な差別、偏見、その他の不利益が生じないようにその取扱いに特に配慮を要するものとして政令で定める記述等が含まれる個人情報」をいう。 要配慮個人情報の取得については、原則として**本人の同意**が必要。ただし、法令に基づく場合や、人の生命・身体または財産の保護のために必要がある場合であって本人の同意を得ることが困難な場合等、一定の場合のみ例外的に本人の同意なしに取得することができるものとされている。

仮名加工情報	個人情報に含まれる記述等の一部を削除または置換したり、個人情報に含まれる個人識別符号の全部を削除または置換する措置を講じて、他の情報と照合しない限り特定の個人を識別することができないように個人情報を加工して得られる個人に関する情報をいう。 仮名加工情報は**内部利用目的**での利用が意図されているので、利用目的の変更に関する義務及び漏えい時の本人への通知義務が緩和されている。
匿名加工情報	個人情報の区分に応じて定められた措置を講じて**特定の個人を識別することができないように個人情報を加工して得られる個人に**関する情報であって、当該個人情報を復元することができないようにしたものをいう。 匿名加工情報については、**本人の同意なく第三者提供が可能と**なるが、匿名加工情報を作成する個人情報取扱事業者には、匿名加工情報に関して、適正な加工、安全管理措置や作成時の公表等の義務などが課せられている。
個人関連情報	生存する個人に関する情報であって、個人情報、仮名加工情報及び匿名加工情報のいずれにも該当しないものとされている。
機微 （センシティブ） 情報	「要配慮個人情報」並びに「労働組合への加盟、門地、本籍地、保健医療及び性生活（これらのうち要配慮個人情報に該当するものを除く）に関する情報である。機微（センシティブ）情報については、金融分野ガイドライン上、本人の同意があったとしても、それだけでは取得、利用または第三者提供を行うことはできない。

(2) 個人情報に関する義務

個人情報取扱事業者は、個人情報について以下の義務が規定されています。

利用目的の特定	個人情報を取り扱うにあたっては、その利用目的をできる限り**特定しなければならない。抽象的**な記載ではなく、提供する金融商品・サービスを明示したうえで利用目的を特定することが望ましいとされている。
利用目的による制限	原則として、あらかじめ本人の同意を得ないで、特定された利用目的の達成に必要な範囲を超えて個人情報を取り扱うことは禁止されている。
取得に際しての 利用目的の通知	契約締結に伴い契約書その他の書面等に記載された個人情報を取得する場合、また、本人から直接書面に記載された個人情報を取得する場合は、あらかじめ本人に対しその利用目的を明示する必要がある。これ以外の方法で個人情報を取得する場合には、**あらかじめその利用目的を公表している場合を除き、速やかにその利用目的を本人に通知、または公表する必要がある。**

⑶ 個人データに関する義務

安全管理措置	個人情報取扱事業者は、その取り扱う個人データの**漏えい**、**滅失**または毀損の防止その他の個人データの安全管理のために必要かつ適切な措置（**安全管理措置**）を講じる必要がある。
第三者提供の制限	個人情報取扱事業者は、原則として、あらかじめ**本人の同意**を取得しなければ、第三者に対して個人データを提供することはできない。ただし、法令等に基づく場合や、人の生命、身体または財産の保護のために必要がある場合など、一定の場合にはこの制限は適用されない。 また、以下の場合は「第三者」に該当しないことから、この制限は適用されない。 ・個人情報取扱事業者が利用目的の達成に必要な範囲内において個人データの取扱いを委託する場合 ・合併その他の事由による事業の承継の場合 ・個人データを**共同利用**する場合で、共同利用される個人データの項目、共同利用者の範囲、利用する者の利用目的、その個人データの管理責任者の氏名または名称及び住所、法人にあってはその代表者の氏名について、あらかじめ本人に通知、または本人が容易に知り得る状態（ウェブサイトで公表しているなど）にしている場合

⑷ 法人情報、公開情報など

　法人の情報は、個人情報保護法及び金融分野ガイドラインにおいては対象とされていませんが、法人の**代表者個人**や**取引担当者個人**の氏名、住所、性別、生年月日、顔画像等個人を識別することができる情報は、個人情報に該当します。

　また、個人情報保護法は、公開・非公開を区別せず、非公開情報のみを保護するものではありません。したがって、**公開情報**であっても個人情報の定義に該当する限り、個人情報となります。

8章

付随業務

　ここでは金融商品取引業に付随する業務を学習します。「付随業務」「キャッシング業務」「累積投資契約の締結」の内容が頻繁に出題されます。

　「付随業務」では付随業務の種類を選ぶ問題が出題されるので、その他の届出業務や承認業務と区別できるようにしてください。また、「キャッシング業務」や「累積投資契約の締結」については制度の細かなところまで問われるので、正確なインプットが求められます。

　このボリュームで10点取れますので確実に得点できるようにしましょう。

推定配点&出題形式

○×問題：0問　（0点）

5肢選択問題：1問（10点）

計**10点**／440点満点中

※配点・出題形式についてはフィナンシャル バンク インスティテュートの推定です。

1節 付随業務

第一種金融商品取引業者または**投資運用業者**が行うことができる金融商品取引業以外の業務は、以下の3つに大別されます。

付随業務	金融商品取引業に付随する業務として内閣総理大臣への**届出**や**承認**なしに行うことのできる業務。
届出業務	内閣総理大臣に届け出て行うことのできる業務。
承認業務	内閣総理大臣の承認を受けて行うことのできる業務。

以下では、付随業務について解説します。

1 付随業務 ▼注意

金融商品取引業に付随する業務として定められているものは以下のとおりです。

①有価証券の貸借またはその媒介もしくは代理（主な取引は**株式等の貸借取引**）

②信用取引に付随する金銭の**貸付け**

③顧客から保護預りをしている**有価証券**を担保とする金銭の貸付け

④有価証券に関する顧客の**代理**

⑤投資信託委託会社の発行する投資信託または外国投資信託の受益証券に係る**収益金**、**償還金**または**解約金**の支払いに係る業務の代理

⑥投資法人の発行する投資証券もしくは投資法人債券または外国投資証券に係る金銭の分配、払戻金もしくは残余財産の分配または利息もしくは償還金の支払いに係る業務の代理

⑦**累積投資契約の締結**

⑧有価証券に関連する情報の提供または**助言**

⑨他の金融商品取引業者等の**業務の代理**

⑩登録投資法人の資産の保管

⑪他の事業者の事業の譲渡、合併、会社の分割、株式交換、株式移転もしくは株式交付に関する相談に応じ、またはこれらに関し仲介を行うこと

⑫**他の事業者の経営に関する相談に応じること**

⑬通貨その他デリバティブ取引に関連する資産として政令で定めるものの売買またはその媒介、取次ぎもしくは代理

⑭譲渡性預金その他金銭債権の売買またはその媒介、取次ぎもしくは代理

⑮以下の資産に対する投資として、運用財産の運用を行うこと

　　イ）投資信託及び投資法人に関する法律に規定する特定資産

　　ロ）イに掲げるもののほか、政令で定める資産　　　　　　など

> 上記の業務以外に、M&Aに関する業務等、経営コンサルタント業務等、通貨の売買等、貸金庫業務、公共料金等の収入代行業務等が付随業務とされています。なお、付随業務に係る契約は、金融商品取引法上の金融商品取引契約に該当しないため、**契約締結前の書面交付義務等**の対象とはなりません。

2　顧客から保護預りをしている有価証券を担保とする金銭の貸付け

　この付随業務は、現在はMRF（証券総合口座用ファンド）のキャッシング業務が中心です。

(1)　業務内容

　キャッシング業務とは、MRFの解約請求を行った顧客に対し、解約請求当日での顧客への解約代金相当額の支払いを可能とするために、**翌営業日**に行われる解約代金の支払いまでの間、解約請求に係るその有価証券を担保として解約代金相当額を**解約請求日**に貸し付けます。

(2)　貸付けの方法等　▼注意

貸付限度額	MRFの残高に基づき計算した返還可能金額と、**500万円**のいずれか少ない金額を基準に、各金融商品取引業者が定める金額。
貸付利息	解約請求日から**翌営業日前日**までのMRFの分配金手取額。
貸付期間	貸付けが行われた日の**翌営業日**までの間。
利用申込み	書面による申込みは**不要**。
貸付条件等の明示	キャッシングを受け付ける場合、顧客に対し、貸付限度額その他貸付条件等について記載した書面を交付し、顧客の意思を確認したうえで申込みを受け付ける。また、取引開始時等の**包括契約**の締結によることも可能。

3 有価証券に関する顧客の代理

(1) 公社債の払込金の受入れ及び元利金支払いの代理業務

公社債の払込金の受入れ	公社債の発行者との契約に基づいて払込金の取扱場所として払込金（買付代金）の受入れを行い、払込金を受け入れたときは、払込期日に所定の場所に払い込む業務。
公社債の元利金支払い	公社債の発行者または支払代理人（銀行、信託会社）に代わって、社債権者等の請求により元利金を支払う業務。

(2) 株式事務の取次業務

株式事務の取次業務とは、顧客からの請求に基づき、以下の株式事務を発行会社または証券保管振替機構に取り次ぐ業務です。

①単元未満株式の買取または買増請求

②個別株主通知（少数株主権等行使）の申し出

③**新株予約権**（新株予約権付社債、ストックオプションなど）の行使処理

④住所変更届その他株式事務の代行

(3) 有価証券に関する常任代理業務

有価証券に関する常任代理業務とは、外国投資家との委任契約に基づいて、以下の事務手続等の全部または一部を代理・代行することです。

〈具体的な業務〉

● 有価証券の名義書換えの代行及び寄託の受入れ

● 配当金・利金等の代理受領及び管理

● 議決権の代理行使

● 単元未満株式に係る買取請求手続の代行　など

4 累積投資契約の締結

(1) 累積投資契約とは

累積投資契約とは、金融商品取引業者が顧客から金銭を預かり、その金銭を対価としてあらかじめ定めた期日に、顧客に有価証券を定期的・継続的に売り付け、取得させることを内容とする契約です。

累積投資業務において取り扱うことができる有価証券は**上場株券**だけでなく、国

債・地方債等の債券、投資信託受益証券、外国投資信託受益証券、投資法人の投資証券、外国投資証券、上場投資信託受益証券及び上場投資証券などがあります。

(2) 株式累積投資

株式累積投資とは、投資者から資金を預かり、その金銭を対価として、毎月**一定日**に特定の銘柄の株式等を買い付ける制度をいいます。

①特徴

- ●少額の資金で株式投資ができる。
- ●決まった銘柄を株価水準に関係なく、定期的に一定の金額で継続して買い付ける**ドル・コスト平均法** ◀用語 によって、定期的に一定株数を買い付けるよりも、長期的に有利な投資効果が期待できる。

②仕組み　▼注意

株式累積投資契約の締結	・金融商品取引業者は、株式累積投資契約を**締結**するときは、あらかじめ顧客に対し、契約締結前交付書面及び**株式累積投資約款**を交付しなければならない。 ・金融商品取引業者は、顧客から株式累積投資の注文を受ける場合には、その顧客と金融商品取引業者の定める株式累積投資約款に基づく取引契約を締結しなければならない。
買付株式の選定と方法	・顧客が買付できる株式等は、**金融商品取引業者が選定した銘柄**に限られる。 ・買付有価証券は、あらかじめ契約によりその種類及び買付けのための預り金の充当方法を定めなければならない。
払込金額	金融商品取引業者が顧客との間で取り交わす株式累積投資契約のうち、1顧客の1銘柄に係る買付金額は、**100万円未満**にしなければならない。
単元株に達したとき	買付株数の累計が単元株に達した時点で、株式累積投資口座より**保護預り口座**（（参照）5章5節）に振り替えられ、通常の株主となる。
売却	株式累積投資で買い付けた株式は、原則としていつでも、全部または一部を売却できる。顧客が株式累積投資口座の自己の持分を売却する場合、あらかじめ定めた売却注文を執行する日の、あらかじめ定めた取引所における一定時点の価格に基づき金融商品取引業者が買い取る。

③インサイダー取引規制の適用除外

　株式累積投資で、定時定額の払込金で機械的に株式を買い付けている場合には、内閣府令により、**インサイダー取引規制**の適用が除外されます。例えば、インサイダー情報を知った会社関係者等が、その情報が公表される前に株式累積投資で買付けを行っても、その情報を知る前に締結された株式累積投資契約による定期的な買付けである限りインサイダー取引規制の違反にはなりません。▼注意

　株式累積投資での株式の買付けのうち、以下の要件をすべて満たすものがインサイダー取引規制の適用除外とされます。▼注意

①一定の計画に従っていること
②個別の投資判断に基づくものではないこと
③継続的に行われること
④各顧客の1銘柄に対する払込金の合計額が1か月当たり100万円に満たないこと

　ただし、以下のような場合にはインサイダー取引規制の適用除外とならないので注意が必要です。▤例外 ▼注意

①当該銘柄の持分の売却
②**臨時払込金**による買付け
③重要事実を知った後に株式累積投資契約を締結または変更し、その契約に基づき、ある事実が**公表される前**に行う買付け

🔊用語 -

ドル・コスト平均法：米国で開発された投資手法で、株価の動きやタイミング等に関係なく株式を定期的に継続して一定金額ずつ購入する方法。購入のタイミングを分散させることで、株価が高いときには少ない株数を、株価が安いときには多くの株数を買うことになり、株価の一時的な変動の影響を軽減する効果がある。

9章

債券業務

　この科目の配点は40点と高く、合格のためには特に重要な科目であるといえます。

　まず債券の基礎知識で、国債・地方債を中心とする各債券の制度が問われます。かなり細かなところまで問われるのでしっかりマスターしてください。

　また、債券の発行市場では社債管理者とスプレッド・プライシング方式が特に重要です。

　債券売買手法では、ラダー型・ダンベル型のほか、現先取引の細かな制度に関する問題が出題されます。

　転換社債については、概要が正誤で問われ、パリティ価格と乖離率の計算及び価格変動要因マトリクスが5肢選択問題で出題されます。

　5肢選択問題では他に、利回り計算、受渡代金の計算、経過利子の計算の出題が多くなっています。

推定配点&出題形式

○×問題：5問（10点）
5肢選択問題：3問（30点）
計**40**点／440点満点中

※配点・出題形式についてはフィナンシャル バンク インスティチュートの推定です。

1 債券とその特徴

(1) 債券とは

債券とは、その**発行者**（国、事業会社及び金融機関など）が広く一般の**投資者**から一時に大量の**資金**を調達し、その見返りとして発行する**証券**です。金銭の貸借関係で例えると、発行者は債務者で投資者は債権者といえます。しかし、以下の点で債券の発行は金銭の貸借と異なっています。

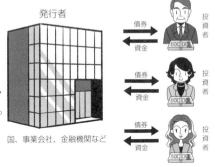

発行者

国、事業会社、金融機関など

①多数の投資者が均一の条件で投資する

②発行者は一時に多額の資金を調達できる

③債券は有価証券として規格化され、元本の返済請求権、利子の支払請求権を備えており、その有価証券を売却することで、いつでも**債権者**としての立場を他人に移転できる

債券は、物理的な紙片の形を伴う証書（券面）として発行されていましたが、近年ではペーパーレス化が進んでいます。

(2) 資金調達手段としての債券

債券の発行によって調達される資金は、中長期のものが多く、その使途は民間事業債の場合、設備資金や長期の運転資金（会社を運営していくための資金）等が中心になっています。なお、事業会社が市場を通じて、投資者から直接、長期安定資金を調達する方法としては、債券発行の他に新株発行による方法もあります。

(3) 投資対象としての債券

債券投資に限らず、どんな投資対象を選ぶ場合にも大切なことは、その投資対象を**収益性、安全性、流動性**（換金性）の3つの面から検討することです。

収益性	債券は、発行から償還に至るまでの全期間中、あらかじめ約束された一定の利子が支払われる。株式や不動産などと違い市場環境によって収益が変動せず、計画的な資金運用の手段として優れている。 また、**金利の上昇**や**インフレ**には弱いが、**金利低下**には強いという特性がある。
安全性	通常の債券には**償還期限**があり、**償還期限**が到来すれば元本が返済される。市場環境が変化し、債券相場がいくら変動しようとも、通常は償還期限に、元本は欠けることなく回収できる。
流動性 （換金性）	償還期限の前でも、流通市場で売却し換金できる。売却価格はそのときの市場価格で決まる。

　通常、債券といえば無担保で発行されるものをいいますが、以下のように元利金が確実に支払われるよう、種類、銘柄に応じて政府の保証や担保を付しているものがあります。

政府保証債	元利金の支払いについて**政府の保証**が付いた債券。
一般担保債	発行者の全財産から、他の債権者に優先して弁済を受けられる一種の**優先弁済権**が付いた債券。
物上担保債	発行者の保有する土地、工場、船舶など特定の**財産**を担保に付けた債券。

ひっかけ

2 債券の種類

　債券は発行者の業態の違い等により、国債、地方債、政府関係機関債、地方公社債、金融債、事業債、特定社債、投資法人債、外債に分類できます。

※図の中の(1)～(9)は次ページ以降の小見出しに対応しています。

(1) 国債

　国の発行する債券で、信用力は**すべての債券の中で最も高く**、また、現存している債券のうち約8割強を占め、最大となっています。

長期国債 (10年／利付)	発行・流通市場の双方において日本の債券市場の中心的銘柄。その発行条件や流通利回りは、他の年限の国債、その他の国内債の指標となっている。価格競争入札による**公募入札方式**◀**用語**により発行されている。
超長期国債 (20年・30年・40年／利付)	20年債及び30年債については、**価格競争入札**による公募入札方式で発行され、40年債については、**イールド（利回り）競争入札**による公募入札方式で発行される。
変動利付国債	期間15年で、利率が年2回の利払日ごとに市場実勢に応じて変化する債券。**価格競争入札**による公募入札方式で発行される。
中期国債 (2年・5年／利付)	価格競争入札による公募入札方式で発行される。
国庫短期証券 (TDB：トレジャリー・ディスカウント・ビル／割引)	・国債の**償還の平準化**を図り円滑な**借換え**を実現すること、及び国の一般会計や種々の特別会計の一時的な**資金不足**を補うために発行される。価格競争入札による**割引方式**で発行される。 ・償還期間は2か月、3か月、6か月及び1年で、**法人**だけでなく個人も保有可能。
個人向け国債	・購入者を個人に限定する国債。**変動金利型10年満期**、**固定金利型3年満期**及び**固定金利型5年満期**の3種類があり、毎月募集が行われている。いずれも利払いは**半年**ごとに年2回で、購入単位は、額面**1万円**から**1万円単位**となっている。 ・個人向け国債には発行から1年間、中途換金の制限がある。中途換金の際は国が**額面**で買い取るが、一定の**利子相当額**が差し引かれる。
物価連動国債	**元金額**が物価に連動して増減する。発行後に物価が上昇すれば上昇率に応じて元金額が増加する。増減後の元金額を**想定元金額**という。利子の額は、年2回の利払時の想定元金額に発行時の表面利率（固定）を掛けて算出するので、想定元金額の増減に応じて増減する。機関投資家など法人保有だけでなく個人も保有可能。
ストリップス国債	利付国債の一部は、**元本**部分と**利子**部分を証券会社等が分離して販売することができる。分離した元本部分、利子部分とも機関投資家等の法人が主な購入者だが、個人も購入可能。

国債は発行根拠法により以下のように分類されます。 ☀重要 ▼注意

建設国債 （4条国債）	国の資産を形成するものとして、公共事業費、出資金及び貸付金の財源にあてるために発行される国債。**財政法4条1項但書**による「4条国債」ともいう。
特例国債 （赤字国債）	税収及び税外収入等に加えて、建設国債を発行してもなお歳入不足が見込まれる場合に、公共事業費等以外の歳出にあてる資金を調達することを目的として、特別の法律によって発行される国債。「赤字国債」ともいう。
借換国債 （国債整理基金特別会計法による）	各年度の国債の整理または償還のための借換えに必要な資金を確保するために発行される国債を借換国債（国債整理基金特別会計法による）といい、一般に借換債という。
財投債	財政融資基金において運用の財源に充てるために発行される国債を財政投融資特別会計国債（財投債）という。

(2) 地方債

　都道府県や市町村などの**地方公共団体**が発行する債券です。国債とあわせて**公債**ともいわれます。地方債は以下の4つに分類できます。

全国型市場 公募地方債	証券会社や銀行などを通じて、広く一般投資者に公募される。 全国型市場公募地方債を発行できるのは、一部の**都道府県**とすべての**政令指定都市**である。
銀行等引受 地方債	特定の市中金融機関など、少数の者に直接引き受けてもらう。 銀行等引受地方債の発行団体は、**市・区**まで含んで多数ある。
住民参加型 市場公募地方債	一部自治体が発行。個人消化を主体とする。
交付地方債	地方公共団体の行う事業に必要な用地買収などに際し、その地主などに現金に替えて交付する。

(3) 政府関係機関債（特別債）

　日本高速道路保有・債務返済機構などの独立行政法人、地方公共団体金融機構などの地方共同法人及び株式会社日本政策金融公庫などの政府関係の特殊会社などが、特別の法律に基づいて発行する債券です。政府保証債が中心です。

ーー
◖用語

公募入札方式：国債の発行方法で、入札参加者に希望する発行条件や取得希望額を入札させ、その入札状況に基づいて発行条件及び発行額を決定する。

政府保証債	元利払いに政府の保証を付けて発行される。
非公募特殊債	縁故関係のある特定の金融機関などに直接引き受けてもらう。
財投機関債	政府保証なしで、公募形式で発行する。

⑷ 地方公社債

　地方公共団体が設立した**公社**（地方住宅供給公社、地方道路公社、土地開発公社など）が発行する債券です。地方公社債は金融商品取引法上の有価証券に該当し、流動性も向上しています。

⑸ 金融債

　農林中央金庫、商工組合中央金庫、信金中央金庫が、それぞれ特別の法律に基づいて発行する債券です。

　発行方式には**募集発行**と**売出発行**の2通りがあり、募集発行は法人消化を主体に、売出発行は個人向けとなっています。

　募集発行、売出発行いずれにしても、当初の発行予定額に**応募額**が達しなければ、その応募額をもって**債券総額**とすることが法律などで決められています。

⑹ 事業債（社債）

　民間事業会社が発行する債券のことで、NTT債、JR債、JT債、電力債や一般事業債があります。

> 銀行による**普通社債**（銀行債）の発行も可能です。

⑺ 特定社債

　「資産の流動化に関する法律」に定められた**特定社債**は、特定目的会社が発行体となります。特定目的会社は、金銭債権、不動産など様々な資産を資金調達者から譲り受け、この資産を裏付けとした**資産担保証券**として特定社債を発行します。資金調達者にとっては、従来のファイナンスである債券発行では自らが発行体となり**負債**として証券を発行するのに対し、資産担保証券では自らが保有する資産の信用力やキャッシュ・フローを裏付けとした資金調達になり、直接の**負債**にはなりません。

⑻ 投資法人債

　「投資信託及び投資法人に関する法律」に基づいて投資法人が発行する債券です。

⑼ 外債

外債とは、発行体、発行市場、通貨のいずれかが日本以外（外国）のものである債券をいい、円建外債（サムライ債）、ユーロ円債、外貨建債などに区分されます。

	円建外債 （サムライ債）	国際機関や外国の政府、地方公共団体及び事業法人（非居住者）等が日本国内市場において円貨建てで発行する債券。
ひっかけ	ユーロ円債	日本国外市場（ユーロ市場）において発行される円建債。
	外貨建債	外国の通貨建てで発行される債券。外貨建債には、外国の国内債（例えば米国財務省証券）などがある。

⑽ その他の金融商品

コマーシャル・ペーパー（国内CP）	優良企業が無担保で短期の資金調達を行うために割引方式で発行する有価証券で約束手形の一種。主として機関投資家向けに販売される。
譲渡性預金証書(CD)	金融機関が発行する譲渡可能な預金証書で自由金利。

3 債券の条件

⑴ 額面（振替単位）

ペーパーレス化された債券（振替債等）の場合は、券面という形態が存在しないため、額面の表示はありません。現在は債券の発行体から投資者に交付される書面等において「各債券の金額」として定められる金額が、従来の概念でいう額面金額にあたります。債券を取引する場合には、各債券の金額を単位としてその整数倍の金額によって行います。

⑵ 単価

通常、債券の価格は額面100円あたりで表し、単価とします。

```
債券価格が100円      ⇒  パー
債券価格が100円未満  ⇒  アンダー・パー
債券価格が100円超    ⇒  オーバー・パー
```

⑶ 利率（クーポン）

利率とは額面に対する1年当たりの利子の割合をいい、クーポンまたはクーポン・レートといいます。債券には、クーポンが付いている利付債とクーポンが付いていない割引債があります。

①利付債

　毎年、決まった日（通常年2回）に利子が支払われる債券で、利払いのための利札（クーポン）が券面に付いています。日本の債券の大半が年2回、半年ごとに利払いがあります。ただし、振替債においては物理的な利札は存在しません。

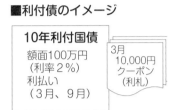

■利付債のイメージ

②割引債

　発行時に、あらかじめ額面金額から一定の金額を差し引いた金額で発行される債券をいいます。債券の購入者はその金額を支払い、償還時には**額面金額**の支払いを受けます。利付債のような利札はなく、償還差益のみが利益として得られます。

■割引債のイメージ

(4)　償還

　債券の償還には**最終償還**と**期中償還**があります。

　最終償還の期日をその債券の**期限**といい、発行日から期限までを**期間**または**年限**といいます。新しく発行された債券を**新発債**、発行日後の債券を**既発債**といい、それぞれの最終償還の期日までの期間を**残存期間**といいます。

　債券は最終償還期限が到来すると償還します（**最終償還**）。

　最終償還期限が到来する前に債券の一部を償還することを**期中償還**といい、これは発行者の償還負担を平準化するために行われます。期中償還には、発行時に期中償還の時期と額面があらかじめ決められている**定時償還**と、発行者の都合で随時行える**任意償還**があります。

　期中償還の場合、**オーバー・パー**で買った投資者には償還差損が発生し、**アンダー・パー**で買った投資者も、期限の変更により、買付時当初の最終利回りの計算どおりにはならなくなります。

(5) 利回り

　利率が**額面**に対する**利子**の割合であるのに対し、利回りは**投資元本**（購入金額）に対する（1年当たりの）**収益**の割合をいいます。利率と利回りの考え方を3つのケースで考えてみます。9章6節の利回り計算の公式を参照しながら、考えてみてください。

＜ケース1＞　額面100円、利率2％、残存期間10年の利付国債を99円で購入

利　率　⇒　2.00%　　　　　利回り　⇒ $\dfrac{2.0+\dfrac{100-99}{10}}{99} \times 100 ≒ 2.12\%$

＜ケース2＞　額面100円、利率2％、残存期間10年の利付国債を100円で購入

利　率　⇒　2.00%　　　　　利回り　⇒ $\dfrac{2.0+\dfrac{100-100}{10}}{100} \times 100 = 2.00\%$

＜ケース3＞　額面100円、利率2％、残存期間10年の利付国債を101円で購入

利　率　⇒　2.00%　　　　　利回り　⇒ $\dfrac{2.0+\dfrac{100-101}{10}}{101} \times 100 ≒ 1.88\%$

利率が2.00%のとき

	債券価格	利回り	関　　係	
ケース1	99円	2.12%	債券価格 ↓	利回り ↑
ケース2	100円	2.00%	－	－
ケース3	101円	1.88%	債券価格 ↑	利回り ↓

> 利率（クーポン）が同じ場合、債券価格が安くなれば利回りは上昇し、債券価格が高くなれば利回りは低下します。利率と利回りの違いが左の表からもわかります。

■債券価格、利回り、残存期間の関係

〈利率と残存期間が一定の場合〉

　債券価格が高いと利回りは**低下**し、債券価格が安いと利回りは**上昇**する。流通市場で利回り**低下**といえば、債券価格の**上昇**であり、市況好転を意味する。反対に、利回りの上昇は、債券価格の下落であり、市況の悪化となる。

〈利回りと残存期間が一定の場合〉

　利率が高いほど債券価格も**高く**、利率が低いほど債券価格が**安く**なる。

⑹ 募集期間

募集期間とは、新たに発行される債券の募集をし、申込みを受け付ける期間をいいます。払込日には代金が一括して発行者へ払い込まれ、払込日が発行日となります。

⑺ 約定日、受渡日

流通市場では銘柄ごとに**約定日**と**受渡日**があります。**約定日**とは売買の取決めをする日で、**受渡日**は決済する日をいいます。

債券の取引の受渡日は以下のとおりです。

国債取引（店頭取引のリテール向けなどを除く）	約定日から起算して2営業日目
国債リテール及び一般債取引	約定日から起算して3営業日目

⑻ 償還差益と償還差損

アンダー・パーで購入した債券において償還時に発生する差益のことを**償還差益**、オーバー・パーで購入して償還時に発生する差損のことを**償還差損**といいます。

①償還差益

債券をアンダー・パーの99円で購入し、100円で償還されたとき、1円の償還差益が発生したといいます。例えば、下図の債券を額面100万円購入した場合には、99万円を払い込み、償還のときに100万円（1万円の償還差益）で償還されます。

購入価格99円

99円　1円（償還差益）

償還価格100円

②償還差損

債券をオーバー・パーの101円で購入し、100円で償還されたとき、1円の償還差損が発生したといいます。例えば、下図の債券を額面100万円購入した場合には、101万円を払い込み、償還のときに100万円（1万円の償還差損）で償還されます。

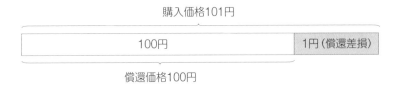

購入価格101円

100円　1円（償還差損）

償還価格100円

2節 発行市場と流通市場

重要度 ★★　問題集 P196

1 債券の発行市場

債券の発行市場は以下の4者によって担われています。

> ①債券発行によって資金を調達する**発行者**
> ②債券投資によって資金を運用する**投資者**
> ③**引受会社**（証券会社、銀行等金融機関）
> ④**社債管理者**（銀行、信託銀行等）

(1) 引受会社

引受会社とは、有価証券の発行に際し、これを販売する目的でその有価証券の発行者から全部または一部を取得する（**買取引受**）会社、またはその有価証券を取得する者がない場合に、その残部を取得する（**残額引受**）会社のことです。

引受会社は引受責任の分散のため、複数の会社が集まって**引受シンジケート団**を組織し、共同して引受業務にあたります。

地方債、政府保証債の引受シンジケート団は銀行等の金融機関と証券会社によって組織されますが、**事業債等**の引受シンジケート団は証券会社のみによって組織されます。

(2) 社債管理者

社債発行会社は、原則として**社債管理者**の設置が会社法により義務付けられています。社債管理者は、社債権者のために弁済を受ける等の業務を行うにあたって必要な一切の権限を持った会社です。社債管理者となることができる者は、**銀行**、**信託銀行**または担保付社債信託法による免許を受けた会社に限られています。

> 証券会社は社債管理者になることはできません。

例外として、社債管理者を設置しないでよい場合は、各社債の金額（社債の最低売買単位の金額）が**1億円以上**である場合です。この場合は、一般的に**財務代理人**が置かれます。 例外

2 国債の発行市場

(1) 国債の発行方式

国債の発行方式は、市中発行方式、個人向け販売方式及び公的部門発行方式に大別されます。

市中発行方式	公募入札を基本として、市場実勢を反映した条件設定が行われている。主な入札方法として価格（利回り）競争入札がある。 **●価格（利回り）競争入札** 財務省が提示した発行条件（発行予定額、償還期限、表面利率など）に対して、入札参加者が、**落札希望価格（または利回り）と落札希望額**を入札し、その入札状況に基づいて発行価格と発行額を決定する入札方式。 価格の高いもの（または利回りの低いもの）から順に、原則として予定額に達するまでの額が落札される。その際、発行する国債の種類によって、日本では**コンベンショナル方式とダッチ方式**を使い分けている。

コンベンショナル方式	各落札者自らが**入札した価格**（または利回り）が発行条件となる。
ダッチ方式	各落札者自らの入札価格（または利回り）にかかわらず**均一の発行条件**となる。

実際は、超長期国債の40年債で利回り競争入札・ダッチ方式、物価連動国債で価格競争入札・ダッチ方式を採用している以外は、価格競争入札・コンベンショナル方式を採用しています。

また、国債の流動性を高めるなどの目的で、**即時銘柄統合（即時リオープン）方式**が導入されている。これは、新たに発行する国債の元利払日と表面利率が、既に発行した国債と同一であるため、その既発債と同一銘柄の国債として追加発行（リオープン）することとした際、この新たに発行する国債を発行した時点から、その既発債と同一銘柄として取り扱う方式。なお、即時リオープン方式の導入に伴い、新たに発行される国債についても経過利子が発生するようになった。

個人向け 販売方式	①**個人向け国債** 　金融機関において募集の取扱いにより販売されている。 ②**市場性国債についての新型窓口販売方式** 　一般の利付国債の新型窓口販売方式。
公的部門 発行方式	財政法第5条では、日本銀行による国債の引受けを禁止しているが、同条但書において、特別の事由がある場合には、国会の議決を経た金額の範囲内で例外が認められている（日本銀行が保有している国債の償還額の範囲内で借換債を引き受ける（**乗換引受け**）場合）。

(2)　国債市場特別参加者制度（プライマリーディーラー制度）

　国債の安定的な消化の促進、並びに国債市場の流動性、効率性、競争性、透明性及び安定性の維持並びに向上等を図ることを目的とする、**国債市場特別参加者制度**が導入されています。国債市場特別参加者は、**プライマリーディーラー**として、国債市場（発行市場及び流通市場）において重要な役割を果たします。国債管理政策の策定及び遂行に協力する者であって、国債市場に関する特別な責任及び資格を有する者を国債市場特別参加者として**財務大臣**が指定します。

3　社債の発行市場

　社債の発行については、市場実勢や投資家の需要状況を把握して発行条件を決定する努力が続けられています。

(1)　スプレッド・プライシング方式

　スプレッド・プライシング方式とは、格付の高い社債を中心として、投資家の需要調査をする際に、利率の絶対値で条件の提示をするのではなく、国債等の金利に上乗せする利率（スプレッド）を提示することで、金利変化に対応したうえで、きめ細かく投資家の需要を探るものです。

(2)　格付

　格付とは、発行会社が負う金融債務についての総合的な**債務履行能力**や、個々の債務等が約定どおりに履行される**確実性**（信用力）に対する格付機関の意見を簡単な記号（AAA、AA、A、BBBなど）で示し、投資者に発行会社や個々の債券の信用度をわかりやすく伝達するもので、投資者の判断の材料として利用されています。

(3) 発行登録制度

発行会社があらかじめ有価証券の発行予定額等を記載した発行登録書を提出しておくことで、一定期間内は発行時にあらためて**発行届出**を行うことなく、**発行登録追補書類**を提出するだけで発行することができる制度です。機動的に発行できることから、普通社債の発行のほとんどが発行登録制度を利用しています。

4 流通市場の特徴

(1) 流通市場

流通市場では、債券が発行されて償還に至るまで、第一の投資者から、第二・第三の投資者へと売買されながら保有者が転々と移っていきます。

流通市場は、流通面への参加者や、流通を円滑に行うための仲介者など、多くの担い手によって形成されています。この仲介的役割を果たすのが、**債券ディーラー**です。債券ディーラーとは主として証券会社やディーリング業務を行う登録金融機関であり、流通市場における中心的な担い手であるといえます。

(2) 取引所市場と店頭市場

流通市場は、**取引所市場**と**店頭市場**の2つに大別されます。

株式売買とは反対に、債券の売買は全売買量の**99%**以上が**店頭市場**での取引となっています。債券の取引所取引と店頭取引の主な違いは以下のとおりです。

	取引所市場	店頭市場
特徴	取引所で売買できるのは、証券取引所の取引参加者である証券会社に限られることから、投資者が取引所で売買するときは、証券会社に売買注文を通すことになる。証券会社は、投資者からの売買の委託を受け、取引所で売買を執行する。	店頭取引では、売買価格も相対の話合いで原則自由となっているが、流通市場の正常な価格形成や投資者保護のため、**合理的な方法で算出された時価**を基準として適正な価格で取引し、取引の公正性を確保しなければならない。

	取引所市場	店頭市場
受渡日	国債の受渡日は原則として約定日から起算して2営業日目の日の決済となっている。	債券の店頭取引の受渡日は原則として決められているが、当事者間で合意があれば自由に決めることもできる。決済不能等のトラブル回避の点から、債券取引の決済日について以下のようになされている。

国債取引（店頭取引のリテール向けなどを除く）	約定日から起算して2営業日目
国債リテール及び一般債取引	約定日から起算して3営業日目

(3) 債券ブローカー（通称BB）

債券ブローカーは、債券ディーラー間の売買だけを専門に取り扱う証券会社です。

(4) 売買参考統計値発表制度

店頭取引制度は、大量かつ複雑な債券売買を円滑に成立させるのに有効な手段ですが、価格公示の点では問題があるため、証券業協会は公社債の店頭売買を行う投資者及び証券会社等の参考に資するため、証券業協会が指定する協会員からの報告に基づき、毎営業日、売買参考統計値を発表しています。

売買参考統計値が発表される銘柄は、公募の公社債（国内で発行されたものであり、新株予約権付社債を除く）のうち、払込元本、利金及び償還元本のすべてが円建ての債券から、5社以上の指定報告協会員が協会に報告する銘柄として選択した銘柄（選定銘柄）とされています。

売買参考統計値とは、指定報告協会員から報告を受けた気配の平均値、中央値、最高値、最低値の4つの値をさします。

1 変動要因

　株価が変動するように、債券の価格も変動します。しかし債券はどの銘柄でも、株式ほど相場の個別色はなく、一般に金融情勢を反映して、概ね同一歩調で同一方向の相場変動を示すのが特徴です。債券市況とは、債券の流通市場の状態を示し、値動きや取引量について、市況（相場）が「良い」とか「悪い」という表現をします。

　また、ここでは債券価格と金利の関係が重要です。金利が上昇すると債券価格は下落します。金利が下落すると、債券価格は上昇します。

> ① 金利の上昇　→　債券価格の下落（相場は悪い）
> ② 金利の低下　→　債券価格の上昇（相場は良い）

(1) 一般景気動向

［景気の上昇局面］	［景気の下降局面］
企業の生産・設備投資が活発化	企業の生産・設備投資が鈍化
↓	↓
資金需要の増加	企業の資金需要は後退
↓	↓
金融機関等、貸し手側の資金が逼迫	金融機関等の資金事情に余裕
↓	↓
貸出金利が上昇	貸出金利が低下
↓	↓
金融機関が資金調達をするコール・手形市場、ＣＤ市場等の短期金利も上昇	短期金利が低下
債券価格は下落（相場＝市況が悪くなる）	↓ 債券価格は上昇（相場＝市況が良くなる）

※一般に債券は金利上昇やインフレに**弱い**とされています。

(2) 金融政策

　日本銀行は景気対策、物価対策の観点から、金利を政策的に変動させることがあります。これを**金融政策**といいます。日本銀行が、①市中銀行に貸し出す金利水準、すなわち**基準割引率及び基準貸付利率**（旧公定歩合）を変動させたり、②市中に流通する**資金量を調節**（オペレーション）したりして政策運営をしています。ただし、①が金利変動に与える影響は軽微で、②が金融政策の中心となっています。

金融緩和とは、日本銀行が基準貸付利率を引き下げたり、資金の供給量を増やしたりする政策をいい、金利は低下し債券市況のプラス要因となります。逆に金融引締め（基準貸付利率等の金利の引上げ）は、債券市況にマイナス要因として働きます。

(3)　海外金利の動向

　海外金利、とりわけ米国の金利動向は日本の債券市場に大きな影響を与えています。例えば、米国の金利が上昇すると日米金利差が拡大し、より有利な対米投資に資金が流れます。日本の債券市場からは資金の引上げが起こり、結果として債券市場は下落し、利回りが上昇します。

(4)　為替相場の動き

円高	・通常、輸入物価の下落⇒インフレ沈静⇒金利低下につながり、債券価格は上昇。 ・為替差益を狙った非居住者の対日債券投資が増え、債券需給は引き締められる。
円安	・通常、輸入価格の上昇による物価上昇（インフレ）から金利は引き上げられ、債券価格は下落。

(5)　需給関係

　債券も他の一般商品と同様に需給関係により流通価格が決まります。債券の需給関係とは、新規に発行される新発債の発行量と新たに債券を購入できる金融資産の関係、そして、流通市場における売り・買いの量的関係です。債券市場において、特に機関投資家等の債券購入動向や債券ディーラーの売買動向は流通価格を大きく左右することになります。

(6)　クレジット・スプレッド

　クレジット・スプレッド（発行体の信用リスクによる利回り較差）とは、信用リスクがないとされる**国債**と残存年数が等しい他の**社債等**との利回り較差をいいます。発行体の信用度が高ければクレジット・スプレッドは小さくなり、低ければクレジット・スプレッドは大きくなります。

　クレジット・スプレッドの変動により、債券価格は変動します。

発行体の信用力	クレジット・スプレッド	債券価格
上昇	縮小	上昇
下落	拡大	下落

4節 債券売買手法

重要度 ★★★

問題集 P200

1 売切り・買切り

実際の債券売買の基本となる手法が、売切り・買切りです。1銘柄だけの場合もありますが、金融機関などの法人投資家は数銘柄を組み合わせて売買することが多くあります。

2 入替売買

(1) 入替売買とは

入替売買とは、ある投資者が保有銘柄を売却し、別の銘柄を購入するなど、同時に売り買いを約定することです。金融機関等の法人投資家が保有している多数の債券運用を効率化し、資金目的に沿った構成に改善するために行われます。

一般に、短期債よりも長期債のほうが、金利の変化に対する価格変動性は大きくなります（金利が変化したときに長期債のほうが価格が大きく変動）。

(2) 入替売買の目的と手法

①目的に応じた入替売買の代表的なケース ▼注意

目的	手法
市況観に基づく入替	将来、金利の低下が予測される場合は、短中期債から価格変動性の大きい中長期債へと長期化の入替えが有利。逆に金利の上昇が予測される場合は、短期債に入れ替えると価格変動リスクが小さくなる。
流動性アップ入替 （債券の資金化に備える）	国債などの流動性の高い銘柄で、価格変動リスクの小さい短期債に入れ替える。
直利アップ入替	より高いクーポン・レートの債券に入れ替える。
最終利回りアップ入替	長期金利が短期金利より高い状態である限り、できるだけ利回りの高い長期債に入れ替える。
利回り較差運用	債券の利回り較差は、一般にクーポンの高低、期間の長短、上場・非上場などの条件の相違により発生する。この利回り較差（スプレッド）の幅の一時的な変動（歪み）を機敏にとらえて売買する運用。
固定的ポートフォリオ運用	入替売買を機械的に行い、ポートフォリオの償還期限バランスを常に一定に保つ運用手法。ラダー型とダンベル型（バーベル型）が典型例。

②ラダー型とダンベル型

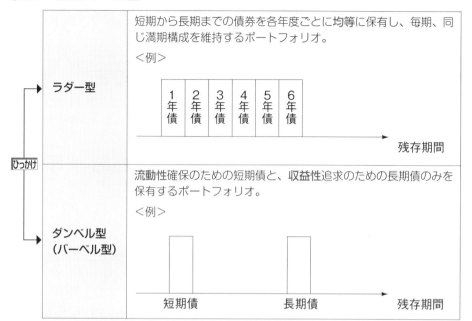

ラダー型	短期から長期までの債券を各年度ごとに**均等**に保有し、毎期、同じ満期構成を維持するポートフォリオ。 <例> 1年債 2年債 3年債 4年債 5年債 6年債 →残存期間
ダンベル型 (バーベル型)	流動性確保のための短期債と、**収益性**追求のための長期債のみを保有するポートフォリオ。 <例> 短期債　　　　長期債　　　残存期間

ひっかけ

3 現先取引（債券等の条件付売買取引）▼注意

　現先取引は「債券等の条件付売買取引」ともいい、売買に際し同種、同量の債券等を、**所定期日**に**所定の価額**で**反対売買**することをあらかじめ取り決めて行う債券等の売買です。したがって、現先取引のことを「買戻し条件付売買（売り現先）」とか「売戻し条件付売買（買い現先）」という場合もあります。

　現先取引は債券売買の形式をとりながら、利子及び当初売買と反対売買の単価差を組み合わせることによって、一定期間の利回りを確定してしまう仕組みです。また、現先取引は、債券を担保にした金融取引という性格も有しています。

　現先取引には、**委託現先**と**自己現先**があります。

■委託現先と自己現先

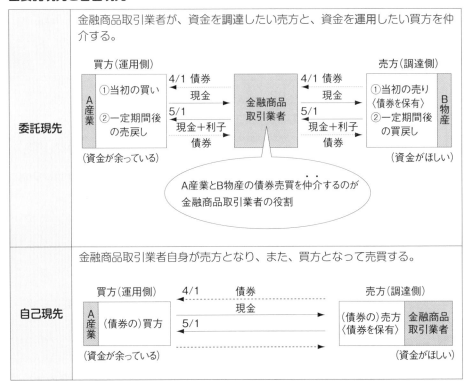

委託現先	金融商品取引業者が、資金を調達したい売方と、資金を運用したい買方を仲介する。
自己現先	金融商品取引業者自身が売方となり、また、買方となって売買する。

買方（運用側）は、債券を一定期間保有することにより、見合う利子を受け取るので、**資金運用**になります。

売方（調達側）は、自己保有の債券を一定期間に限って売却することで売却代金を受け取り、その間の債券の利子を放棄することになります。したがって、債券の売却による**資金調達**になります。

4 着地取引

　債券の着地取引とは、将来の一定の時期に、一定の条件で債券を受け渡すことをあらかじめ取り決めて行う売買取引です。約定日から1か月以上先（翌月の応当日以降）に受渡しする取引のことです。

■現先取引・着地取引の取引ルール（理事会決議）▼注意

	現先取引	着地取引
契約書	基本契約書をあらかじめ交わしておき、約定の都度、個別明細書を交付する。	約定の都度、契約書を取り交わすことを原則とするが、基本契約書及び合意書を事前に取り交わしておけば、個別取引明細書の交付で契約の締結に代えられる。
売買対象顧客	上場会社またはこれに準ずる法人であり、経済的・社会的に信用のあるものに限る。	
売買対象債券	国債、地方債、政府関係機関債、特定社債、社債、投資法人債、円建外債、外貨建債。	新株予約権付社債は含まれません。
節度ある利用	取引残高は、各協会員の資産状況に照らし過大なものとならないよう留意するとともに、一取引先に過度に集中しないように十分配慮する必要がある。	
期間	「1年以内」や「半年以内」といった具体的な期間制限はない。	約定日から受渡日までの期間が1か月以上で6か月を超えないものとされている。

債券貸借取引の参加者に規制はありませんが、**金融機関同士での取引が中心です**。

債券貸借取引を行う場合には、あらかじめ取引相手と債券貸借取引に関する**基本契約書**を取り交わさなければなりません。

債券貸借取引は、担保の有無により**無担保債券貸借取引**、代用有価証券担保付債券貸借取引、現金担保付債券貸借取引の3種類がありますが、現在は、現金担保付債券貸借取引（通称、貸借レポ取引）が中心です。

■現金担保付債券貸借取引

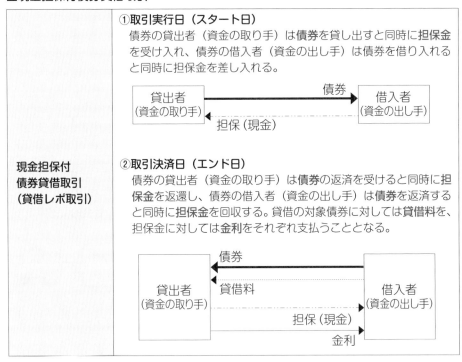

現金担保付 債券貸借取引 （貸借レポ取引）	**①取引実行日（スタート日）** 債券の貸出者（資金の取り手）は**債券**を貸し出すと同時に**担保金**を受け入れ、債券の借入者（資金の出し手）は債券を借り入れると同時に担保金を差し入れる。 **②取引決済日（エンド日）** 債券の貸出者（資金の取り手）は**債券**の返済を受けると同時に**担保金**を返還し、債券の借入者（資金の出し手）は**債券**を返済すると同時に**担保金**を回収する。貸借の対象債券に対しては**貸借料**を、担保金に対しては**金利**をそれぞれ支払うこととなる。

5節 転換社債型新株予約権付社債（転換社債）

1 転換社債型新株予約権付社債の概要

(1) 新株予約権

　新株予約権とは、その所有者が一定期間内に請求を行えば、発行会社の株式をあらかじめ定められた価格で、一定数量買い付けることができる権利をいいます。発行会社は、その権利を行使されたとき、権利行使者に対して新株を発行して渡すか、または発行会社が保有する自己株式を渡すことになります。

(2) 転換社債型新株予約権付社債（転換社債）　▼注意

　転換社債型新株予約権付社債とは、それぞれ発行された新株予約権と社債を組み合わせた社債をいいます。この場合、新株予約権は分離して譲渡できません。

　一定期間に新株予約権行使の請求を行えば、あらかじめ定められた条件で、その発行会社の株式に転換することができ、株価の上昇による利益を享受できます。いつでも株式に転換できる性格があるため、潜在的株式などとも呼ばれます。

　新株予約権を行使せず、転換社債型新株予約権付社債をそのまま社債として保有していれば、確定利付証券として利子を受けることとなり、償還期限には額面で払い戻されます。したがって、株式の有利性と債券の確実性を兼ね備えた金融商品であるといえます。

　転換社債型新株予約権付社債は旧称である転換社債（CB：Convertible Bond）と呼ばれることもあります（以下、本テキストでは転換社債と呼びます）。

⑶ 社債としての属性 ▼注意

発行価額	以前は額面である100円が一般的だったが、最近では額面単価より高く設定されるようになっている。
利　率	株式に転換できるというメリットがあるために、利率は普通社債より**低くなる**。最近は、利率がゼロのものが主流となっている。
担　保	ほとんどが**完全無担保債**。
券　種	1銘柄につき1種。ほとんどが100万円券。
償　還	一部に途中償還制もあるが、**満期一括償還制**がほとんど。ただし発行会社による買入消却が行われたり、繰上償還条項が付けられる場合がある。
期　間	短期物から長期物まで様々。

⑷ 株式への転換条件

①転換(行使)価額

　転換する場合の1株当たりの発行価格のことを**転換価額**といいます。募集開始前の一定の日の株価終値を基準として、それより高い価格で決められます。

②取得株数

　転換社債を株式に転換した場合、取得する株数が何株になるかは、以下のように額面金額を転換価額で割ることにより計算されます。端数は切り捨てられる場合や現金で支払われる場合があります。

$$取得株数 = \frac{額面金額}{転換価額}$$

＜設例＞ 田 **計算**
転換価額300円、額面100万円の転換社債を転換したとすると取得株数は？

＜解答＞

$$取得株数 = \frac{100万円}{300円} ≒ 3,333.33\cdots株$$

3,333株は株式となる。端数は切り捨てられる場合や現金で支払われる場合がある。

このケースでは端数は0.33…株で、現金で支払われる場合は

100万円－（300円×3,333株）＝100円となり、100円が現金で支払われる。

2 転換社債の流通市場

（1） 取引所取引と取引所外取引

　上場された転換社債は、取引所取引や取引所外取引により流通します。なお、取引所取引の立会内取引がされる場合の制限値幅は、行使対象株券の制限値幅に転換比率を乗じたものとされています（参照▶4章3節）。

（2） パリティ価格

　パリティ価格とは、転換社債の**株式価値**を表す理論価格です。転換社債を株式に転換した場合に、その株式の価値が転換社債の価格にするといくらになるかを表しています。

🖊暗記

$$パリティ価格（円）＝\frac{株価}{転換価額}×100円$$

株価と転換価額が同じときに100円となります。

（3） 乖離率

　転換社債の時価とパリティ価格との差のことを乖離（かいり）といい、率で表したものが乖離率です。

$$乖離率（％）＝\frac{転換社債の時価－パリティ価格}{パリティ価格}×100$$

🖊暗記

<設例>　📊計算

次の条件の利付転換社債について、パリティ価格及び乖離率はいくらか？

（パリティ価格は円単位未満を、乖離率は小数点第3位以下を切捨て）

転換価額：990円　転換社債の時価：100円　株式の時価：980円

<解答>

$$パリティ価格＝\frac{980円}{990円}×100≒98.9（円）$$

$$乖離率＝\frac{100円－98円}{98円}×100≒2.04（％）$$

転換社債を社債のまま売却するか、株式に転換して売却するかは、この乖離率の状況により判断します。

　一般的に、**プラス乖離**（転換社債価格＞パリティ価格）の場合は、**転換社債のまま売却**したほうが有利で、**マイナス乖離**（転換社債価格＜パリティ価格）の場合は、**株式に転換して売却**したほうが有利です。

3　転換社債の価格変動要因

　転換社債は、株式の有利性と債券の確実性を兼ね備えた商品であるといえます。転換社債の価格の変動を分析するとき、この二面性について考える必要があります。

⑴　債券価格からのアプローチ

金利の変動	金利が低下した場合には債券価格は上昇し、逆に金利が上昇した場合には債券価格は下落する。
社債クレジット・スプレッド（社債信用リスク）の変動	クレジット・スプレッドが縮小する場合には債券価格は上昇し、逆に拡大する場合には債券価格は下落する。

⑵　株価からのアプローチ

株価の変動（上がるか下がるか）	株価が上がれば、転換社債の株式価値を表す理論価値であるパリティ価格は上昇する。逆に株価が下がれば、転換社債の価値は下落する。
ボラティリティ（株価変動率）の変動	一般的にボラティリティが高い株式は、将来的に株価の上昇（下落）率が高くなる可能性が大きいと判断されることから、転換社債の価格は上昇する。

　以上より転換社債の変動要因別にマトリクスを作ると次のようになります。▼注意

	金　利	クレジット・スプレッド（信用リスク）	株　価	ボラティリティ（株価変動率）
転換社債の価格上昇	低　下	縮　小	上　昇	上　昇
転換社債の価格下落	上　昇	拡　大	下　落	下　落

6節 債券投資計算

重要度 ★★★　問題集 P204

1 利付債

(1) 利回り計算

利回りには、最終利回り、応募者利回り、所有期間利回り、直接利回りがあります。最終利回りと応募者利回りにおける償還価格は100円で計算します。

①最終利回り

最終利回りとは、投資者が最終償還期限まで債券を保有した場合の年利子と1年当たりの償還差損益の合計額の投資元本に対する割合です。投資者は、通常、最終利回りで投資判断をします。

✐暗記

$$\text{最終利回り（\%）} = \cfrac{\text{利率} + \cfrac{\text{償還価格} - \text{購入価格}}{\text{残存期間（年）}}}{\text{購入価格}} \times 100$$

<設例> ▦**計算**

利率年1.8%、残存期間5年、購入価格102円の利付債券の最終利回りはいくらか？
（小数第4位以下は切捨て）

<解答>

$$\cfrac{1.8 + \cfrac{100 - 102}{5}}{102} \times 100 \fallingdotseq 1.372 \ (\%)$$

参考

最終利回りなどの利回り計算の問題では、①まず分子の分数を計算する、②次に分子を計算する、③最後に分子を分母で割る という順序で計算します。

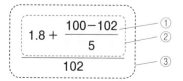

②応募者利回り

応募者利回りとは、投資者が新発債（新たに発行される債券）を発行価格で買付け、最終償還期限まで保有した場合の年利子と1年当たりの償還差損益の合計額の投資元本に対する割合です。応募者利回りは、最終利回りの一種です。

✐暗記

$$応募者利回り（\%）= \frac{利率 + \dfrac{償還価格 - 発行価格}{償還期限（年）}}{発行価格} \times 100$$

<設例> ⊞計算

利率年1.4%、償還期限10年、発行価格101円の利付債券の応募者利回りはいくらか？
（小数第4位以下は切捨て）

<解答>

$$\frac{1.4 + \dfrac{100 - 101}{10}}{101} \times 100 ≒ 1.287（\%）$$

③所有期間利回り

投資者が既発債（すでに発行されている債券）を時価（市場価格）で買付け、償還期限まで保有せず、中途売却する場合の利回りが所有期間利回りです。

✐暗記

$$所有期間利回り（\%）= \frac{利率 + \dfrac{売却価格 - 購入価格}{所有期間（年）}}{購入価格} \times 100$$

<設例> ⊞計算

利率年1.9%の利付国債を100.50円で買い付けたところ、3年後に103.50円に値上がりしたので売却した。所有期間利回りはいくらか？（小数第4位以下は切捨て）

<解答>

$$\frac{1.9 + \dfrac{103.50 - 100.50}{3}}{100.50} \times 100 ≒ 2.885（\%）$$

①～③の設例における利回りの保有期間のイメージは、以下のとおりです。

0 1 2 3 4 5 6 7 8 9 10(年)
①最終利回り ◆----------------► 満期償還（100円）
購入
②応募者利回り ◆----------------► 満期償還（100円）
購入
③所有期間利回り ◆------► 売却
購入

④直接利回り

　直接利回りは、購入価格に対して1年間にどれだけの利子（クーポン）が受け取れるかの割合です。これは、償還差損益を無視しクーポン収入のみに着目した利回りで、期間収益を重視する機関投資家や事業法人が多用しています。

✏️暗記

$$直接利回り（直利）（\%）＝\frac{利率}{価格}×100$$

<設例>　🔲計算

利率年2.2％、償還期間7年、購入価格110円の利付債券の直接利回りはいくらか？（小数第4位以下は切捨て）

<解答>

$$\frac{2.2}{110}×100＝2.0（\%）$$

　以上は債券の購入者側からみた利回りですが、債券の発行者側からみた利回りを**発行者利回り**といいます。

　債券の発行者側からみた場合は、利子と償還差益以外に引受手数料、受託手数料、元利払い手数料などの費用を負担します。これら**一切の年当たり経費**が、債券の発行によって調達した手取り資金総額に対してどれだけあるかという比率が発行者利回りです。

⑵　単価計算

希望する利回りから買付価格を求める方法です。

▼注意

$$買付価格 = \frac{償還価格 + （利率 × 残存年数）}{1 + \left(\dfrac{利回り}{100} × 残存年数 \right)}$$

＜設例＞ 📊**計算**

残存期間5年、利率2.8%の利付国債を最終利回り2.0%になるように買うとすれば、買付価格はいくらになるか？（小数第4位以下は切捨て）

＜解答＞

$$\frac{100 + （2.8 × 5）}{1 + （\frac{2}{100} × 5）} ≒ 103.636 （円）$$

＜別解＞

買付価格をxとして

$$\frac{2.8 + \dfrac{(100 - x)}{5}}{x} × 100 = 2.0 （\%）$$

$$x ≒ 103.636 （円）$$

2　経過利子　▼注意

　利付債の利子は、利子支払日（ほとんどが年2回）以外には支払われないため、利子支払日の前に売却すると債券の発行体から利子をもらえません。もし、この債券を途中で購入すると、次の利払日にまるまる半年分の利子を受け取ることになります。このような不合理をなくすために、債券売買の際、直前の利払日の翌日から受渡日までの経過日数に応じて、買い手から売り手に「経過利子」を支払うことになっています。

　なお、転換社債についても経過利子が適用されます。

> 経過利子を計算する場合の経過日数は、直前の利払日の翌日から、債券の受渡日までです。約定日ではありません。また、土曜日、日曜日及び祝日も日数にカウントします。

$$経過利子（A）＝額面（100円）当たりの年利子 \times \frac{経過日数}{365}$$

$$売買額面総額の経過利子＝（A）\times \frac{売買額面総額}{100}$$

<設例> ▦ **計算**

A氏は利率３％でX年３月20日と９月20日に利払いのある利付国債をX年３月29日受渡しで、額面100万円売却した。このときの経過利子は？

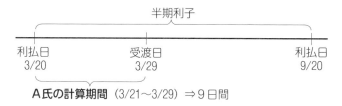

半期利子

利払日　　　　　　　受渡日　　　　　　　利払日
3/20　　　　　　　　3/29　　　　　　　　9/20

A氏の計算期間（3/21〜3/29）⇒９日間

<解答>

経過利子は３月21日（直前の利払日の翌日）から３月29日（受渡日）までの９日分となり、次の購入者は債券買付代金に経過利子９日分を加えた金額を支払うことになる。経過日数の計算は上記のとおり直前の利払日の翌日から受渡日まで数え（**片端入れ**）、年365日の日割計算をする。

　９日分の経過利子は

$$3 \times \frac{9日}{365日} ＝0.0739726\cdots（小数第８位以下切捨て）$$

　売却額面総額の経過利子は

$$0.0739726 \times \frac{100万円}{100} ＝739.72円（小数以下切捨て）　\therefore 739円$$

3 売買代金計算（取引所取引）

額面金額、単価、委託手数料（金融商品取引業者が独自に決める）、消費税相当額、経過利子等から売買の受渡代金を計算します。 ▼注意

$$買い代金＝購入額面×\frac{（購入）単価}{100円}＋経過利子＋（委託手数料＋消費税相当額）$$

約定代金

$$売り代金＝売却額面×\frac{（売却）単価}{100円}＋経過利子－（委託手数料＋消費税相当額）$$

約定代金

＜設例＞ 🖩 計算

ある個人が、額面100万円の長期利付国債を取引所取引により単価105円で売却したときの受渡代金はいくらか？

（注）経過利子は4,200円、委託手数料は額面100円につき20銭（消費税相当額を考慮すること）とする。

＜解答＞

$$受渡代金＝1,000,000円×\frac{105円}{100円}＋4,200円－1,000,000円×\frac{0.2}{100}×1.1$$

$$＝1,050,000円＋4,200円－2,200円$$

$$＝1,052,000円$$

上記波線部分は（委託手数料＋消費税相当額）を求めています。
委託手数料＝$1,000,000円×\frac{0.2}{100}＝2,000円$
消費税相当額＝委託手数料×10％＝2,000円×0.1＝200円
委託手数料＋消費税相当額＝2,000円＋200円＝2,200円となります。

10章

投資信託及び投資法人に関する業務

　まず、投資信託とは何かを学習します。投資信託のリスクや投資対象である特定資産についても押さえておきましょう。

　次に、投資信託には様々な種類のものがあります。公募か私募か、契約型か会社型か、契約型の委託者指図型か委託者非指図型か、オープンエンド型かクローズドエンド型か、などの違いをしっかり押さえておく必要があります。

　そして、本編の中心は証券投資信託です。仕組み図で全体像をつかみ、その後重要ポイントを学習するのが効果的です。証券投資信託は、①仕組み、②運用、③販売、④ディスクロージャー、⑤計算、⑥税金と学習量が多いですが、テキストを読み、問題をしっかり解いてください。その中でも、「仕組み」と「運用」の問題は必ず出題されるので得点できるようにしておきましょう。

　投資法人についても、仕組み図で全体像をつかんで、各重要ポイントを学習するのが効果的です。

　ボリュームの多い科目ですが、配点が高いのでがんばってマスターしましょう。

推定配点&出題形式

○×問題：7問（14点）

5肢選択問題：2問（20点）

計**34**点／440点満点中

※配点・出題形式についてはフィナンシャル バンク インスティテュートの推定です。

投資信託とは

1 投資信託とは

投資信託とは、多くの投資家から集めた資金（信託財産）をまとめて、第三者である運用の専門家が運用・管理を行い、運用の成果を持分に応じて投資家に還元する仕組みの金融商品です。このような仕組みを**集団投資スキーム**といいます。また、信託とは、金銭等の所有者が他者にその財産を管理・運用させることをいいます。

投資家からみた投資信託の特徴は以下のとおりです。

- ●少額の資金で分散投資が可能なこと
- ●専門家による運用
- ●適切な投資家保護
- ●市場を通じた資金供給への寄与

投資信託のリスク ▼注意

投資信託は直接金融と間接金融の性格を併せ持つため、**市場型間接金融**ともいわれます。銀行預金と異なり、**投資信託は元本が保証されていません**。運用による損益は、すべて投資家に帰属するので、投資家が注意すべきリスクは、運用資産の**価格変動リスク**や**信用リスク**、外国資産の**為替変動リスク**など多岐に及びます。

2 投信法

投資信託は、「**投資信託及び投資法人に関する法律**」（投信法）により種々の規定が設けられています。投信法では1条でその目的について述べています。

〈投信法1条〉 投資信託又は投資法人を用いて**投資者以外の者が投資者の資金**を主として有価証券等に対する投資として集合して運用し、その成果を投資者に分配する制度を確立し、これらを用いた資金の運用が適正に行われることを確保するとともに、この制度に基づいて発行される各種の証券の購入者等の保護を図ることにより、投資者による有価証券等に対する投資を容易にし、もって国民経済の健全な発展に資することを目的とする。

「投資信託」と「ファンド」 ▼注意

本章では、原則として投信法に基づいて組成・販売されている金融商品を「投資信託」または「ファンド」と称していますが、根拠法が投信法とは異なる「ファンド」もあるので注意が必要です。

3 投信法上の定義

投信法では、投資信託を**委託者指図型**と**委託者非指図型**に分け、さらに**投資法人**について定義しています。

委託者指図型投資信託	委託者指図型投資信託とは、信託財産を委託者の指図に基づいて**主として（2分の1超）特定資産**◁**用語**に対する投資として運用することを目的とする**信託**であって、この法律に基づき設定され、かつ、その受益権を分割して複数の者に取得させることを目的とするものをいう。
委託者非指図型投資信託	委託者非指図型投資信託とは、一個の信託約款に基づいて、受託者が複数の委託者との間に締結する信託契約により受け入れた金銭を、合同して、委託者の指図に基づかず**主として特定資産**に対する投資として運用することを目的とする**信託**をいう。
投資法人	投資法人とは、資産を**主として特定資産**に対する投資として運用することを目的として投信法に基づいて設立される社団（法人）。

「委託者」は投信法上の用語で「投資信託委託会社」または「委託会社」とも呼びます。これは金融商品取引法上の「投資運用業を行う金融商品取引業者」と同義語と考えてください。▼注意

証券投資信託	証券投資信託とは、委託者指図型投資信託のうち**主として有価証券等**に対する投資として運用することを目的とするものをいう。

「主として特定資産に対する投資」、「主として有価証券等に対する投資」といった投信法上の「主として」は一般に投資信託財産の総額の2分の1超をいいます。

◁**用語** -

特定資産：特定資産とは、**主として有価証券、不動産その他の資産で投資を容易にすることが必要であるもの**として政令で定めるもの。具体的には以下のとおり。

①有価証券	②デリバティブ取引に係る権利	③不動産	④不動産の賃借権	⑤地上権
⑥約束手形	⑦金銭債権	⑧匿名組合出資持分		⑨商品
⑩商品投資等取引に係る権利	⑪再生可能エネルギー発電設備	⑫公共施設等運営権		

まず、この図にて全体のイメージをつかんでください。

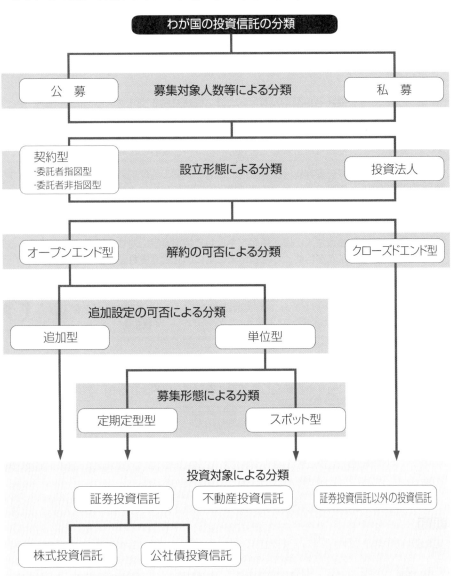

わが国の投資信託の分類

	募集対象人数等による分類	
公募		私募

	設立形態による分類	
契約型 ・委託者指図型 ・委託者非指図型		投資法人

	解約の可否による分類	
オープンエンド型		クローズドエンド型

追加設定の可否による分類

追加型	単位型

募集形態による分類

定期定型型	スポット型

投資対象による分類

証券投資信託	不動産投資信託	証券投資信託以外の投資信託

株式投資信託	公社債投資信託

1　募集対象人数等による分類（公募or私募）　＊重要

投資信託は、一般的には不特定かつ多数の投資家を対象とするものですが（**公募投資信託**）、一定の限られた投資家を対象とするものもあります（**私募投資信託**）。

投信法では、投資信託の公募と私募の基準が明確に定義されています。

公　募		新たに発行される受益証券の取得の申込みの勧誘のうち、**多数の者（50人以上）**を相手方として行う場合（適格機関投資家私募等を除く）。
私募	適格機関投資家私募等	適格機関投資家◁**用語**のみまたは**特定投資家**◁**用語**のみを勧誘の相手方として、新たに発行される受益証券の取得の申込みの勧誘を行う場合。
	一般投資家私募（少人数私募）	上記の公募または適格機関投資家私募等のいずれにも該当しない、新たに発行される受益証券の取得の申込みの勧誘（2〜49名までの少数の投資家を対象とするもの）。

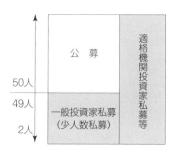

私募投資信託はオーダーメイド的な性格が強いことから、その運用やディスクロージャーに関する規制は、**公募投資信託より緩やかなものとなっています**（販売時における目論見書の交付や公認会計士によるファンド監査は義務付けられていません）。

2　設立形態による分類（契約型or会社型）

投信法では、基金（ファンド）に関しての法的スキーム（設立形態）の違いによって**契約型投資信託**と**投資法人**の2つを認めています。

◁**用語**

特定投資家と**適格機関投資家**：特定投資家とは、適格機関投資家、国、日本銀行、投資者保護基金その他内閣府令で定める法人。このうち、適格機関投資家とは、金融商品取引業者、銀行、保険会社、信金・信組、厚生年金基金、外国政府・外国金融機関、一定の基準に該当する国内の一般の事業法人、金融商品取引業者の顧客で特定の条件を満たした法人や個人（届出を行っている者）など。

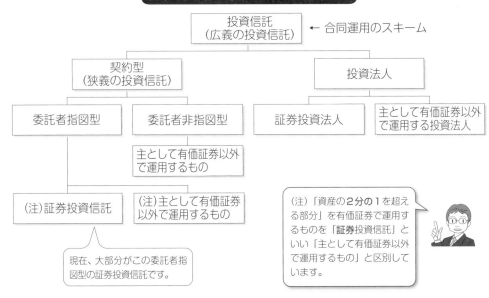

日本の投資信託の設立形態による分類

投資信託
（広義の投資信託） ← 合同運用のスキーム

契約型
（狭義の投資信託）

投資法人

委託者指図型

委託者非指図型

証券投資法人

主として有価証券以外
で運用する投資法人

主として有価証券以外
で運用するもの

（注）証券投資信託

（注）主として有価証券
以外で運用するもの

現在、大部分がこの委託者指
図型の証券投資信託です。

（注）「資産の2分の1を超え
る部分」を有価証券で運用す
るものを「証券投資信託」と
いい「主として有価証券以外
で運用するもの」と区別して
います。

(1) 契約型投資信託

契約型は、**委託者**と**受託者**が**投資信託契約**を結び、それに基づき設立された投資信託財産を委託者が運用し、その受益権を分けて、受益証券として投資家に取得させるという仕組みのものです。契約型の**委託者指図型**は委託者（運用者）、**受託者**（保管者）、**受益者**（投資家）の3当事者によって成立している点が特色です。

(2) 投資法人

投資法人は、**資産運用**を目的とする会社を設立して、その発行証券を投資家に取得してもらい、運用益を配当の形で投資家に分配するものです。

(3) 委託者指図型投資信託と投資法人の主な相違点

相違点は以下のとおりです。

	委託者指図型投資信託	投資法人
形態	投資信託	投資法人
法人格	ファンドに法人格なし	ファンド自体に法人格あり
投資家の意思表明の場	書面決議	投資主総会

	委託者指図型投資信託	投資法人
関係者	・委託者（投資信託委託会社） ・受託者（信託会社等） ・受益者（投資家） 　の三者で構成	・投資法人 ・投資主（投資家） 　の二者で構成
発行証券	受益証券	投資証券
投資家の地位	受益者	投資主
運用	委託者が自ら行うことも、他の資産運用会社に運用を委託することもできる。	外部の資産運用会社に運用を委託する。資産運用会社は、他の資産運用会社に運用を再委託することもできる。

⑷ 委託者指図型投資信託と委託者非指図型投資信託

　契約型投資信託は、投資信託を運営する当事者の役割により、**委託者指図型投資信託**と**委託者非指図型投資信託**に分類されます。なお、委託者非指図型投資信託は、現在公募投信では残高はありません。

	委託者指図型投資信託	委託者非指図型投資信託
イメージ図	 リーダー 受益者　委託者 受託者	 受託者 リーダー 委託者兼受益者
定義	委託者と受託者の間で締結された投資信託契約に基づき委託者が運用の指図を行い、その受益権を分割して複数の者が取得する。	一個の信託契約に基づき、受託者が複数の委託者との間で信託契約を締結し、委託者の指図に基づかずに受託者自らが運用を行う。
受益者	投資家	
委託者	資産運用会社（投資信託委託会社）	投資家（委託者兼受益者）
受託者	信託会社等（信託会社または信託業務を営む金融機関）	
運用	資産運用会社（投資信託委託会社）	信託会社等（運用者兼受託者）
販売会社	金融商品取引業者・金融機関等	

227

委託者非指図型の投資信託では、投資信託の信託財産を主として**有価証券**に投資する投資信託契約を締結することは**認められていません**。したがって、委託者非指図型投資信託では「証券投資信託」の設定はできません。

3 解約の可否による分類（オープンエンド型orクローズドエンド型）

解約とは、受益者の請求で、発行証券の発行者である委託会社が投資信託財産を直接取り崩し（換金のために基金を減少させて）、支払いに応じることをいいます。なお、解約は投資家の所有口数の範囲内で一部でも全部でも可能です。

オープンエンド型とは、発行者が発行証券を買い戻すことができる（投資家が解約できる）ファンドであり、これにより基金（ファンド）の減少が絶えず行われるものです。これに対して**クローズドエンド型**とは、解約または買戻しとこれによる基金の減少が原則として行われないものをいいます。

■オープンエンド型とクローズドエンド型のポイント　※重要

オープン エンド型	・委託会社が発行証券を買い戻すことができる。 ・買戻し価格は**純資産価格**（基準価額）に基づいて行われる。
クローズド エンド型	・発行証券は市場でしか売買されないので、その価格は市場の実勢に左右され、基金の**純資産価格**（基準価額）とは必ずしも一致しない。 ・クローズドエンド型は**買戻し義務**がないことから、オープンエンド型に比べると**基金の資金量**が安定しているので、運用者はこの点を心配せず運用できる。解約代金を捻出する目的でファンド資産を売却する必要がないため、ファンドの換金が直接、金融商品市場の下落要因になりにくいといえる。 ・不動産のように、投資対象資産の流動性が低い場合には、クローズドエンド型の方が運用管理がしやすいといえる

> オープンエンド型であっても、運用の安定化を図るために、あらかじめ投資信託約款で一定期間解約禁止期間を設けている投資信託があります。この解約できない期間を**クローズド期間**といいます
> （クローズドエンド型と混同しないように注意してください）。

4 追加設定の可否による分類 （追加型or単位型）

追加設定（ファンドに対する資金の追加）の可否によって、**追加型投資信託**と**単位型投資信託**とに分類されます。

追加型投資信託	追加型（オープン型）投資信託は最初に募集された基金（ファンド）に、次々と追加設定を行って一個の大きな基金として運用するもの。原則として時価に基づく設定・解約及び売買が自由に行われる。
単位型投資信託	単位型投資信託は、当初基金（ファンド）が設定された後は、**資金の追加は行われない**。設定後の基準価額の計算は、換金する場合のために行われる。

また、単位型投資信託には、その時々の投資者の要求や市場の情勢などを考慮して、これに適合できるような仕組みの投信を随時タイムリーに設定する**スポット投信**と、継続して定期的に同じ仕組みの投資信託を設定していく**ファミリーファンド・ユニット（定期定型投信）**との2種類がありますが、スポット投信が主流です。

5 投資対象による分類 （証券投資信託、不動産投資信託、証券投資信託以外の投資信託など）

投資信託及び投資法人の主な投資対象である**特定資産**は、資産の性格により5種類に大別されます。

①**有価証券**及び有価証券関連デリバティブ取引に係る権利

②**不動産**、不動産関連の権利及び不動産関連商品

③**有価証券以外の金銭債権**、約束手形及び匿名組合出資持分並びに有価証券関連デリバティブ取引以外のデリバティブ取引に係る権利

④**商品**、商品投資等取引に係る権利

⑤**インフラ設備**（再生可能エネルギー発電設備及び公共施設等運営権）

以上の特定資産のうち、どれを主たる投資対象として運用するかによって、証券投資信託（証券投資法人）、不動産投資信託（不動産投資法人）、証券投資信託以外の投資信託、インフラ投資信託（インフラ投資法人）に区分されます。

(1) 証券投資信託 （証券投資法人） 重要

証券投資信託は、投資信託財産の総額の**2分の1**（主として）を超える額を**有価証券等**（前述①）に対する投資として運用することを目的とする委託者指図型投資信託

です。

　同様に、証券投資法人とは、投資法人財産の総額の2分の1を超える額を有価証券等に対する投資として運用する投資法人です。

　また、証券投資信託は、投資対象の相違により、**株式投資信託**と**公社債投資信託**に大別されます。法律的には、主として公社債を中心に運用され、**株式を一切組み入れないものを公社債投資信託**といい、公社債投資信託以外の証券投資信託が**株式投資信託**ということになります。

株式投資信託	一般的に株式投資信託とは、主として株式を中心に運用される証券投資信託のこと。
公社債投資信託	国債、地方債、社債、コマーシャル・ペーパー、外国法人が発行する譲渡性預金証書（外国CD）、国債先物取引などに限って運用する証券投資信託のこと。

(2) 不動産投資信託（不動産投資法人）

　不動産等（前述②）を主たる投資対象として運用することを目的とする投資信託（及び投資法人）です。

　その仕組みについては、委託者指図型投資信託、委託者非指図型投資信託、投資法人のいずれでも組成することが可能ですが、現在はすべて**投資法人**による組成となっています。アメリカの不動産投資法人は、REIT（リート）と呼ばれ、日本の不動産投資法人は、J-REITと呼ばれています。

6　その他の投資信託

(1) 外国投資信託　＊重要

　外国投資信託とは、**外国**において**外国**の**法令**に基づいて設定された信託で、投資信託に類するものです。一方、国内投資信託は**日本**の**法令**に基づいて設定されるものです。外国投資信託か国内投資信託かといった分類の場合、どの国の法令の下で設定されているかが基準となるのであり、投資対象が外国証券であるか国内証券であるかといった基準ではありません。

　また、外国投資信託の多くが外貨建てですが、円建ての外国投資信託もあります。

　国内で公募される外国投資信託（外国投資法人）には、投資家保護のため、**金商法のディスクロージャー規定**（有価証券届出書の提出と目論見書を使用した募集行為）が適用されます。投信法上も投資信託約款、投資法人規約またはこれに類する書類を添付して届出を行うことが求められます。

⑵ マザー・ファンド

　マザー・ファンドとは、その受益権を投資信託委託会社が自ら運用指図を行う他の投資信託（ベビー・ファンド）に取得させることを目的とする投資信託のことです。運用の効率化を図り、複数の資産を様々に組み合わせた商品を提供するために利用されます。一般的にベビー・ファンドでは、マザー・ファンドの組入れの調整のみが行われ、投資対象資産への運用は、マザー・ファンドに任されています。

⑶ ファンド・オブ・ファンズ

　ファンド・オブ・ファンズとは、投資信託（投資法人）及び外国投資信託（外国投資法人）への投資を目的とする投資信託または投資法人です。

　ファンド・オブ・ファンズは、投資信託協会により、一般の投資信託の投資信託証券への投資制限とは別の規定が定められています。

⑷ 確定拠出年金向け投資信託

　確定拠出年金の運用商品として提供されることを目的とした投資信託で、多くは投資信託の名称にDC（確定拠出）の文字が付けられています。

⑸ 毎月分配型と通貨選択型

毎月分配型	投資信託の分配は決算の都度行うことができるため、**毎月決算を行い**、毎月分配金を支払おうとするファンド。 毎月分配型は、分配額をできるだけ安定的に支払おうとする方針のファンドが多いが、以下の事項について注意が必要。 ・一定の分配金が支払われるわけではなく、**分配金が支払われないこと**もある ・ファンドが得た収益を超えて分配金が支払われることもある ・分配が行われるとその分基準価額が下落する ・分配金の一部またはすべてが元本の一部払戻しに相当する場合がある
通貨選択型	株式や債券などといった**投資対象資産**に加えて、為替取引の対象となる円以外の通貨も選択することができるよう設計された投資信託。 通貨選択型ファンドは、投資対象資産の価格変動リスクに加え、以下の事項について注意が必要。 ・換算する通貨の為替変動リスクを被るため、その通貨が下落すれば大きな損失が生じる ・為替取引における収益も必ず短期金利差に一致するわけではなく、大きく乖離する可能性がある

3節 証券投資信託の仕組み

重要度 ★★　問題集 P228

委託者指図型投資信託である**証券投資信託**は、投資信託約款に運営の基礎が定められています。証券投資信託の関係者には、委託者（投資信託委託会社）、受託者（信託会社等）、受益者（投資家）、販売会社がいます。

証券投資信託の仕組み図

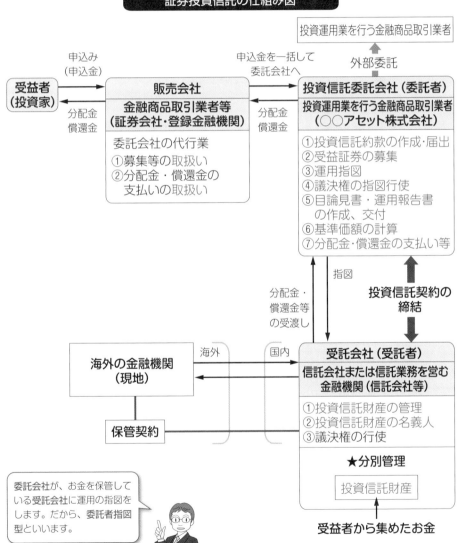

232

1　委託者指図型投資信託　＊重要

　証券投資信託は、投信法上、契約型の委託者指図型投資信託です。委託者指図型投資信託とは、**委託者が受託者と投資信託契約を締結**し、投資信託財産を委託者の指図どおりに有価証券等を中心に運用することにし、その受益権を分けて受益証券として投資者に取得させる仕組みのものです。資金の出し手である**投資家**が投資信託の**受益者**となります。

> 〈投信法3条〉　委託者指図型投資信託においては、**委託者**である**一つの金融商品取引業者**と**受託者**である**一つの信託会社**又は信託業務を営む認可金融機関との間で、委託者指図型投資信託契約を締結する。

　当事者は、**委託者、受託者、受益者**の三者で構成されており、運営や関係者の権利義務などはすべて**投資信託約款**に従います。

2　委託会社（投資信託委託会社）

(1)　委託会社　＊重要

　投資信託委託会社（委託会社）になるには、金融庁長官から投資運用業の**登録**を受ける必要があります。委託会社は、投資信託の投資信託財産の運営・機構の中心的役割を担っています。委託会社は、金融商品取引業者のうち、金融商品取引法が定める**投資運用業を行う者**に限られます。

(2)　委託会社の主な業務

　委託会社の主な業務は次のとおりです。

＊重要

> ①**投資信託契約の締結、投資信託約款の届出・変更**
> ②**投資信託財産の設定**
> ③**投資信託財産の運用の指図**
> ④**投資信託財産に組み入れた有価証券の議決権等の指図行使**
> ⑤**ファンドの基準価額の計算、公表**
> ⑥**目論見書、運用報告書などのディスクロージャー作成**
> ⑦**投資信託契約の解約**（ファンドの償還）

> 委託会社が、自ら発行するファンドの募集（直販業務）を行う場合には、金商法上の**第二種金融商品取引業者**としての登録が必要です。

⑶ 投資信託約款
①投資信託約款　▼注意

　投資信託約款とは、委託会社が投資信託財産の規模や運用の仕方などの様々な**具体的事項**を定めたもので、投資信託の設計図や企画書のようなものです。運用の仕方や分配金の支払方法等はすべて投資信託約款に基づいて行われます。また、委託会社が受託者と投資信託契約を締結しようとする際はあらかじめ**内閣総理大臣**（実際は金融庁長官）にその投資信託契約に係る投資信託約款の内容を**届け出る**必要があります。

　投資信託の仕組みは、基本的には投信法で規定されていますが、具体的事項は投資信託約款で個々に定められています。この投資信託約款の**必要記載事項**は法定化されています。

> **〈投資信託約款の主な必要記載事項〉**
> ①委託者及び受託者の商号または名称並びにその業務
> ②投資の対象とする資産の種類その他信託財産の運用に関する事項
> ③**信託の元本の償還及び収益の分配に関する事項**
> ④信託の計算期間に関する事項
> ⑤受託者及び委託者の受ける信託報酬その他の手数料の計算方法
> ⑥委託者における公告の方法

　委託会社は投資信託を取得しようとする者に対して、投資信託約款の内容を記載した書面を交付しなければなりません。**例外**ただし、下記の場合は書面の交付を省くことができます。

> ● 目論見書にその内容が記載されている場合
> ● 適格機関投資家私募の場合
> ● 現に所有する投資信託と同一の投資信託を取得する場合など

②投資信託約款の変更

　投資信託約款を変更しようとするとき、委託会社はその旨及び内容をあらかじめ内閣総理大臣（実際は金融庁長官）へ届け出る必要があります。

　また、投資信託約款に受益者が議決権を行使しない場合には賛成をしたものとみなす旨の規定を定めることができます。

　重大な約款の変更に反対した受益者は、自己の有するファンドを公正な価額で投資

信託財産をもって買い取ることを請求することができます。

⑷ 投資信託契約の解約（ファンドの償還）

委託会社は、ファンドを償還し投資信託契約を解約する場合は、あらかじめ**内閣総理大臣**にその旨を届け出る必要があります。

3 受託会社

⑴ 受託会社の資格　❋重要

受託会社は、**信託会社等**（**信託会社**または**信託業務を営む金融機関**）でなくてはなりません。

⑵ 受託会社の主な業務　❋重要

投資信託契約に基づき、受託会社は委託会社の指図に忠実に従って機能します。

受託会社の主な業務は以下のとおりです。

①投資信託財産の管理
②ファンドの基準価額の計算（投資信託委託会社との照合）
③投資信託約款の内容及び内容の変更に関する承諾・同意

中心業務は投資信託財産の**分別保管**であり、受託会社は**信託財産の名義人**となって自己の名（**受託会社の名義**）で管理します。分別保管とは、受託会社が投資信託財産として所有している有価証券については、自己（受託会社自身）の固有財産である有価証券と**分別して管理**することです。また、外国証券を組み入れる場合には、受託会社は現地（海外）の金融機関と**保管契約**を結び、外国証券の保管業務を委任しています。ファンドの基準価額については、受託会社として独自の計算を行い、投資信託委託会社はこの受託会社が計算した基準価額との照合を行います。

4 受益者 ※重要

(1) 受益者

受益者とは投資者であり、投資信託契約に基づき**信託の利益を受ける権利**、すなわち**受益権**を有する者です。投資信託の受益者は、分配金、償還金の受領について、受益権の口数に応じて**均等の権利**を有します。

(2) 受益権

受益権の主なものは以下のとおりです。

①分配金、償還金の受領
②解約・買取りによるファンドの換金請求

5 販売会社

(1) 投資信託の販売会社

投資信託の販売は、**証券会社**（金融商品取引業者）と**銀行等の金融機関**（登録金融機関）などの販売会社を通じて行われます。なお、委託会社による直接販売も可能です。

(2) 販売会社の主な業務

委託会社は、投資信託約款に基づき契約によって特定の販売会社を指定します（指定販売会社）。

販売会社は**委託会社の代理人**として、「**取次ぎ**」「**取扱い**」という言葉のつく業務を行います。販売会社の主な業務は以下のとおりです。

①投資信託の**募集の取扱い**及び売買
　（募集をするのは委託会社であり、販売会社はその取扱いをする）
②分配金、償還金の支払いの**取扱い**
　（支払うのは委託会社であり、販売会社はその代行をする）
③受益者から買い取ったファンドの委託会社への解約請求及び受益者からの解約請求の
　取次ぎ
④**目論見書、運用報告書**の顧客への交付など
　（目論見書、運用報告書の作成をするのは委託会社）

投資信託の主なコストには、販売手数料、信託報酬（運用管理費用）及び信託財産留保額があります。

名称	発生時期	内容
販売手数料	購入時	投資信託の購入時に**販売会社**に支払う費用。販売会社が決定する。通常、申込価額の数%。販売手数料がないノーロードの投資信託もある。
信託報酬 **（運用管理費用）**	保有時	投資信託財産の**運用管理**を行うことに対する報酬。投資信託約款に定められている。所定の率を**日割計算**し、日々、投資信託財産から控除され、**委託会社**と**受託会社**がそれを受ける。
信託財産留保額	換金時・購入時	ファンドの追加設定や解約によって、ファンドには組み入れる有価証券等の購入や売却費用が発生する。このコストについて、投資家間の公平性を図るために投資家から徴収する金額を信託財産留保額という。投資信託によっては、信託財産留保額を一切徴収しないものもある。

4節 証券投資信託の運用

重要度 ★★ 問題集 P232

1 投資信託委託会社の運用組織と機能

　投信委託会社の以下の機能とその組織のあり方は各投信委託会社の経営方針や運用哲学によって異なるため、投信委託会社を特徴づけるものとなっています。

①リサーチ機能　　②運用方針の決定・実行機能　　③トレーディング機能
④リスク管理機能　　⑤パフォーマンス評価機能　　⑥コンプライアンス機能

2 証券投資信託の運用手法 ※重要

(1) インデックス運用（パッシブ運用）とアクティブ運用

インデックス運用	インデックス（日経平均株価やTOPIXなどの指数）をベンチマークとし、ベンチマークにできるだけ近い運用成果を目指す手法。
アクティブ運用	多方面にわたる調査・分析を行い、ベンチマークとは異なるリスクをとって、ベンチマークを上回る運用成果を目指す手法。

(2) トップダウン・アプローチとボトムアップ・アプローチ

　アクティブ運用における手法です。

トップダウン・アプローチ	マクロ経済に対する調査・分析結果に基づいて、ポートフォリオを組成する手法。
ボトムアップ・アプローチ	個別企業に対する調査・分析結果に基づき、個別銘柄の積み重ねでポートフォリオを組成していく手法。

(3) グロース株運用とバリュー株運用

　株式のアクティブ運用には、収益の源泉をどこに見出すかでいくつかの運用スタイルがあります。

グロース株運用	企業の成長性を重視する。
バリュー株運用	株式の価値と株価水準を比較し、株価が割安な銘柄を選ぶ。

⑷ 債券ファンドの運用

ファンドの設定・解約による資金変動に配慮して、ポートフォリオの**平均残存期間**（デュレーション）を定めて、流動性を確保するとともに、組入債券の発行体の信用リスクの変化に注目しつつ、必要に応じて銘柄入替を行うリスク・コントロールが運用の基本です。

3 投資信託委託会社の義務

金融商品取引法は、運用の基本として、委託会社の受益者に対する忠実義務及び善管注意義務を定めています。

運用における忠実義務	投信委託会社は、委託者指図型投資信託の受益者のために、**忠実に**委託者指図型投資信託の信託財産の運用の指図等の業務を遂行しなければならない。 以下の行為が禁止されている。 ①受益者の利益と自己の利益が衝突するような事態に自らの身を置くような行為 ②受益者の利益に反する行為 ③自己または第三者の利益を図る行為
善管注意義務	投信委託会社は、受益者に対し**善良な管理者の注意をもって**投資信託財産の運用の指図等の業務を遂行しなければならない。

4 議決権等の指図行使

投資信託財産の法律上の所有者は**受託会社**ですが、投資運用の指図をするのは**委託会社**であるので、投資信託財産に関する権利行使は、委託会社が受益者に代わって受託会社に指図する必要があります。

5 運用の外部委託 ※重要

委託会社は、運用・指図を行う**特定の**投資信託財産について、運用指図の権限の**全部または一部**を、投資運用業を行う他の金融商品取引業者等または外国の投資運用業者に、また、運用の対象が有価証券またはデリバティブ取引に係る権利以外の場合には、信託会社等にも**再委託できる**としています。ただし、その委託会社が運用を行う**すべての投資信託財産**（運用しているすべての投資信託）に関する運用指図権の全部を外部委託することはできません。

〈具体例〉

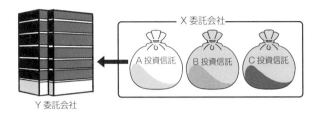

Y委託会社

X委託会社

A投資信託　B投資信託　C投資信託

X委託会社は、A、B、Cの投資信託財産を運用しています。そのうち、A投資信託の投資信託財産について運用指図の権限の全部または一部を外部のY委託会社に再委託することはできますが、X委託会社が運用しているA、B、C、すべての投資信託財産に関する運用指図権の全部を外部に再委託することはできません。

6 証券投資信託の投資対象及び投資制限

　「証券投資信託」と称するためには、投資信託財産の総額の少なくとも50％を超える額（主として）については有価証券等に対する投資として運用することを目的としなければなりません。

　証券投資信託が投資できる資産及びその投資制限には以下のようなものがあります。

株式	1社の投資信託委託会社が運用している**投資信託財産の合計**で同一法人の発行する株式を**50％超**保有することとなる場合は、投資信託財産で取得することを受託会社に指図してはならない。
投資信託証券	・投資信託財産に組み入れることのできる投資信託証券は、以下の場合を除き**純資産の5％以内**でなければならない。 　取引所金融商品市場または外国市場に上場または登録され、かつ当該取引所において常時売却できるものなど ・投資信託委託会社は、投資先ファンドの委託会社の同意がない限り投資先ファンドの純資産総額の**50％を超えて**投資することはできない。さらに、ファンド・オブ・ファンズである投資信託証券への投資はできず、投資信託相互間の保有も禁止されている。
デリバティブ取引	デリバティブ取引を行うにあたっては、リスク管理を徹底することが求められている。このため、法令上、金利、通貨の価格、金融商品市場における相場その他の指標に係る変動その他の理由により発生し得る危険に対応する額としてあらかじめ金融商品取引業者等が定めた合理的な方法により算出した額がファンドの純資産総額を超えることとなる場合に、デリバティブ取引を行い、または継続してはならない旨が定められている。

5節 証券投資信託の販売

1 販売に関する規制等

投資信託の販売も金融商品取引法に定める**金融商品取引契約の締結**に該当します。したがって販売会社は、販売にあたって、あらかじめ、投資家に対して**契約締結前交付書面**を作成・交付しなければなりません。

例外 ただし、契約締結前交付書面に記載すべき内容が記載されている**目論見書**や、記載もれの事項を別途記載した書面を目論見書と共に交付した場合は、契約締結前交付書面の交付は必要ありません。

(1) 目論見書（投資信託では投資信託説明書ともいう）の作成 ▼注意

投資信託の販売に際して、**受益証券の発行者**である**委託会社**は、**目論見書**を作成しなければなりません。

目論見書には、**交付目論見書**と**請求目論見書**の２種類があります。

(2) 投資信託説明書（目論見書）の交付 ▼注意

販売会社が投資家に投資信託を販売する場合、交付目論見書はあらかじめ、または同時に交付しなければなりません。また請求目論見書は、取得前に請求があったときは**直ちに**投資家に交付しなければなりません。

なお、あらかじめ投資家の同意を得た上で、目論見書の交付に代えて、その目論見書に記載された事項を**電子情報処理組織**を使用する方法や、その他内閣府令で定める方法（インターネットのホームページ、電子メールなど）によって提供できるとされ、この場合において、その提供者は目論見書を**交付したものとみなされます**。

(3) 乗換えの勧誘時の説明義務 ※重要

乗換えの勧誘（換金と取得の申込みがセットで行われる場合）に際しては、**乗換えに関する重要事項**（ファンドの形態及び状況、解約するファンドの状況、乗換えに係る費用）について説明しなければなりません。**例外** ただし、換金がMMF（マネー・マネジメント・ファンド）やMRF（証券総合口座用ファンド＝マネー・リザーブド・ファンド）などである場合は除外されます。

⑷ 預金等との誤認防止措置

預金等との誤認防止のための説明事項には以下のようなものがあります。

①投資信託は預金や保険契約でないこと

②投資信託は、預金保険機構及び保険契約者保護機構の保護の対象でないこと

③投資者保護基金の対象でないこと（銀行等金融機関で購入した場合）

④元本の返済が保証されていないこと

⑤契約の主体

2 募集の方法 ▼注意

⑴ 単位型投資信託

①募集

単位型投資信託は期間を区切って募集され、当初定めた設定日に集まった資金をもって投資信託財産として受託会社に信託し、投資家は、受益権を取得して受益者となります。

②募集価格、単位

単位型投資信託の1口の金額（額面）は、ファンドごとに決められていますが、一般的には1口当たり1万円であり、募集単位は原則として販売会社が定めます。

③募集（販売）手数料

募集（販売）手数料は販売会社が定めるので、同じファンドであっても販売会社が異なれば募集手数料が異なる場合があります。

募集手数料の徴収の仕方には、内枠方式と外枠方式があります。

⑵ 追加型株式投資信託

①当初募集と追加募集

追加型株式投資信託の募集には当初募集と追加募集があります。

当初募集	当初募集は、ファンドを新規に設定するための募集行為であり、単位型と同様、2週間から1か月程度の期間を区切って資金を募る。
追加募集	追加募集（継続募集）は、ファンドが設定された後、ファンドに資金を追加する形式で行われる募集行為で、ファンドの設定日以降、信託期間中、原則として毎営業日、資金追加を募る。

②募集単位

1口当たりの元本価格は、ファンドごとに決められていますが、追加型株式投資信託の場合は1口当たり1円のものが主流です。

募集単位は以下、原則として**販売会社**が定めます。

③追加募集時の募集価格

追加型株式投資信託の追加募集時の募集価格は、通常の場合は**基準価額（投資信託財産の1口当たりの純資産価額）**ですが、追加設定時に**信託財産留保金**を徴収するファンドについては、基準価額に信託財産留保額を加えた販売基準価額となります。

販売基準価額＝基準価額＋信託財産留保額

募集価格に適用される基準価額は、通常の場合、国内の資産を主な投資対象とするファンドについては**申込日**の基準価額、外国の資産を組み入れたファンドについては申込日の**翌営業日**の基準価額です。

④募集（販売）手数料

募集（販売）手数料は**販売会社**が定めるので、同じファンドであっても販売会社が異なれば募集手数料が異なる場合があります。

⑤ブラインド方式

追加型株式投資信託の販売は、当日の基準価額で行われますが、顧客の当日の買注文は、遅くとも金融商品取引所の売買立会による取引終了時（午後3時）で締め切られます。この方式は、一般に**ブラインド方式**といいます。

投資信託の基準価額は、国内資産については、当日の国内の取引所の終値などを基に計算されます。よって、国内の取引所が終了した時点で、投資家はおおよその基準価額を計算できます。もし、国内の取引所が終了した後の投資信託の取得および換金の申込みを認めてしまうと、例えば取引所終了後に株式に関して非常にポジティブなニュースが出た場合、その投資信託を当日の基準価額で購入した投資家は、翌日ポジティブなニュースで値上がりしたその投資信託を翌日の基準価額で売却することで、労せずして利益を得ることができます。

このような取引によって得た利益は**フリーランチ**（ただ飯食い）と呼ばれ、証券取引の公平性を害するものです。投資信託が、基準価額適用日・申込締切時刻・海外取引所などの休業日における申込受付中止などの制度を設け、ブラインド方式を採用しているのは、このような取引を防止し、金融商品市場の取引の公平性を保つためです。

証券投資信託の開示制度（ディスクロージャー）には、**発行開示**と**継続開示**があり、それぞれ金商法と投信法により規制されています。

1 発行開示

発行開示とは、発行された有価証券を投資家が取得しようとする際に行われるディスクロージャーです。

金商法	・公募投資信託を募集・販売する際、発行者である委託会社は内閣総理大臣に**有価証券届出書**を届け出る必要がある。→届け出られた有価証券届出書は公衆縦覧に供され、投資家に開示される。 ・有価証券届出書に含まれる財務諸表については、**発行者と特別の利害関係のない公認会計士または監査法人による監査証明**を受けることが必要。 ・目論見書（投資信託説明書）の作成・交付
投信法	・委託会社は、投資信託契約を締結しようとする場合には、その契約に係る**投資信託約款の内容を内閣総理大臣に届け出る必要がある**。投資信託を取得しようとする者に対しては投資信託約款の内容を記載した書面を交付する必要がある。

2 継続開示

継続開示とは、有価証券の発行後、一定期間ごとに求められるものです。

金商法	・委託会社は、設立したファンドについて、そのファンドの決算期ごとに**有価証券報告書**を内閣総理大臣に決算経過後**3か月以内**に提出する必要がある（ただし、ファンドの計算期間が6か月に満たないファンドについては、6か月ごとに有価証券報告書を提出する必要がある）。 ・ファンドの計算期間が1年であるファンドについては半期ごとに**半期報告書**を提出する必要がある。 ・提出された有価証券報告書及び半期報告書は公衆の縦覧に供される。 ・有価証券報告書及び半期報告書に含まれる財務諸表・半期財務諸表については、**発行者と特別の利害関係のない公認会計士または監査法人による監査証明**を受けることが必要。

投信法	・委託会社は、各投資信託の決算期末ごと（決算が6か月未満のファンドについては6か月ごと）に、遅滞なく**運用報告書**を作成し、受益者に交付する必要がある。**例外**ただし、以下の場合はこの限りではない。 ・**適格機関投資家私募のファンド**であって、投資信託約款に運用報告書を交付しない旨を定めている場合 ・受益者の同居者が確実に運用報告書の交付を受けると見込まれる場合で受益者が交付を受けないことについて同意している場合 ・MRF及び金融商品取引所に上場されているファンドの場合 　なお、2014年12月1日以降の決算期末に係る運用報告書については、**交付運用報告書**（きわめて重要な事項を記載した書面）と**運用報告書（全体版）**の両者を作成・交付する制度に変更された。制度変更後、投資信託委託会社は販売会社を通じて知られたる受益者に**交付運用報告書**を交付しなければならないが、**運用報告書（全体版）**については、約款に定めることにより、電磁的方法により提供した場合には交付したものとみなされることとなった。ただし、その場合であっても、受益者から運用報告書（全体版）の交付の請求があった場合には、これを交付しなければならない。

3 交付運用報告書

交付運用報告書の主な記載事項は以下のとおりです。　🌸**重要**

①当該投資信託財産の**運用方針**

②当該投資信託財産の計算期間中における資産の**運用の経過**

③運用状況の**推移**

④株式のうち主要なものにつき、銘柄ごとに、当期末現在における**時価総額**の投資信託財産の**純資産額**に対する比率

⑤公社債のうち主要なものにつき、銘柄ごとに、当期末現在における**時価総額**の投資信託財産の**純資産額**に対する比率

7節 証券投資信託の計算

重要度 ★★　問題集 P236

1 基準価額

基準価額とは**投資信託の値段**のことです。投資信託を購入したり、換金したりする場合には、原則として基準価額により行われます。

投資信託に組み入れられている株式や債券などを、原則として**時価で評価**し資産総額を求め、資産総額から負債総額を差し引いて純資産総額を計算し、それを受益権口数で除した値が基準価額です（1口当たりの純資産価額）。基準価額は、原則として、日々計算されます。

2 決算

証券投資信託の決算は、一般企業の決算と同じで、信託財産ごとに計算期末現在の財務諸表を作成し、経理の現状及び期間損益を明らかにすることを目的とします。委託会社は、この決算内容に基づき、投信法上の**運用報告書**を作成します。

投資信託委託会社が作成した財務諸表は、公認会計士または監査法人による監査を受けます。

3 分配

⑴　分配金の決め方

分配の上限額は、投資信託協会のルールで次のように定められています。

単位型投資信託	決算期末の純資産総額が経費控除後、元本額以上の場合には、この超過額と期間中の配当等収益額とのいずれか多い額の範囲内で分配を行うことができる。一方、元本に満たない場合には、配当等収益額の範囲内で分配することができる。
追加型株式投資信託	経費控除後の配当等収益の全額に加え、期中の実現売買損益と期末時価で評価替えした評価損益との合計額から経費を控除し、前期から繰り越された欠損金がある場合にはその欠損金を補填した後の額を分配することができる。
追加型公社債投資信託	期末における元本超過額の全額を分配する。

> 分配が行われると、分配金の額だけ基準価額は下落します（分配落）。公社債投資信託の場合は、分配落ち後の基準価額が元本を下回るような分配は行えませんが、株式投資信託の場合は、分配落ち後の基準価額が元本を下回るような分配も可能です。

⑵　分配金の支払い

　分配金は決算期ごとに決定され、投資家はこれを販売会社経由で受け取ります。分配金の支払い開始は、投資信託約款では、決算日から1か月以内の委託会社の指定する日とされていますが、実際には決算から5営業日目以降となっています。

　なお、分配金の時効は5年（償還金の時効は10年）となっています。

4　換金（解約と買取り）

⑴　換金（解約と買取り）

　投資信託を保有している投資家（受益者）が、ファンドの存続期間（信託期間）の途中で換金する場合、解約と買取りの2つの方法があります。

解約	顧客が販売会社を通じて、手持ちの受益証券の額だけ直接投資信託財産を取り崩すことであり、解約請求によって行われる。
買取り	販売会社に受益証券を買い取ってもらうことであり、買取請求によって行われる。

　また、あらかじめ投資信託約款で解約請求することができない期間を定めている場合があり、この期間をクローズド期間と呼びます。これは、投資された資金を安定させる目的で設けられています。

　なお、クローズド期間を設けているファンドであっても、投資信託約款において、受益者の死亡といった事由がある場合には、クローズド期間中であっても解約もしくは買取りを認める旨の規定を設けています。

　また、株式投資信託の販売会社の換金請求の受付時限は、遅くとも午後3時までに締め切るものと定められています。

　解約請求による換金の場合、原則として、投資信託の換金価格は基準価額です。ただし、換金時に信託財産留保金を徴収するファンドについては、信託財産留保額を控除した額となります。

⑵　換金代金の支払い

　解約または買取りによりファンドを換金した代金の支払いは、一般的には、国内の資産を主な投資対象とするファンドについては、換金申込受付日から4営業日目、外国の資産を組み入れたファンドについては、換金申込受付日から5営業日目からです。

⑶　キャッシング

　MMF及びMRFについては**キャッシング**（即日引出）が認められています。

　MMFの換金について、換金請求日の支払いを可能とするため、翌営業日に行われる換金代金の支払いまでの間、販売会社が換金代金相当額を貸付けること（キャッシング）が可能となっています。

　MRFについては、翌営業日支払いとなる午後からの換金請求分について、キャッシングが可能となっています。

　キャッシングの限度額は、**各投資信託（MMF及びMRF）ごとに500万円**（販売会社により異なる）です。

5　償還

　投資信託は、投資信託約款に定められた信託期間の終了とともに償還となりますが、投資信託委託会社の判断で信託期間の更新（償還延長）もできます。ただし、多くの場合は、残存元本が一定の水準を下回れば償還することができるように約款に定めています。一定の水準とは、例えば残存口数が30億口を下回る場合などと定めています。

8節 証券投資信託の税金

重要度 ★★　問題集 P236

投資信託においては、次の場合に課税されます。

①分配金を受け取る場合　②換金する場合　③償還される場合

1 個別元本方式と普通分配金・元本払戻金（特別分配金）

単位型株式投資信託の元本は募集当初の元本ですが、追加型株式投資信託の収益に対する課税については個別元本方式の仕組みが導入されています。

個別元本とは、投資家ごとの平均取得基準価額のことで、追加取得の都度、取得口数によって加重平均され、分配の都度、調整されます。

普通分配金と元本払戻金（特別分配金）の区別	分配金に対する課税は、個々の投資家の個別元本と分配落ち後の基準価額との関係で普通分配金と元本払戻金（特別分配金）に分けられる。普通分配金は課税対象。一方、元本払戻金（特別分配金）は各投資家の個別元本の払戻しに相当するので非課税扱いとなり、元本払戻金（特別分配金）を受け取った分個別元本が調整される。例えば、12,000円が取得価額のAさんが、元本払戻金（特別分配金）1,000円を受け取れば、以降Aさんの個別元本は、11,000円（12,000円－1,000円）となる。
普通分配金と元本払戻金（特別分配金）の計算方法	投資家の個別元本とその投資信託の決算日の「分配落ち後の基準価額」を比較する。 (1) 分配落ち後の基準価額 ≧ 投資家の個別元本 のとき 　　分配金はすべて普通分配金となる。 (2) 分配落ち後の基準価額 < 投資家の個別元本 のとき 　　元本払戻金（特別分配金） 　　　＝ 個別元本 － 分配落ち後の基準価額 　　普通分配金 　　　＝ 分配金 － 元本払戻金（特別分配金） (2)においては分配金のうち、個別元本と分配落ち後の基準価額の差額が元本払戻金（特別分配金）とみなされ、それ以外を普通分配金とみなすのです。

元本払戻金（特別分配金）の支払を受けた投資家については、分配金発生日（決算日）において、個別元本から元本払戻金（特別分配金）を控除した額が、その投資家のその後の個別元本とされます。

　なお、単位型株式投資信託の分配金については、普通分配金と元本払戻金（特別分配金）の区分はなく、全額が課税対象となります。

2　株式投資信託の分配金に対する課税

個人投資家	株式投資信託の普通分配金は、配当所得の取扱いとなる。普通分配金について現在は20.315％（所得税及び復興特別所得税15.315％、住民税5％）の税率による源泉徴収が行われ、申告不要制度が適用される。また、確定申告を行い、総合課税または申告分離課税を選択することもできる。総合課税を選択した場合には、一部のファンドについて配当控除の適用が認められる。一方、申告分離課税を選択した場合には、普通分配金の配当所得を上場株式等の譲渡損と損益通算ができる。
法人投資家	株式投資信託の普通分配金について、所得税及び復興特別所得税のみの源泉徴収となり、住民税の源泉徴収はない。税率は現在15.315％。

3　株式投資信託の換金・償還差益の税金

個人投資家	株式投資信託を解約もしくは買取りにより換金した場合または株式投資信託の償還を受けた場合の換金差益・償還差益については、譲渡所得の取扱いとなり、換金・償還価額と取得価額の差額について、上場株式の売買損益等と通算した上で20.315％（所得税及び復興特別所得税15.315％、住民税5％）の税率による譲渡益課税が行われる。
法人投資家	法人投資家が受け取る株式投資信託の解約差益・償還差益については、個人投資家の場合と異なり、配当所得としての取扱いとなる。 したがって、解約価額または償還価額が、受益者の個別元本を上回る額について、株式投資信託の場合には、所得税及び復興特別所得税のみ現在15.315％が源泉徴収される。

4　公社債投資信託に対する課税

個人投資家	公社債投資信託の分配金は、利子所得としての取扱いとなる。全額が20.315％（所得税及び復興特別所得税15.315％、住民税5％）の源泉徴収の対象。 解約差益・償還差益は、株式投資信託と同じ譲渡所得として扱われ、申告分離課税の対象。
法人投資家	公社債投資信託の分配金は、全額が益金に算入されて法人税の課税対象となる。

9節 投資法人

重要度 ★★★

問題集 P238

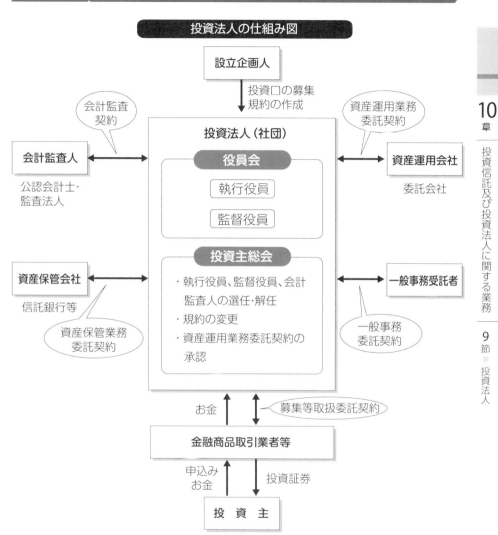

投資法人の仕組み図

まず、上図で全体のイメージをつかんでください。

251

1　投資法人とは

　投資法人とは、資産を主として**特定資産**に対する投資として運用することを目的として設立された社団（法人）です。したがって投資法人には**法人格**があります。投資法人の基本的な構造は、株式会社とほぼ同じです。

　投資法人は、資産運用以外の行為を営業とすることはできません。

　投資法人では、資産運用業務、資産保管業務、投資主総会・役員会の運営、計算等の業務について、すべて外部委託する必要があります。投資法人は、その商号中に「投資法人」という文字を用いなければなりません。

　投資法人のスキームは、日本では主に**不動産投資法人（J-REIT）**として利用されています。

2　投資法人の設立・募集

(1)　設立

　投資法人はまず**設立企画人**が規約を作成し、内閣総理大臣に**投資法人設立届出書**を届け出て、一定の手続きを経て**登記**することにより設立されます。

①設立企画人　▼注意

　設立企画人とは、投資法人の設立業務を担当する者です。設立企画人の少なくとも1名には、設立しようとする投資法人が主として投資の対象とする特定資産と同種の資産の運用事務の経験などが資格要件として定められています。

②規約

　投資法人の規約は、投資法人の基本的事項を定めたもので、契約型投資信託でいえば投資信託約款、株式会社でいえば定款にあたるものです。

　規約に記載すべき事項は投信法で定められており、主なものは以下のとおりです。

☀重要

- ●資産運用の対象及び方針
- ●金銭の分配の方針
- ●投資主の請求により投資口の払戻しをする旨、またはしない旨
- ●投資法人が発行することができる投資口の総口数
- ●投資法人が常時保持する最低限度の純資産額（5千万円を下回ることはできない）
- ●設立企画人の氏名または名称及び住所　など

設立企画人が内閣総理大臣にあらかじめ届け出る投資法人設立届出書には、規約のほか所定の書類を添付します。**届出書が受理されたときに規約の効力が生じます。**そして、投資法人は設立登記によって成立します。

なお、投資法人の成立時の出資総額は、設立の際に発行する**投資口の払込金額の総額**で、**1億円以上**と定められています。設立企画人は設立時発行投資口を引き受ける者の募集をします。

(2) 投資法人の登録

投資法人は、**設立については届出制**を採用していますが、**業務については登録制**を採用しているため、投資法人が資産の取引を行うためには、あらかじめ**内閣総理大臣の登録**を受けなければなりません。

(3) 募集投資口の募集

投資法人は、規約に定められた投資口の総口数の範囲内で、募集投資口の募集をすることができます。ただし、投資法人に係る業務は外部委託することになっていますので、投資法人の執行役員は投資証券等の募集等に係る事務を行うことはできません。募集投資口の引受人は払込期日または払込みの履行をした日に**投資主**となります。

3 投資法人の機関

投資法人における機関には、**投資主総会、執行役員、監督役員及び役員会**があります。これらはそれぞれ株式会社における株主総会、取締役、監査役及び取締役会にあたります。

✹重要

投資主総会	投資主総会は**執行役員**が招集する。投資主総会の決議事項は投信法と規約に定められた事項。投資主総会の決議事項とされている主なものは次のとおり。
	・執行役員、監督役員、会計監査人の選任・解任（普通決議） ・規約の変更（特別決議） ・資産運用業務委託契約の承認（普通決議） ・投資口の併合（特別決議） ・解散（特別決議）
	投資主総会では、**書面や電磁的方法による議決権の行使**を認めるとともに、規約に定めれば投資主が投資主総会に出席せず、かつ議決権を行使しないときは議案について賛成したものとみなすことができる（**みなし賛成**）。

執行役員・ 監督役員	投資法人の役員は、**執行役員**と**監督役員**の2種類。	
	執行役員	・投資法人の業務を執行し、投資法人を**代表**する（株式会社でいえば代表取締役） ・任期は**2年**を超えることができない ・人数は**1人**または**2人以上**
	監督役員	・執行役員の職務を**監督**する ・任期は**4年**だが、規約または投資主総会の決議で短縮することが可能 ・人数は執行役員の員数に**1を加えた数以上** ・独立性が要求されるので、設立企画人、執行役員などは監督役員になることができない
	執行役員・監督役員ともに**投資主総会**で選任される。また、監督役員は執行役員との**兼任**は認められない。	
役員会	役員会は執行役員と監督役員からなる。執行役員が重要な業務執行を行う場合には**役員会**の承認が必要。執行役員は3か月に1回、業務の執行状況を役員会に報告する必要がある。	

4 投資法人の運用

投資法人は資産運用のための器としての機能しか果たさず、実際の資産運用業務、資産保管業務及びその他の一般事務については、**外部委託**しなければなりません。

投資法人と資産運用会社の間で**資産運用業務委託契約**（投資主総会の承認が必要）を締結することで、運用業務を委託します。

資産運用会社は、証券投資信託と同様、資産運用に係る権限の**全部**を再委託することが自己執行義務の観点から禁止されていますが、投資法人との契約でその**一部**を再委託することは可能です。

資産運用会社は投資運用業を行う金融商品取引業者でなければなりませんが、投資対象に**不動産**が含まれる場合、宅地建物取引業法上の免許・認可が必要です。

5 不動産投資法人

不動産投資法人（J-REIT）は、主に不動産等や不動産等を対象とする**資産対応証券等**に投資し、賃料収入等の運用益を投資者に分配するものです。

不動産投資法人は、金融商品取引所に上場されています。上場不動産投資法人は、ファンドの運用資産全体の**70%以上**が不動産等で占められることなどの要件を満たす必要があります。

販売	・上場株式と同様、金融商品取引業者を通じて、金融商品取引所で売買される ・**指値・成行**注文のどちらも可能 ・**信用取引**も可能 ・手数料は販売会社が独自に定める
資産の保管	・登録投資法人は、自ら**資産の保管**を行うことはできず、**資産保管会社**に保管業務を委託しなければならない ・資産保管会社は、信託会社等、有価証券等管理業務を行う金融商品取引業者などに限定される
一般事務	・投資法人は、資産の運用は資産運用会社に、資産の保管は資産保管会社に委託しなくてはならない。**それ以外の事務**についても、一般事務受託者に委託しなければならない ・投資法人の一般事務としては、投資法人の会計、投資口・投資法人債の募集、投資主名簿、新投資口予約権原簿及び投資法人債原簿の作成等、役員会の運営等がある
会計等	投資法人は決算期ごとに計算書類（貸借対照表、損益計算書、投資主資本等変動計算書及び注記表）、資産運用報告、金銭の分配に係る計算書並びにこれら書類の附属明細書を作成し、これを会計監査人に提出し、その監査を受ける必要がある。また、投資法人は、その業務に関する帳簿書類を作成し、10年間保存しなければならない。
金銭の分配	投資法人の場合、税法上、支払分配金を損金に算入するためには、（つまり、法人段階で収益が非課税とされるためには）原則として配当可能利益の90%超を分配する必要がある。
投資法人債の募集	**投資法人債**は、不動産のような資産の運用において、相手の売却の申込みに迅速に対応するため、借入金等による柔軟な資金調達手段の一つとして導入された。 ただし、投資法人債の募集を行うことができるのは、投資主の払戻し請求を行わない（クローズド・エンド型の）投資法人に限定されている。
ディスクロージャー	上場不動産投資法人（J-REIT）は、上場企業として、金商法のディスクロージャー規制である**発行**開示（有価証券届出書、目論見書）と**継続**開示（有価証券報告書）の対象。加えて投信法に定める資産運用報告を行う必要がある。投資法人の**執行役員**は、決算ごとに資産運用報告を作成し、貸借対照表等他の財務諸表とともに**会計監査人**の監査を受け、役員会での承認の後、遅滞なく投資主に通知する。

ETF（Exchange Traded Funds）は、取引所に上場される投資信託です。投資成果が日経平均株価、東証株価指数などの**株価指数**や**商品価格**などの指標に連動することを目的とするもの、海外の株価指数、商品価格、REIT指数などへの連動を目指すものがあります。また、連動対象となる指標が存在しないアクティブ運用型ETFもあります。

現物拠出型のETFの場合、証券会社や機関投資家などの大口投資家は、株価指数に連動するETFであれば、対象株価指数に連動するように選定された現物株式のポートフォリオをファンドに拠出して、**受益権**を取得（設定）することができます。

証券投資信託は基準価額に基づく価格で購入・換金されますが、ETFは取引所において上場株式と同様に取引所における**市場価格**で売買されます。売買注文については、**指値注文**、**成行注文**が可能で、**信用取引**も行うことができます。取引単位は、10口単位、1口単位など、**ファンドごと**に定められています。手数料は、販売会社が独自に定められるようになっています。

ETFの分配の方法は、上場株式と同様の方法により行われます。一般投資家によるETFの換金は、取引所において上場株式と同様に市場価格で売却（譲渡）することにより行われます。また、分配金は、決算日現在の受益者名簿に登録された受益者に支払われます。ETFの譲渡損益、分配金に対する税制上の取扱いは、基本的には上場株式と同様であり、普通分配金と元本払戻金（特別分配金）の区別はありません。

11節 公社債投資信託

　代表的な公社債投資信託として、長期公社債投資信託、MMF（マネー・マネジメント・ファンド）及びMRF（マネー・リザーブ・ファンド）があります。公社債投資信託の制度については次のとおりです。

■公社債投資信託の制度

種類		長期公社債投信 （追加型）	日々決算型ファンド（追加型）	
			MMF	MRF
募集（販売） 単位		1万口（1口1円）累積投資による分配金再投資の場合1口	1口（1口1円）	
分配		年1回決算を行い元本超過額の全額を分配。	毎日決算を行い元本超過額を分配、分配金は月末に再投資 毎日決算を行うことにより、常時元本での追加設定、解約を可能としている	
換金	解約	手数料あり	手数料なし	
		－	買付日から30日未満の解約は、1万口につき10円の信託財産留保額を控除	－
	代金の 支払い	4営業日目	翌営業日	正午以前の解約申込は当日、正午を過ぎての解約申込は翌営業日。
			キャッシングの制度がある	

日銀のマイナス金利導入による運用難から、MMFの設定は現在ありません。

11章

証券税制

ここでは有価証券に関連する税制が出題されます。まずは所得税について、基本的な考え方を身につけましょう。そのうえで利子所得、配当所得、株式等の譲渡所得などについて、基本的な考え方や制度を1つ1つ押さえていきます。さらに特定口座についても細かな知識が問われるので、チェックしておく必要があります。5肢選択問題は、株式譲渡所得の計算、配当控除の計算、相続における上場株式の評価に関する計算が出題の中心です。

推定配点&出題形式

	○×問題：6問（12点）
	5肢選択問題：1問（10点）
	計**22**点／440点満点中

※配点・出題形式についてはフィナンシャル バンク インスティチュートの推定です。

1 所得税とは

　所得税とは、個人の1月1日から12月31日までの1年間に生じた所得についてかかる税金をいいます。所得とは、個人がいろいろな形で手にする**収入金額**から**必要経費**などを差し引いたものです。

$$所得＝収入金額－必要経費$$

　具体的には、会社に勤めてもらった給料（給与所得）、商売をして得られたもうけ（事業所得）などがあります。

　また、社会政策的な理由などから所得税のかからない所得もあります。例えば、遺族の受ける年金や雇用保険の失業給付などの所得です。

　所得税は、所得の金額全額に対してかかるのではなく、所得の金額から、基礎控除や配偶者控除、扶養控除などの各種の所得控除を差し引いた残りの所得に対してかかります。

　所得税の税率は、5％から最高45％まで、所得が多くなるほど税率が高くなる累進税率となっています。したがって、所得が多くて税金を負担する力が大きい人ほど高額な所得税がかかります。一方で所得の金額が一定額以下の人にはかかりません。

　なお、所得税の確定申告をする場合の所得金額計算上の収入金額は、源泉徴収された所得や復興特別所得税があっても、これらの税額が**差し引かれる前**の金額（税引前の金額）に基づいて計算されます。

> 所得税法上は「収入」と「所得」は定義が異なります。これらは税法上の用語ですのでしっかりと区別して使い分ける必要があります。▼注意

2 所得税の納税義務者

　所得税の納税義務者は原則として**個人**です。**法人**には利子や配当など源泉徴収されるものに所得税がかかります。

個人	・居住者とは、国内に**住所**を有し、または現在まで引き続き**1年**以上居住する居所を有する個人。**非居住者**とは居住者以外の個人。 ・居住者に該当する個人は、すべての所得について課税の対象となる。 ・居住者のうち、日本の**国籍**を有しておらず、かつ、過去10年以内において国内に住所または居所を有していた期間の合計が**5年**以下である個人を**非永住者**という。
法人	・法人は、国内に本店または主たる事務所を有するかどうかで、**内国法人**と**外国法人**に分けられる。 ・内国法人は、利子、配当など源泉徴収される所得に所得税が課税されるが、法人税を支払う義務があるので、源泉徴収された所得税は、法人税の**前払い**として、法人税を支払う際に差し引いて精算する。 ・外国法人は、一定の国内源泉所得についてのみ課税される。

3 所得の種類

　所得税法では、個人の1年間の所得を、以下に示すようにそれぞれ性質の似ているものをグループとして**10種類**に分類しています。

①**利子所得**	**預貯金の利子**、**公社債の利子**、**公社債投資信託の収益**の分配など
②**配当所得**	**株式の配当**、**株式投資信託の収益**の分配など
③**不動産所得**	貸家、アパート等の賃貸収入など
④**事業所得**	自営業から生じる所得など
⑤**給与所得**	賃金、給料、賞与など
⑥**退職所得**	退職金など
⑦**山林所得**	山林を伐採して譲渡したことによる所得など
⑧**譲渡所得**	**有価証券**や**不動産**を譲渡した所得など
⑨**一時所得**	賞金、競馬などの払戻金、生命保険の一時金など
⑩**雑所得**	・**公的年金**、**講演料**、**原稿料**など ・**先物取引・オプション取引**から生ずる所得

> 試験ではこのうち主に①利子所得、②配当所得、⑧譲渡所得、⑩雑所得について出題されます。

　個人の所得で所得税が課税されない所得を**非課税所得**といいます。非課税所得には住民税も課税されません。具体的には**マル優**（障害者等の少額預金の利子所得の非課税）、特別マル優（障害者等の少額公債の利子所得の非課税）や**オープン型証券投資信託の元本払戻金（特別分配金）**による所得の非課税などがあります。

4 課税方法

(1) 総合課税

総合課税とは、それぞれの所得の金額に**損益通算**◁**用語**を適用して、それらを合計（総合）して課税することです。合計した金額を**総所得金額**といいます。納税方法は、確定申告を通じて納税する**申告納税**の方法がとられています。所得税の課税方法は原則として**総合課税**です。

総所得金額 × 税率

不動産所得 + 給与所得 + 一時所得 + 配当所得 + 事業所得 + 雑所得（大部分）
＋総合課税の譲渡所得

(2) 分離課税

分離課税とは、国の政策上、税負担を高くしたり、低く抑えたりするために、総合課税の対象から外して（分離して）課税する課税方法の特例のことです。

退職所得×税率	株式等の譲渡所得×税率
利子所得×税率	土地・建物等の譲渡所得×税率
雑所得（一部）×税率	山林所得×税率　　　　　　など

分離課税には**申告分離課税**と**源泉分離課税**とがあります。

	内容	例
申告分離課税	確定申告を通じて納税。	・**特定公社債等**の利子等に係る利子所得 ・上場株式等に係る配当所得 ・株式等または公社債等の譲渡に係る所得
源泉分離課税	源泉徴収だけで納税が終了するので確定申告は行わない。源泉徴収された税額を負担するだけで完了。	・利子所得（特定公社債等の利子等を除く）

◁**用語** -

損益通算：各所得で収入金額から必要経費を差し引いた結果マイナスになった所得がある場合、マイナスになった所得の金額を他のプラスの所得金額から差し引くこと。ただし、**配当所得**、**一時所得**、**雑所得**の損失の金額は差し引けない。

特定公社債とは以下のものを指します。

- ●上場公社債、外国上場公社債　●公募公社債
- ●国債、地方債　●特定の社債　など

また、特定公社債等とは特定公社債と公社債投資信託をあわせたものです。

(3) 確定申告不要制度

　確定申告不要制度は、納税者が確定申告を行う際に、対象となる所得について**総所得金額等**に含めて課税所得金額及び税額を計算して申告するか、含めないで申告するかを選択してよいとする制度です。確定申告に含めないで申告する場合の納税手続きや税負担は、源泉分離課税と同じといえます。証券関係の所得で確定申告不要制度の対象とされるものは以下のとおりです。

- ●内国法人等から支払いを受ける**上場株式等の利子等**または**配当等**（大口株主等が支払いを受ける配当等を除く）
- ●内国法人から支払いを受ける**投資信託**で受益権の募集が**公募**により行われるものの**収益の分配**
- ●**特定口座の源泉徴収選択口座内の配当等**
- ●特定口座の源泉徴収選択口座内保管**上場株式等の譲渡**による**所得**
- ●内国法人等から支払いを受ける特定公社債等の利子　など

5　復興特別所得税

　東日本大震災からの復興を図るための施策に必要な財源を確保するために、2013年1月1日より通常の所得税に加えて、以下のように**復興特別所得税**が課されています。

- ●申告納税については、各年分の所得税に係る基準所得税額の**2.1%**が課税される。
- ●源泉徴収税も定められた源泉徴収税率により計算した源泉徴収税額の**2.1%**が課税される。
- ●期間は2013年1月1日から2037年12月31日までの25年間。

復興特別所得税の2.1％は所得や利益の2.1％ではなく、**所得税額**の2.1％です。所得税と復興特別所得税の合計税率は以下の算式で計算できます。

合計税率（％）＝所得税率（％）×1.021

復興特別所得税を加味した税率は以下のとおりです。

対象	2013年1月1日〜2037年12月31日
預金の利子、特定公社債の利子・譲渡益、公社債投資信託の分配金・譲渡益 上場株式の配当・譲渡益、公募株式投資信託の普通分配金・譲渡益等	20.315% （所得税及び復興特別所得税：15.315%[注] 　住民税　　　　　　　　　　：　　　5%）

注）15％×1.021＝15.315％

6 納税方法

納税方法には、申告納税と源泉徴収があります。

申告納税 **（確定申告による納税）**	年間（1/1〜12/31）の所得を、翌年の2月16日から3月15日までに、居住する地域の税務署に自己申告して課税を受け、納税する制度。
源泉徴収	利子、配当、給与、公的年金、退職金などについて支払者が支払いの際に所定の税率により所得税を**天引き**して翌月の10日までに国に納税する制度で、所得税の前払い的な性格を持つ。 源泉徴収額の過不足分は確定申告により、払い過ぎたものは払い戻され、不足の場合は徴収される。

2節 利子所得等の課税

1 利子所得とは ▼注意

利子所得とは、**公社債・預貯金**の利子、合同運用信託（貸付信託・指定金銭信託）及び**公社債投資信託**などの収益の分配の所得をいいます。

なお、投資信託のうち、株式投資信託の収益の分配は配当所得に分類されます。

税法上の利子所得は一般的にいわれる利子より範囲が狭く、学校債や組合債の利子、抵当証券の利息、知人または会社に対する貸付金の利子、金貯蓄口座の収益金などは、税法上の利子所得とはなりません（これらの利息や差益は、税法上、雑所得となります）。

2 一般利子等と特定公社債等の利子等

利子所得は、①一般利子等（預貯金の利子など）と②特定公社債等の利子等で扱いが異なります。

一般利子等（預貯金の利子など）の源泉分離課税	居住者等が支払いを受ける利子等で、特定公社債等の利子等一定のもの以外のもの（一般利子等）については、15.315%（居住者については、このほかに住民税5％）の税率による源泉徴収だけで課税関係が完結する源泉分離課税とされている。
特定公社債等の利子等の申告分離課税	居住者等が支払いを受ける特定公社債等の利子等については、他の所得と区別して、15.315%（居住者については、このほかに住民税5％）の税率による**申告分離課税**を選択することができる。また、**確定申告不要の特例**を適用することができる。

11
章

証券税制

2
節　利子所得等の課税

265

利子等の非課税制度とは、一定の要件のもとで利子所得等が非課税とされ、源泉徴収の対象とされない特例制度です。主なものは障害者等の**マル優**と障害者等の**特別マル優**です。なお、所得税が非課税または源泉徴収が不適用とされている利子には復興特別所得税は課されません。

■利子等の非課税制度

障害者等の少額預金の利子所得等の非課税（障害者等のマル優）	国内に住所を有する個人のうち、障害者等に該当する者に限り1人あたり元本350万円以内で、以下のものが非課税とされる。 ・預貯金の利子 ・貸付信託の利子 ・国債、公募地方債、政府保証債の利子 ・公社債投資信託の収益の分配　など	
障害者等の少額公債の利子の非課税（障害者等の特別マル優）	国内に住所を有する障害者等に限り、1人額面350万円を限度として、その購入した公債（国債、公募地方債）の利子については、上記のマル優とは別枠で、非課税の適用を受けることができる。	
財形住宅貯蓄の利子所得の非課税	勤労者財産形成住宅貯蓄契約に基づいて、その勤務先から支払いを受ける賃金から、天引きの方法により預入等をした預貯金や公社債の利子などについては、一定の要件のもとで、非課税の取扱いを受けることができる。	累積元本の非課税最高限度額は、**財形住宅貯蓄**と**財形年金貯蓄**を合わせて、1人あたり元本550万円とされている。
財形年金貯蓄の利子所得の非課税	勤労者財産形成年金貯蓄契約に基づいて、その勤務先から支払いを受ける賃金から、天引きの方法により預入等をした公社債の利子などについては、一定の要件のもとで、積立段階で生じる利子等はもとより、退職後であっても、年金として支払われる期間分の利子等についても、非課税の取扱いを受けることができる。	

4 金融商品等の収益に対する源泉分離課税

　次の金融商品等の収益については、税法上の利子所得にはあたりませんが、一般利子等と同様に、所得税及び復興特別所得税15.315％（居住者については他に住民税5％）の税率による源泉分離課税とされます。

①抵当証券の利息（雑所得）

②金貯蓄口座等の利益（譲渡所得または雑所得）

③懸賞金付公社債・公社債投資信託の受益権の懸賞金（一時所得）

④定期積金の給付補てん金（雑所得）

⑤相互掛金の給付補てん金（雑所得）

⑥為替予約されている（為替ヘッジ付き）外貨建定期預金の為替差益（雑所得）

⑦一時払養老保険及び一時払損害保険等（保険期間が5年以内のものまたは5年超のもので5年以内に解約されたもの）の差益（一時所得）

⑧懸賞金付定期預金等の懸賞金品（一時所得）

1 配当所得の原則的な課税

居住者が受け取る配当所得の原則的な課税制度は、所得税及び復興特別所得税を源泉徴収のうえ、確定申告を通じて納税する仕組み（**総合課税**）とされています。総合課税の場合は**配当控除**が利用できます。

(1) 配当所得の範囲

配当所得の主なものは以下のとおりです。

- 法人から受ける剰余金の**配当**、利益の配当（ETF等を含む）、出資に係る剰余金の分配
- 投資信託の**収益の分配**（利子所得とされる**公社債投資信託**などの収益の分配を除く）

<配当所得の注意すべきポイント>
・外国法人が発行する株式の配当など、外国株式、外国の投資信託の配当等も配当所得に含まれる。
・土地信託による配当、信用取引により生じた**配当落調整額** ⊂用語 などによる所得は、配当所得に含まれない。
・税法上、ETFや日経300株価指数連動型上場投資信託を特定株式投資信託という。特定株式投資信託の受益権は株式と同様に、また収益の分配は株式の利益の配当と同様に取扱う。

(2) 源泉徴収

配当等の支払いを受ける際には、原則として所得税及び復興特別所得税が源泉徴収されます。上場株式等の配当等（大口株主等が受け取るものを除く）、公募株式等証券投資信託の収益の分配及び特定投資法人の投資口の配当等については**15.315%**（他に住民税5％）の税率で源泉徴収されます。

⊂用語 --

配当落調整額：信用取引で、建株の状態で配当の権利付き最終日を迎えた場合、配当落ちによる株価下落分の調整として、売り方から買い方に配当金相当額を支払うもの

(3) 負債利子控除

　株式の配当等の配当所得は、その収入金額からその年に支払う元本取得のために要した**負債利子**（借入金等の利子）があるときは、元本所有期間に対応するものを控除（**負債利子控除**）した金額が所得金額となり、原則として他の所得と合算して**総合課税**されます。例えば、金融機関から借入れをして株式を購入し、一定期間保有後配当を受け取った場合に、受け取った配当による収入から金融機関に支払った借入期間分の返済利子を差引くことができるのです。なお、すでに譲渡した株式等に係るものは負債利子控除できません。

(4) 配当控除

　株式の配当は、法人の収益に課税される法人税を差し引いた後の純利益から分配されます。その配当金を個人株主が受け取って、またそこに課税するとなると**二重課税**になります。証券投資信託の分配金についても同様です。そこで、この二重課税の調整のために、総合課税として確定申告をすることにより所得税・住民税において**配当控除**（税額控除の１つ）が認められています。なお、**外国株式**は、配当控除の適用は受けられません。

　総合課税として確定申告を行わなければ、配当控除の適用は受けられません。

　株式等の配当控除の額は以下のように計算します（ここでは株式等及び特定株式投資信託に係る配当控除について具体的に学習することとし、証券投資信託に係る配当控除については扱いません）。

①課税総所得金額等が1,000万円以下である場合	その配当所得の金額に次の**控除率**を乗じて計算した金額の合計額が配当控除額。 　株式等及び特定株式投資信託に係る配当所得の控除率 　→所得税は**10%**（住民税は**2.8%**）
②課税総所得金額等が1,000万円を超える場合	課税総所得金額等が1,000万円を超える部分に係る配当所得の金額について次の控除率を乗じて計算した金額と、課税総所得金額等1,000万円以下の部分について上記により計算した金額との合計額が配当控除額。 　株式等及び特定株式投資信託に係る配当所得の控除率 　→所得税は**5%**（住民税は**1.4%**）

　また、配当控除はその年分の税額を限度として控除され、控除しきれない金額があっても還付の対象とはなりません。

> 上記控除率(%)は、総合課税を選択し、配当控除を受けて税額控除の額を計算するための数字です。分離課税で課される税率と混同しないように気をつけましょう。

■株式等の配当控除率

課税控除金額	1,000万円	配当控除率
1,000万円以下の場合	配当所得以外の所得　配当所得	①所得税　　10% ②住民税　　2.8%
配当所得を加えて1,000万円を超える場合	配当所得以外の所得　配当所得 ⓐ ⓑ	①所得税 　ⓐが　　10% 　ⓑが　　 5% ②住民税 　ⓐが　　2.8% 　ⓑが　　1.4%
配当所得以外の所得が1,000万円を超える場合	配当所得以外の所得　配当所得	①所得税　　5% ②住民税　　1.4%

<設例>＊重要　計算

ある個人の課税総所得金額等が1,100万円で、そのうち内国法人からの株式等の配当所得金額が200万円（源泉所得税控除前）である場合、配当控除できる金額はいくらか？

<解答>

①900万円から1,000万円までの配当所得100万円に対して

　所得税：（1,000万円－900万円）×10%＝10万円

　住民税：（1,000万円－900万円）×2.8%＝2.8万円

②1,000万円から1,100万円までの配当所得100万円に対して

　所得税：（1,100万円－1,000万円）×5%＝5万円

　住民税：（1,100万円－1,000万円）×1.4%＝1.4万円

　　合計　<所得税>　10万円＋5万円＝15万円を配当控除として、

　　　　　　　　　　所得税額から差し引くことができる。

　　　　　<住民税>　2.8万円＋1.4万円＝4.2万円を配当控除として、

　　　　　　　　　　住民税額から差し引くことができる。

出題頻度が高いので、配当控除の計算は必ずできるようにしておきましょう。

2 上場株式等の配当所得

上場株式等の配当所得の課税については、配当の支払いが行われる段階でまず20.315%の源泉徴収（所得税及び復興特別所得税15.315%、住民税5％）が行われます。

上場株式等の配当所得について投資家は以下の選択を行うことができます。

①上場株式等の配当所得を**総合課税**として確定申告する（配当控除が受けられる）	**1** で学習済み
②上場株式等の配当所得を**申告分離課税**として確定申告する（上場株式等の譲渡損と損益通算ができる）	**2** (1)で学習
③配当所得の**確定申告不要制度**を利用	**2** (2)で学習

①の総合課税を選択すると、**配当控除**が利用できるので、総所得金額の少ない投資家であれば、配当金受取時に源泉徴収された税額の還付が期待できます。上場株式等の譲渡損があれば、②の申告分離課税として確定申告を選択すると、上場株式の配当所得と上場株式の譲渡損とを相殺できます。例えば、1年間に上場株式で30万円の譲渡損を出したが、上場株式等の配当所得が10万円あるとします。上場株式等の配当は支払い段階で源泉徴収されているので、一定の手続きを踏めば、その源泉徴収された分が還付されます。

また、給与所得がある会社員の場合など一定の総所得金額がある投資家であれば、③の確定申告不要制度を選択するのもよいでしょう。

(1) 上場株式等に係る配当所得の申告分離選択課税

上場株式等の譲渡損失と配当所得とを**損益通算**することができます。損益通算を行うにあたってはその課税方式の均衡化を図る必要があるため、上場株式等の配当所得について上場株式等に係る譲渡所得等と同様に、その課税方式を申告分離選択課税とする特例が設けられています。

具体的には、居住者等が支払いを受ける上場株式等の配当等に係る配当所得については、総合課税の適用のほか、他の所得と区分し、所得税及び復興特別所得税15.315%（他に住民税5％）の税率による申告分離課税を選択することができます。

上場株式等の配当等	・金融商品取引所に上場されている株式等に係る配当等（**大口株主等**⊂**用語**が支払いを受けるものを除く） ・投資信託でその設定に係る受益権の募集が公募により行われる公募株式等証券投資信託の受益権の収益の分配に係る配当等 ・**特定投資法人**⊂**用語**の投資口（公募・オープンエンド型）の配当等　など
確定申告等	この特例の適用を受ける場合には、その上場株式等に係る配当所得につき特例の適用を受けようとする旨を記載した**確定申告書**を提出しなければならない。その際、申告する上場株式等に係る配当所得の全額について選択する必要がある。また、申告分離課税を選択した上場株式等に係る配当所得については、**配当控除の適用はできない**。
支払通知書	居住者等に対して、国内において上場株式等の配当等の支払いをする者は、**上場株式配当等の支払通知書**をその支払いを受ける者に交付しなければならない。この支払通知書は、その支払いが確定した日から、1か月以内に交付する。

(2) 配当所得の確定申告不要制度

　投資の奨励の観点から、以下の配当等は、確定申告不要制度の特例が適用されます。

- ●内国法人等から支払いを受ける**上場株式等の配当等**（**大口株主等**が支払いを受けるものを除く）
- ●投資信託でその設定に係る受益権の募集が公募により行われる公募株式等証券投資信託の収益の分配
- ●特定投資法人から支払いを受ける投資口の配当等　など

　この確定申告不要制度の利用にあたっては、これは確定申告をする配当等としようとか、これは確定申告をしない配当等としようと本人が任意に選ぶことができます。例えば、**銘柄**ごとに、かつ、支払いを受けるべき**配当等**の額ごとに選ぶことができるのです。

⊂**用語** -

大口株主等：内国法人から支払いを受ける配当等の支払いに係る基準日において、その内国法人の発行済株式の総数または出資の総額の3％以上の株式等を有する個人株主（2023年10月1日以後に支払いを受ける配当等については、その者及びその者が50％超の株式等を保有する同族会社が保有する株式等を合わせて保有割合が3％以上となる者を含む）。

特定投資法人：投資法人のうち投資家の請求により投資口の払戻しをする公募のオープンエンド型の投資法人。

⑶ 上場株式等の配当等に係る源泉徴収税率の特例

　配当所得に対する所得税及び復興特別所得税の源泉徴収税率は、原則として20.42%の税率とされていますが、上場株式等の配当等については、15.315%（居住者については、このほかに住民税5%）の税率により源泉徴収することとされています。

4節 株式等の譲渡所得等に対する課税

重要度 ★★★　問題集 P262

居住者等の株式等の譲渡による所得は、取引規模の態様などにより、譲渡所得、事業所得または雑所得に区分されますが、通常は譲渡所得に分類されます。

居住者等が株式等を譲渡した場合には、**一般株式等**と**上場株式等**に区分して、それぞれその株式等に係る譲渡所得等の金額に対して15.315%の税率による所得税・復興特別所得税（居住者については、このほかに住民税5％）が課税されます。

1 一般株式等の譲渡に対する課税

居住者等が「一般株式等」の譲渡をした場合には、その一般株式等の譲渡に係る譲渡所得等については、総合課税の方式によらず、他の所得と区分して、その年中の一般株式等に係る譲渡所得等の金額に対し、原則として、所得税及び復興特別所得税15.315%（居住者については、このほかに住民税5％）の税率による**申告分離課税**とされています。

ここでいう「一般株式等」とは、株式等のうち上場株式等以外のものです。具体的には以下のとおりです。なお、外国法人が発行する株式など外国法人に係るものも含まれます。

・金融商品取引所に上場されていない株式または投資口
・私募投資信託の受益権　など

2 上場株式等の譲渡に対する課税

(1) 上場株式等に係る譲渡所得等の申告分離課税

居住者等が、上場株式等を譲渡した場合、その上場株式等の譲渡に係る譲渡所得等については、他の所得と区分して、その年中の上場株式等に係る譲渡所得等の金額に対し、所得税及び復興特別所得税15.315%（居住者の場合、このほかに住民税5％）の税率による申告分離課税とされています。

この申告分離課税制度が適用される上場株式等の主なものは次のとおりです。

　・株式等で金融商品取引所に上場されているもの

　・上記に類する以下の株式、公社債等

　　▶店頭売買登録銘柄として登録された株式

　　▶店頭転換社債型新株予約権付社債

　　▶外国金融商品取引所で売買されている株式　など

　・公募投資信託の受益権

　・特定投資法人の投資口

　・国債及び地方債

　・公募公社債　など

　この上場株式等に係る譲渡所得等の申告分離課税制度は、適用対象範囲等は異なるものの、その課税の仕組みは、前記 **1** の一般株式等の譲渡所得等の申告分離課税制度とほぼ同様です。ただし、この申告分離課税制度の対象となる「**上場株式等の譲渡による所得**」と「**一般株式等の譲渡による所得**」との間の通算はできません。

　また、上場株式等の譲渡により損失が生じたときは、その損失は他の上場株式等の譲渡による所得との間でのみ通算できることとなっており、上場株式等の譲渡による所得以外の他の所得から控除することはできません。

⑵　上場株式等に係る譲渡損失と配当所得等との損益通算の特例

　確定申告書を提出する居住者等は、その上場株式等に係る**譲渡損失**の金額については上場株式等に係る配当所得等の金額を限度として、その年分の上場株式等に係る配当所得等の金額から控除することができる特例が設けられています。

　ただし、上場株式等に係る配当所得等について**総合課税**を選択した場合、この**損益通算の特例**の適用を受けることはできません。

⑶　上場株式等の譲渡損失の繰越控除の特例

　上場株式等を譲渡したことにより生じた譲渡損失（損益通算の結果、その年の上場株式等に係る譲渡所得の金額の計算上控除し切れなかった損失の金額をいう）については、一定の要件を満たせば、その年の**翌年**以後**3年**以内の上場株式等に係る譲渡所得の金額及び上場株式等に係る配当所得等の金額から**繰越控除**できます。

繰越控除の対象となる上場株式等の譲渡損失の金額	上場株式等の譲渡をしたことにより生じた損失の金額のうち、その譲渡をした日の属する年の上場株式等に係る譲渡所得等の金額の計算上控除してもなお控除しきれない部分の金額。
上場株式等の譲渡損失の繰越控除の方法	その年の前年以前3年内の各年において生じた上場株式等の譲渡損失の金額を有する場合、その譲渡損失の金額はまず上場株式等に係る譲渡所得等の金額から控除し、なお控除しきれない損失の金額があるときは上場株式等に係る配当所得の金額から控除する。
適用要件	この繰越控除の適用を受けるためには、譲渡損失が生じた年分の確定申告書に譲渡損失の金額の計算に関する明細書等を添付して提出し、かつ、その後も連続して確定申告書を提出し、控除を受ける年分については繰越控除を受ける金額の計算に関する明細書等を添付して提出する必要がある。

<例>

・2021年中の上場株式等の譲渡損失　　▲100万

・2022年中の上場株式等の譲渡益　　　+50万

・2023年中の上場株式等の譲渡益　　　+30万 ┐繰越控除

・2024年中の上場株式等の譲渡益　　　+20万 ┘

上記のような場合、2021年中の損失である100万円が翌年以降（3年間）譲渡益から控除され、結果的に2022年〜2024年までの譲渡益はなかったものとされます。

　なお、譲渡損失の繰越控除は、公募の株式投資信託や特定投資法人の投資口の譲渡損についても適用されます。

3 株式等の譲渡所得等の計算

　居住者等が株式等の譲渡をした場合、その譲渡による譲渡所得等を、総合課税の方式によらず、他の所得と区分し、その年中の株式等の譲渡所得等の金額（もうけ）に原則として15.315％の所得税及び復興特別所得税（居住者についてはこのほかに住民税5％）が課せられます。

$$負担税額 = \left\{ \underbrace{\begin{array}{c}譲渡による\\総収入金額\end{array} - 取得費（取得価額）}_{譲渡所得等の金額（もうけ）} \right\} \times 税率$$

結果的にその年中（1月1日〜12月31日）の譲渡所得等の金額の合計がマイナス（損）となる場合は、所得税や復興特別所得税は課されません。

株式等の譲渡に係る総収入金額は、株式等の譲渡の対価としての、その年において収入すべき金額の合計額です。

譲渡した株式等の譲渡原価（取得費）は、通常はその購入の対価です。ただし同一銘柄の株式を、それぞれ異なる値段で数回にわたって取得している場合に、その一部を譲渡したようなケースについて、譲渡した株式の譲渡原価をどうとらえるかが問題となります。所得税法上、譲渡所得であれば**総平均法に準ずる方法**により譲渡原価を計算します。

＜設例＞

以下の売買状況のA社株の本年7月譲渡分の譲渡利益を求めなさい（計算の便宜上、手数料等は除外する）

A社株式の売買状況	株数	単価	価額
前年6月取得	5,000株	600円	300万円
本年5月取得	3,000株	800円	240万円
本年7月譲渡	4,000株	1,000円	400万円
本年12月取得	2,000株	900円	180万円

＜解答＞

本年7月に譲渡した4,000株の譲渡原価は、その株式の最初の取得時である前年6月からその譲渡時である本年7月までの期間を基礎として計算することとなり、本年12月に取得した株式は、その譲渡原価の計算の基礎に含めない。この設例の場合の1株あたりの取得価額は以下のとおり。

$$譲渡した株式1株当たりの原価＝\frac{300万円＋240万円}{5,000株＋3,000株}＝675円$$

したがって、本年7月譲渡分の譲渡利益は、次のようになる。

4,000株（譲渡株式）×675円＝270万円（譲渡原価）

400万円（譲渡収入）－270万円（譲渡原価）＝130万円（譲渡利益）

信用取引等の場合は、総平均法に準ずる方法を用いず、すべて**個別対応**によります。また、信用取引等の方法による株式の売買から生ずる所得は、その信用取引等の**決済の日**の属する年分の所得として課税されます。

1 特定口座

　上場株式等の譲渡所得については、申告分離課税となっているため、投資家は1年間トータルでの上場株式等の譲渡による利益の金額を計算し、確定申告しなければなりません。これは、かなり面倒な作業です（**一般口座**）。このような上場株式等の損益計算や納税までを投資家に代わって金融商品取引業者等が行ってくれるのが**特定口座**です。

　以下の図で、上場株式等を譲渡した場合の全体の流れを確認しましょう。

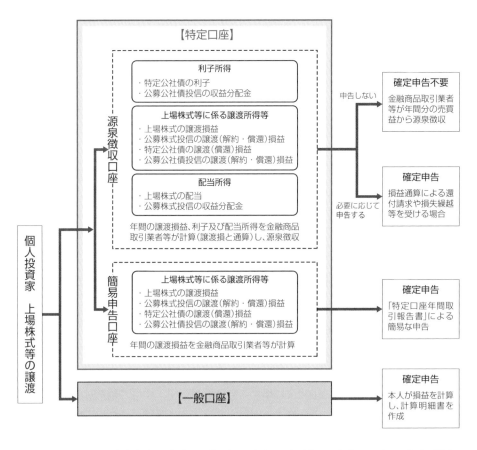

　個人投資家はまず「特定口座」か「一般口座」かを選択します。一般口座を選択した場合、本人が損益を計算して計算明細書を作成し、確定申告します。

特定口座を選択した場合は、さらに「源泉徴収口座」と「簡易申告口座」のどちらかを選択します。

「源泉徴収口座」の場合は確定申告が不要になります。ただし、源泉徴収口座の場合でも一般口座や他の金融商品取引業者等の特定口座との損益通算や繰越控除を行う場合は必要に応じて確定申告することもできます。

「簡易申告口座」の場合は、確定申告が必要ですが、金融商品取引業者等が作成する「特定口座年間取引報告書」による簡易な申告で済みます。

(1) 特例の概要

居住者等が、金融商品取引業者等に開設している特定口座に保管の委託をしている上場株式等（特定口座内保管上場株式等）の譲渡による所得は、他の上場株式等の譲渡所得と区分して、以下の特例が適用されます。

所得金額の計算の特例	特定口座内保管上場株式等の所得金額は、金融商品取引業者等から交付を受けた特定口座年間取引報告書に記載された収入金額、取得費及び経費に基づき計算可能。
源泉徴収の特例	特定口座を設定している金融商品取引業者等に特定口座源泉徴収選択届出書を提出すれば、その特定口座内保管上場株式等の譲渡益は20.315%（所得税及び復興特別所得税15.315%、住民税5%）の源泉徴収の適用を受けられる。
確定申告不要制度の特例	源泉徴収の適用対象となる特定口座内保管上場株式等の譲渡による所得金額は、それを確定申告に含めないで申告できる。

なお、以上の特例は、特定口座を通じて行う信用取引に係る差金についても適用されます。特定口座のうち源泉徴収選択口座において取り扱うことができる取引の範囲に上場株式等の利子等及び配当等を受け入れることができます。

(2) 特定口座の設定と保管の委託

これらの特例を受けようとするためには、金融商品取引業者等の営業所に特定口座開設届出書を提出して、上場株式等保管委託契約を締結する必要があります。また、信用取引については、上場株式等信用取引等契約を締結します。特定口座は、特例の適用要件を備える上場株式等の取引のみを管理する専用の口座であり、特例の適用されない上場株式等の取引は、一般口座で管理されることになります。

特定口座は、個人1人につき一業者・一口座とされており、同一の金融商品取引業者等においては各営業所を通じて一口座しか設定できませんが、金融商品取引業者等が異なれば、それぞれの金融商品取引業者等ごとの設定が可能です。

⑶　特定口座に組み入れられる上場株式等及びその譲渡

①対象上場株式等

　特定口座に入れられる上場株式等は、上場株式等の譲渡所得等の申告分離課税の適用対象とされる上場株式等です。具体的には、特定口座開設届出書の提出後に、その金融商品取引業者等への買付けの委託等により取得をした上場株式等またはその金融商品取引業者等から取得をした上場株式等で、その取得後直ちに口座に受け入れるものなどがあります。

②特例の適用対象となる譲渡

　特例の適用対象となる特定口座内保管上場株式等の譲渡は、金融商品取引業者等への**売委託**によるものや金融商品取引業者等に対して行う方法などに限られます。

⑷　特定口座年間取引報告書の提出

　金融商品取引業者等は、その年に開設されていた特定口座について、特定口座開設者の氏名、住所、個人番号（税務署に提出するもののみ）、その年中に特定口座で処理された上場株式等の譲渡対価の額、取得費、譲渡費用、所得金額など所定の事項を記載した**特定口座年間取引報告書**を２通作成し、翌年１月31日までに、１通を**税務署**に提出し、他の１通をその**特定口座開設者**に交付しなければなりません。

　特定口座における取引以外に株式等の譲渡がない年の確定申告においては、特定口座年間取引報告書または電子証明書等に記録された情報の内容を一定の方法により出力した書面の添付をもって、上場株式等に係る譲渡所得等の金額の計算に関する明細書の添付に代えることができます。

⑸　特定口座内保管上場株式等の譲渡所得等に対する源泉徴収

　特定口座を開設している個人は、その特定口座を設定している金融商品取引業者等に特定口座源泉徴収選択届出書（源泉徴収ありか源泉徴収なしかを選択する）の提出またはその記載事項の電磁的方法による提供をして、その特定口座を通じた上場株式等の譲渡所得等や信用取引の差金決済について、**源泉徴収**の適用を受けることができます（源泉徴収を受けないことも可能です）。

　この選択届出書の提出または提供は、特定口座ごとに、かつ、年ごとに、その年最初に特定口座に係る上場株式等の譲渡を行うときや差金決済を行うときのいずれか早い日までに、金融商品取引業者等に提出しなければなりません。また、その年に選択された特定口座を、年の途中で変更することはできません。

⑹ 確定申告不要の特例

　源泉徴収選択口座で上場株式等の譲渡所得等の金額や損失の金額は、確定申告不要制度の対象です。確定申告の際にこれを除外して（確定申告の際の所得計算に含めないで）申告するか、それを確定申告の際の所得計算に含めて申告するかを選択できます。

　この選択は、源泉徴収選択口座ごとに可能ですが、ある一つの源泉徴収選択口座の譲渡所得等の金額や損失の金額の一部を取り出して選択することはできません。

2　源泉徴収選択口座内配当等に係る所得計算及び源泉徴収等の特例

　特定口座のうち源泉徴収選択口座については、上場株式等の**配当等**を受け入れることができます。

　源泉徴収選択口座内配当等に係る源泉徴収選択口座に、上場株式等に係る**譲渡損失**がある場合、その源泉徴収選択口座内配当等について徴収して納付すべき所得税及び復興特別所得税の額は、その源泉徴収選択口座内配当等の額の総額から上場株式等に係る譲渡損失の金額を控除（**損益通算**）した残額に対して、定められた源泉徴収税率を乗じて計算した金額とされます。

　この特例の適用を受けた源泉徴収選択口座内配当等についても確定申告不要の特例を適用することは可能ですので、この確定申告不要の特例を選択することにより、源泉徴収選択口座内において上場株式等の配当等と譲渡損失との損益通算に関する手続きを完了させることができます。

1　NISA制度の概要

　NISA（Nippon Individual Savings Account）とは、非課税口座に設定したつみたて投資枠及び成長投資枠に受け入れた上場株式等（上場株式、上場ETF、上場REIT、公募株式投資信託等）について、その配当等や譲渡益について非課税とする制度です。

　NISA口座は**つみたて投資枠**（一定の投資信託を対象とする長期・積立・分散投資に利用できる）と、**成長投資枠**（上場株式への投資にも利用できる）の2つで構成されており、併用が可能です。

　つみたて投資枠で投資できる金額は**年間120万円**まで、成長投資枠で投資できる金額は**年間240万円**までと定められています。ただし、年間投資枠とは別に**1,800万円**（うち成長投資枠は**1,200万円**）の**非課税保有限度額**が設定されており、これを超過して投資することはできません。

　非課税保有額は、NISA口座で保有する商品を売却することで減少しますが、減少した分は、翌年以降、年間投資枠の範囲内で新たな投資に利用することが可能です。

2 つみたて投資枠と成長投資枠の比較表

　NISA口座を構成するつみたて投資枠と成長投資枠の特徴は、それぞれ以下の通りとなります。

▼注意

	つみたて投資枠 併用可	成長投資枠
年間投資枠	120万円	240万円
非課税保有期間	無期限化	
非課税保有限度額（総枠）	1,800万円 ※簿価残高方式で管理（枠の再利用が可能）	
		1,200万円（内数）
口座開設期間	恒久化	
投資対象商品	長期の積立・分散投資に適した一定の投資信託	上場株式・投資信託等（①整理・監理銘柄　②信託期間20年未満、高レバレッジ型及び毎月分配型の投資信託等を除外）
対象年齢	18歳以上	

NISA口座内の譲渡損失の金額については「上場株式等に係る**譲渡損失の損益通算及び繰越控除の特例**」の適用を受けることができません。

1 割引債の償還差益に対する課税

(1) 概要

　割引債の発行価額と償還価額との差額に相当する金額（**償還差益**）は、公社債の譲渡による収入金額として課税されます。2016年1月1日以後に発行された割引債については、発行時の源泉徴収及び源泉分離課税は適用されず、2016年1月1日以後に行う割引債の償還及び譲渡による所得については、公社債の譲渡所得等として15.315%（他に個人住民税5％）の税率による**申告分離課税**の対象になります。

(2) 割引債の差益金額に係る源泉徴収等

　割引債を含む公社債の譲渡による所得が課税されるようになったことに伴って、割引債の源泉徴収は発行時ではなく、利付債（利子が支払われる公社債）の利子と同様に償還時に行うことになりました。

2 先物取引に係る雑所得等の課税の特例

　居住者等が商品先物取引等や金融商品先物取引等（市場デリバティブ取引や店頭デリバティブ取引）などを行い、**差金等決済**をした場合には、その差金等決済に係る先物取引による**雑所得等**の金額については、他の所得と区分し、所得税及び復興特別所得税15.315%（他に住民税5％）の税率による**申告分離課税**が適用されます。

　また、先物取引に係る雑所得等の金額の計算上生じた損失の金額があるときは、その損失は生じなかったものとされますが、その者が確定申告書を提出する場合には一定の要件のもとで、その翌年以後の**3年**内の各年において生じる先物取引に係る雑所得等の金額からの控除（**繰越控除**）が認められます。

> 先物取引の差金等決済は雑所得等にあたり、上場株式等の**譲渡所得等**と損益通算することはできません。

3 ストック・オプション制度に係る課税の特例

(1) ストック・オプションとは

　株式会社は、その取締役、執行役または使用人に対して、一定数の自社株を無償または一定の価額で、一定の期間内に取得する権利（新株予約権等）を付与することができます。これを**ストック・オプション**といいます。ストック・オプションを付与された取締役、執行役または使用人は、その後に株価が上昇すれば、権利行使をして定められた価額で株を取得することができ、その取得した自社株を売却すればキャピタル・ゲイン（譲渡益）を得ることができます。

(2) ストック・オプションの課税の特例

　総合課税である給与所得として課税されるか、分離課税である株式等の譲渡所得として課税されるかで負担する税額が大きく変わります。ストック・オプションの課税の特例を利用すれば分離課税が適用されるので、通常はとても有利であるといえます。

　この特例を利用して、権利行使して株式を取得した場合、取得時の時価とストック・オプション行使による取得価額との差額については、以下の一定の要件を満たせば、その時点では所得税及び復興特別所得税はかかりません。

---

①新株予約権等の権利行使は、原則として**付与決議**の日後2年を経過した日から10年を経過する日までに行わなければならないこと

②新株予約権等の年間の権利行使価額が**1,200万円**を超えないこと

③新株予約権については、譲渡をしてはならないこと　など

　相続税と贈与税はまとめて相続税法に定められています。相続税法では、相続や遺贈または贈与によって取得した財産の評価は、これらの財産を取得した時の価額（時価）とされているだけであって、実際の取扱いは、国税庁の定めた**財産評価基本通達**によります。

　株式の評価は、上場株式、気配相場等のある株式及び取引相場のない株式に区分して、1株ごとに、それぞれ定められた評価方法に基づいて行いますが、ここでは上場株式の評価について学習します。

　上場株式は、その株式が上場されている金融商品取引所における課税時期（相続または贈与があった日）の**最終価額**（課税時期の取引価額がない場合は、その直前と直後のいずれか最も近い日の最終価額）によって評価します。

　ただし、その最終価額が課税時期の属する月以前**3か月間**の毎日の最終価額の各月ごとの平均額（**最終価額の月平均額**）のうち最も低い価額を超える場合には、その最も**低い価額**によって評価します。

<設例>

課税時期（死亡した日）が２月21日で、A社上場株式の１株あたりの２月21日の終値及び最近の３か月の最終価額の月平均額が次のようであったとすると、A社株式の１株あたりの評価額は、①～④までの４つの株価のうち最も低い価額である③1,690円が評価となる。なお、⑤は４か月前になるので検討外。

①	２月21日終値	1,730円
②	２月中の終値平均株価	1,750円
③	１月中の終値平均株価	1,690円
④	前年12月中の終値平均株価	1,810円
⑤	前年11月中の終値平均株価	1,610円

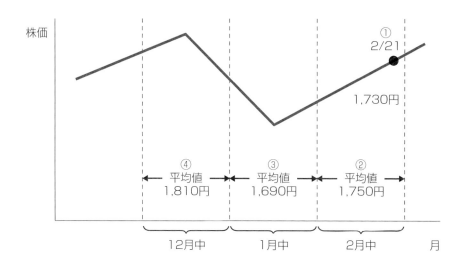

経済・金融・財政の常識

　この科目は、経済、金融、財政の３つの柱からそれぞれ細かなところまで出題されます。全体として覚えるべきことが多い科目ですが、覚えただけ点数につながるのでがんばりましょう。

　経済については、GDP、消費関連・雇用関連統計などの統計に関する公式は必ず出題されます。公式の分母と分子を入れかえて正誤を問う問題が出題されるので、正確なインプットが必要です。

　金融については、マネーストックの定義、金融機関の定義、さらに金融市場と金融政策の概要が出題されます。問題集で出題のされ方をつかんでおきましょう。

　財政については、予算、政府支出、財政赤字及び地方財政からの出題が中心です。また、財政投融資やプライマリー・バランスの定義を問う出題も多くなっています。

推定配点&出題形式

○×問題：0問　（0点）

5肢選択問題：2問（20点）

計**20**点／440点満点中

※配点・出題形式についてはフィナンシャル バンク インスティチュートの推定です。

1 経済成長とGDP

(1) GDP (国内総生産:Gross Domestic Product)

　日本の総合的な経済活動を知るにはGDPを用います。GDPは一国の景気を大まかにとらえる代表的な経済指標です。

①三面等価の原則

　GDPは**生産**(付加価値)、**分配**(所得)、**支出**(需要)の3つの側面を持っています。これら3つのどの側面からみても金額が等しくなることから、「三面等価の原則」が成り立っています。

生産面	**生産面**からみると、GDPとは、ある一定期間内(1年または四半期)に国内全体で新たに生産された**財**や**サービス**の付加価値額を合計したもの。GDPをみれば、日本国内全体でどの程度の生産活動が行われたかを知ることができる。 付加価値額とは、最終的に消費される段階での額(産出額)から、その原材料として投入したもの(中間材)の額を引いたものをいう。例えばパン屋さんが材料として小麦粉やバターなどを500円で購入して1,200円のパンを作ったなら、「1,200円-500円=700円」が付加価値額。
分配面	**分配面**からGDPをみると、1年間に生み出された付加価値が、生産活動に参加した**労働**や**資本**といった生産要素に対してどのように分配されたかがわかる。国民経済計算においては、次式が成立する。 ✏️暗記 　GDP=雇用者報酬+営業余剰・混合所得+固定資本減耗+(間接税-補助金)
支出面	**支出面**からGDPをみると、消費には民間によるものと政府によるものの2つがある。民間最終消費(民間消費)はほとんどが家計による消費支出で、GDPの50%超を占めている。

②三面等価の原則のイメージ

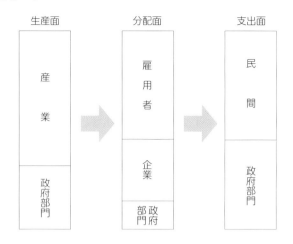

(2)　名目GDPと実質GDP

名目GDP	その年の経済活動水準を市場価格で評価したもの。 　名目GDP＝実質GDP＋物価上昇分
実質GDP	名目GDPから物価上昇分を取り除いたもの。

　GDPが名目額で増加しても、同時に物価が上昇していれば、経済活動水準が高まったとはいえません。物価上昇を差し引いた実質GDPの変化率によって、その水準の変化を測る必要があります。このモノサシがGDPデフレーターです。GDPデフレーターは、**名目GDP**を**実質GDP**で除して求められます。

$$\text{GDPデフレーター} = \frac{\text{名目GDP}}{\text{実質GDP}} \times 100$$

🖉暗記

　経済成長率は**実質GDP**の伸び（％）のことをいいます。

　GDPは**四半期**ごとに発表され、前年同期比及び前期比で比較されます。インフレ（物価上昇がプラス）であれば、**名目GDPのほうが実質GDP**より高くなり、デフレ（物価上昇がマイナス）であれば名目GDPが実質GDPより低くなります。

2　経済の見方

　経済を分析するとき、経済の動きを**経済成長**と**景気循環**に分けることが有効です。

(1)　経済成長

　経済成長をもたらす要因には、供給要因と需要要因の2つがあります。

供給要因	企業が「モノ」を生産するために投入する**労働力、資本**（設備）、**原材料**という生産要素を手に入れる要因。
需要要因	企業が生産した「モノ」が売れる要因。

　一国の経済がどの程度の生産能力があるのかという「供給能力」の構成要因としては、**労働力、資本ストック**（資金量）、**技術進歩**の3つがあります。

(2)　景気循環

　景気循環とは、経済状態において、好況・不況の波が交互に繰り返す動き（反復性）のことです。景気循環は、数値として実際のGDPと**潜在GDP**◁**用語**の差（GDPギャップ）で表されます。

(3)　景気関連統計

①景気動向指数

　内閣府が作成し、**毎月**公表している指数で、**先行指数、一致指数、遅行指数**の3つの指数があります。

先行指数	在庫率や東証株価指数など、景気に対して3～6か月ほど先行すると考えられる11系列から作成	**新設住宅着工床面積、東証株価指数**、実質機械受注、鉱工業用生産財在庫率指数　など
一致指数	景気変動と同じ動きを示すと考えられている生産統計・有効求人倍率など10系列から作成	**鉱工業生産指数、鉱工業用生産財出荷指数、有効求人倍率、耐久消費財出荷指数、商業販売額**　など
遅行指数	完全失業率など景気に対して遅行する9系列から作成	**法人税収入、完全失業率、常用雇用指数**、家計消費支出、消費者物価指数　など

◁**用語** -

潜在GDP：労働力や資本を平均的に利用した場合の生産水準のこと。

景気動向指数は、雇用、生産、消費等の経済活動全般から、景気変動の動向や転換点をとらえるための包括的な景気指標です。

　日本ではDI（Diffusion Index）を中心として公表されていましたが、2008年4月分より、CI（Composite Index）中心の公表体制に変更されました。

　DIは採用系列のうち拡張した系列の割合を表した指標で、50%を超えた場合に景気が拡張しているということを示します。DIに関しては基準となる50%を超えるか否かということだけが重要で、景気の方向感しかわかりません。

　CIは、各採用系列の変化率を合成することで作成された指標で、景気の方向感だけではなく景気の量感（テンポ）を知ることができるため、DIよりも有用であるといえます。

②全国企業短期経済観測調査（日銀短観）

　企業経営者（対象は主要製造業）の景況感を把握するために行う調査で、**日本銀行**が調査し、**3か月ごとに公表**しています。

　日銀短観は、景気を「良い」と回答した企業の割合から、「悪い」と回答した企業の割合を差し引いて作る単純なものですが、先行指標的に企業マインドがわかるといわれ、企業が景気の現状をどのように考え、どのような見通しを立てているかを知るうえで有用な資料となっています。

⑷　景気循環のとらえ方

在庫循環	一般的に、2年〜5年の景気循環のことを指す。
設備投資循環	5年超の長い期間の景気循環で、その要因としては、設備投資のサイクル、研究・開発費等がある。

⑸　消費関連統計　✎暗記

　日本経済における最終需要の中で、**民間最終消費**の占める割合は50%超あり、最終需要項目としては最大です。

　民間における消費支出を決定する重要な要因が、**所得の増減**と**消費性向の変化**です。これらをとらえる指標として、所得、可処分所得、消費性向及び家計貯蓄率があります。

所得	所得には雇用者報酬（賃金等）、財産所得（利子・配当・賃貸料等）、混合所得（個人企業の利益）、営業余剰、社会保障給付等がある。 所得＝雇用者報酬＋財産所得＋混合所得・営業余剰＋社会保障給付等
可処分所得	可処分所得とは、所得から所得税等、社会保険料等（健康保険料・年金保険料・雇用保険料等）を差し引いたものである。 可処分所得＝所得－所得税等－社会保険料等 可処分所得は、実際に家計が自由に使うことのできる所得であり、消費を行う際の元手となるものである。
消費性向	消費性向とは、可処分所得のうち実際に消費として支出される割合をいう。 $$消費性向＝\frac{消費支出}{可処分所得}×100$$ （平均）消費性向が一定ならば、可処分所得が増加すれば消費支出は増加する。また、可処分所得が一定ならば、何らかの要因で（平均）消費性向が上昇すれば消費支出は増加する。
家計貯蓄率	家計貯蓄とは、可処分所得から消費を差し引いたものである。 家計貯蓄＝可処分所得－消費支出 家計貯蓄を可処分所得で除した比率を家計貯蓄率という。 $$家計貯蓄率＝\frac{家計貯蓄}{可処分所得}×100$$

⑹　住宅関連統計

　住宅の購入はGDP統計の中で**住宅投資**として計上されます。住宅関連統計として、GDP統計の**民間住宅投資**と、国土交通省建築着工統計における**新設住宅着工**があります。

民間住宅投資	・工事進捗ベース
新設住宅着工	・工事着工ベース ・新設住宅着工の戸数は景気の変動に**先行**して動く傾向があり、景気先行指標として利用されている。

　住宅投資は、民間消費と並んで家計部門の大きな役割を果たす項目。住宅投資の決

◁**用語** -

混合所得：個人企業の営業活動から生まれる利益。
可処分所得：実際に家計が自由に使うことのできる所得であり、消費を行う際の元手となるもの。

定要因は、所得、住宅ローン金利、税制、住宅価格等が考えられる。

(7) 雇用関連統計

雇用関連統計として、主なものに完全失業率、有効求人倍率および労働生産性があります。

①完全失業率

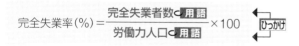

完全失業率は、**完全失業者数**を**労働力人口**で除した比率です。

日本において、雇用者の解雇は最後に実施されるため、完全失業率及び常用雇用指数は、景気の動きに遅行して動く傾向にあります。ですから、完全失業率及び常用雇用指数は、景気動向指数の**遅行指数**とされています。

②有効求人倍率

$$有効求人倍率（倍）＝\frac{有効求人数}{有効求職者数}$$ ひっかけ

有効求人倍率は、**有効求人数**（採用予定人員）を**有効求職者数**で除した比率です。有効求人倍率は、仕事を探している人1人当たりに対する仕事の数を表しています。また、有効求人倍率は、景気動向指数の**一致指数**の1つです。

> 有効求人倍率が0.5倍というと2人の求職者に対して1人の求人しかないことになります。

〈有効求人倍率の特徴〉

● 好況期に上昇し、不況期に低下する傾向がある。

● 有効求人倍率が1より大きければ「仕事を探している人の数」より「企業が募集して

‐‐**用語**‐‐‐

完全失業者数：求職活動はしたが仕事をしなかった人（完全失業者）の数。

労働力人口：15歳以上の人のうち、働く意思を持っている者の人口であり、**学生**は含まれない。言い換えると、「労働力人口＝就業者数＋完全失業者数」となる。
なお、労働力人口比率とは労働力人口が15歳以上人口に占める比率。

$$労働力人口比率（\%）＝\frac{労働力人口}{15歳以上人口} \times 100$$

いる働く人の数」が相対的に多く、1より小さければその反対の状況であることを意味しています。

● 景気の動きにほぼ一致して変動するが、その対象は、公共職業安定所等に登録した人のみで、求人誌等で求職する人は含まれないため、実態よりも高く表れる傾向がある。

③労働生産性

労働投入量1単位当たりの生産量であり、生産量を労働投入量（**就業者数**と**年間総労働時間の積**）で除したものです。

$$労働生産性 = \frac{生産量}{\underbrace{就業者数 \times 年間総労働時間}_{労働投入量}}$$

(8) 物価関連統計

物価関連統計には、以下のようなものがあります。

企業物価指数 **（CGPI）**	企業間で取引される財の価格の水準を指数で示したものであり、国内企業物価指数、輸出物価指数、輸入物価指数及びこれら3つに調整を加えた参考指数がある。 〈特徴〉 ・日本銀行が発表。 ・日本は、原材料などの多くを輸入に頼っているため、国内にインフレ要因がなくても、海外の商品市況や円相場の影響を受ける（輸入インフレ等）。
消費者物価指数 **（CPI）**	家計が購入する約600品目の価格を各品目の平均消費額で加重平均した指数です。 〈特徴〉 ・総務省が発表。 ・直接税や社会保険料等の非消費支出、土地や住宅等の価格は対象とされていない。したがって、所得税などの直接税や社会保険料の額が増減したり、土地等の不動産の価格が変動したりしても、消費者物価指数に影響はない。**注意**
企業向けサービス **価格指数（SPPI）**	企業間サービスの価格を把握するための指数。 〈特徴〉 ・日本銀行が発表。 ・CPIに対する先行指標（CPIより先に変化が現れる）となる。

GDPデフレーター	GDPに計上されるすべての財・サービスを含むので、CPIよりも包括的な物価指標。 $$\text{GDPデフレーター} = \frac{\text{名目GDP}}{\text{実質GDP}} \times 100$$

3 国際収支

(1) 国際収支統計

国際収支統計は、一定期間における一国の**あらゆる対外経済取引**を体系的に記録した統計です。居住者と非居住者の間の取引で、財貨・サービス・所得の取引、対外資産・負債の増減に関する取引及び移転取引に分類できます。

国際収支統計は、**経常収支、金融収支**及び**資本移転等収支**の3項目から構成されています。

①経常収支

経常収支は、貿易・サービス収支、第一次所得収支及び第二次所得収支の3項目の合計で、一国の**対外的な経済力**を表します。経常収支は、金融収支に計上される取引以外の居住者・非居住者間で債権・債務の移動を伴うすべての取引の収支状況を示します。

> 経常収支＝貿易・サービス収支＋第一次所得収支＋第二次所得収支

貿易・ サービス収支	貿易収支	財貨の輸出入の収支を示す。財貨の輸出から輸入を差し引いたもので、輸出より輸入が多いと「赤字」ということになる。
	サービス収支	サービス取引の収支を示す。具体的には輸送、旅行などがある。
第一次所得収支		対外金融債権・債務から生じる**利子・配当金等**の収支状況を示す。
第二次所得収支		居住者と非居住者との間の**対価を伴わない**資産の提供に係る収支状況を示す。具体的には、無償資金協力、寄付などがある。

②金融収支

直接投資、証券投資、金融派生商品、その他投資及び外貨準備の合計です。金融資産にかかる居住者と非居住者間の債権・債務の移動を伴う取引の収支状況を示します。

③経常収支と金融収支の関係

> 経常収支＋資本移転等収支－金融収支＋誤差脱漏（帳尻合わせ）＝0

上記の等式が成立しているため、一般的に経常収支が黒字の国は金融収支も黒字となり、経常収支が赤字の国は金融収支も赤字となります。

　なお、資本移転等収支は、対価の受領を伴わない固定資産の提供、債務免除のほか、非生産・非金融資産の取得処分等の収支状況を示します。

⑵　外国為替

　為替レートとは外国為替市場において異なる通貨が交換される際の交換比率です。例えば、１ドル120円といった表示方法をとるケースが多く、このような方法を邦貨建ての為替レートといいます。

　為替レートの決定は、基本的に一般の商品の価格と同じように外国通貨に対する需要と供給によって決まります。

　ドルの需要が発生するのは、日本が外国から原材料や製品を輸入する場合や、外国の債券・株式を購入する場合であり、ドルの供給が発生するのは、外国が日本から製品を輸入する場合や、日本の債券・株式を購入する場合です。

4　世界経済の動向

　世界のGDPの約５割をG７諸国（米国・日本・ドイツ・フランス・イタリア・イギリス・カナダ）が占めています。

　世界貿易の動向に、自分の国の経済がどの程度影響を受けるかを表したものを貿易依存度といいます。自国の貿易額（輸出＋輸入）を名目GDPで除して求めます。貿易依存度が高ければ、自国の景気動向が世界貿易の状況に影響を受けやすいということを意味します。

$$貿易依存度（\%）＝\frac{自国の貿易額（輸出＋輸入）}{名目 GDP}×100$$

▼注意

> 東南アジア地域の貿易依存度は高く、シンガポール、タイ、マレーシアなどは100%を超えています。

2節 金融

重要度	問題集
★★★	P288

1 通貨

(1) 通貨の役割

通貨には、**価値尺度、交換手段**及び**貯蔵手段**という3つの基本的機能があります。

価値尺度	物価やサービス価格を通貨で示すことが可能。通貨は商品の価値の計算単位。
交換手段	支払手段、決済手段ともいう。通貨がなければ物々交換になってしまうが、通貨があれば自分の欲しいものと交換ができる。
貯蔵手段	将来の支払いや決済に備えた貯蓄が可能。

(2) マネーストック ▼注意

マネーストックとは、金融部門から経済全体に供給されている通貨の総量のことで、国内の**民間非金融部門**（一般の法人、個人、地方公共団体等）が保有する通貨量のことです。国や金融機関が保有する預金等は含まれません。

①通貨の種類

現金通貨	日本銀行券（紙幣）と補助貨幣（硬貨）。
預金通貨	当座預金、普通預金、通知預金等の要求払預金。これらは即時決済性を有している。
準通貨	定期預金、定期積金等の定期性預金。

②マネーストックの種類

マネーストックは以下のように複数存在しています。

M1	現金通貨＋預金通貨（普通預金、当座預金等の要求払預金）
M3	M1＋準通貨（定期性預金）＋CD（譲渡性預金）
M2	M3のうち預金の預け入れ先が国内銀行等（**ゆうちょ銀行を除く**）に限定されたもの。
広義流動性	M3に、金銭の信託、投資信託、金融債、銀行発行普通社債、金融機関発行CP、国債、外債を加えたもの。

> 日銀（日本銀行）は、これらの各種マネーストック指標のうち、**M2と広義流動性**を代表的なマネーストック指標として重視していますが、一般にマネーストックの推移をみる場合は**M2**が用いられることが多いようです。

12章 経済・金融・財政の常識

2節 金融

⑶ 物価

　物価が継続して上昇する現象を**インフレーション**（インフレ）といい、逆に物価が継続して下落する現象を**デフレーション**（デフレ）といいます。

　インフレが起こると、以下の機能が損なわれます。

---

①通貨の価値尺度としての機能

　　インフレが起こることで、通貨の価値が不安定になり、商品の価値も不安定になってしまうため、通貨の価値尺度としての機能が損なわれてしまう。

②通貨の交換手段としての機能

　　例えば、モノを持っている人は、モノの価格が日々上昇すると、もっと値上がりすることを期待し、モノを売らなくなる。最終的には物々交換となってしまう。

③通貨の価値の貯蔵手段としての機能

　　インフレの進行で、通貨価値が目減りしてしまうため、**貯蔵手段**としての目的を果たせなくなってしまう。

⑷ 金利

①フィッシャー方程式

　名目金利とは、日常生活で見聞きする金利のことをいいます。この**名目金利から期待インフレ率**（予想物価上昇率）を差し引いたものが**実質金利**です。名目金利と実質金利、予想物価上昇率の関係を表す以下の方程式をフィッシャー方程式といいます。

　　名目金利＝**実質金利＋期待インフレ率**

②フィッシャー効果

　物価上昇が激しく、人々がその物価上昇を予想してお金の貸し借りをしようとする場合、予想物価上昇率が大きくなるので、名目金利も上昇します。この効果をフィッシャー効果といいます。

＜設例＞

〈実質金利に基づいた投資〉

いま名目金利が10％で、１年後の物価が９％上昇すると予想されているとすると、金利10％で1,000万円の借入れをして1,000万円の土地を購入した場合、１年後の利息支払いは100万円で、９％の物価上昇により土地の価格は1,090万円となっている。

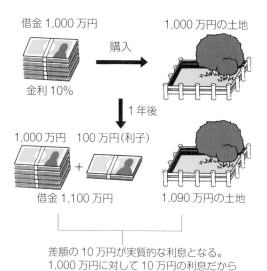

差額の 10 万円が実質的な利息となる。
1,000 万円に対して 10 万円の利息だから
実質金利は 1%ということになる。

これをフィッシャー方程式にあてはめると

　　　10%（名目金利）＝実質金利＋9%（予想物価上昇率）

　　　実質金利＝10%－9%＝1%　となる。

⑸　マネーストックと物価

　長期的には、マネーストックと物価の間には、マネーストックが増えれば物価は上昇するという正の相関関係があります。

⑹　マーシャルの k

　マーシャルの k とは、マネーストックが経済活動水準に対して多すぎるのか少なすぎるのかを測る指標の1つで、貨幣の量であるマネーストックを、実際の経済の活動の程度を表す名目 GDP で除したものです。

$$マーシャルの k = \frac{マネーストック}{名目 GDP}$$

✎ 暗記

⑺ 為替レート

通貨の対外的な値打ちは、為替レートによって表されます。為替レートは各国通貨間の交換比率です。

例えば、1ドル220円のときは、L社の100ドルのバッグを22,000円で購入していましたが、1ドル110円になると11,000円で購入できることになります。円の対ドルレートが220円から110円になれば、円のドルに対する値打ちは2倍になります（円高）。一方でドルの価値は下がります（ドル安）。

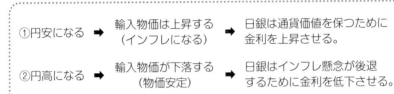

| ①円安になる | ➡ | 輸入物価は上昇する（インフレになる） | ➡ | 日銀は通貨価値を保つために金利を上昇させる。 |
| ②円高になる | ➡ | 輸入物価が下落する（物価安定） | ➡ | 日銀はインフレ懸念が後退するために金利を低下させる。 |

① 1ドル220円なら
100ドル×220円＝22,000円
を支払います。

② 1ドル110円なら
100ドル×110円＝11,000円
の支払いですみます。

2　金融機関

⑴ 直接金融と間接金融

資金余剰主体から資金不足主体への資金の移転方法には、**直接金融**と**間接金融**の2種類があります。

直接金融	証券市場で企業や政府が株式や債券を発行し、資金調達する方法。言い換えると、資金不足主体が発行した証券を、資金余剰主体が購入する方法。
間接金融	銀行によって企業に資金が貸し出される方法。言い換えると、金融機関自身が資金余剰主体から資金を調達し、資金不足主体に貸し付ける方法。

(2) 金融機関の種類

銀行	①日本銀行 「日本銀行法」に基づいて設立された日本の中央銀行であり、3つの基本的な機能を有する。 ・**発券銀行**：銀行券の独占的発行権 ・**銀行の銀行**：市中金融機関を対象に取引 ・**政府の銀行**：政府の出納業務 ②普通銀行（都市銀行・地方銀行） ③信託銀行
中小企業金融機関	①信用金庫 ②信用組合 ③労働金庫 ④商工組合中央金庫（商工中金）
農林系統金融機関	・農林中央金庫（農林中金） 　民間最大の機関投資家となっている。
保険会社	「保険業法」によって、免許を受けている。生命保険会社（生保）の資金は主に長期運用、損害保険会社（損保）の資金は短期運用が中心になっている。 ともに、証券市場における有力な機関投資家。
金融商品取引業者（証券会社など）	直接金融の主たる担い手。 「金融商品取引法」によって登録を受けて業務を行う。
証券金融会社	「金融商品取引法」に基づき免許を受けて、信用取引の決済に必要な資金や有価証券を、証券会社に貸し付ける**貸借取引**が中心。 **日本証券金融**のみが現存している。
短資会社	コール市場や手形市場において、短期金融市場の金融機関相互の資金取引の**仲介**業務を行っている。
ノンバンク ✏暗記	消費者金融会社、クレジットカード会社、信販会社、リース会社等がノンバンクと呼ばれる。預金業務を行わないため、資金調達の大部分を銀行借入れに頼っていたが、**社債発行**が認められたため、**社債発行**で調達した資金を用いて貸付業務を行えるようになっている。

12章

経済・金融・財政の常識

2節　金融

3 金融市場

金融市場とは、資金のやり取りが行われる市場全体のことをさします。

(1) 金融市場の概要

金融資産の満期までの期間が**1年未満**の場合を短期金融市場、**1年以上**の場合を長期金融市場と呼びます。証券市場は長期金融市場として位置付けられますが、狭義で金融市場という場合は証券市場を除外して考えます。

狭義の短期金融市場は、その参加者により**インターバンク市場**と**オープン市場**とに分けられます。**インターバンク市場**の参加者は金融機関に限られており、金融機関相互の資金運用・調達の場として利用されています。一方、**オープン市場**は、一般事業法人など非金融機関も参加できる市場です。

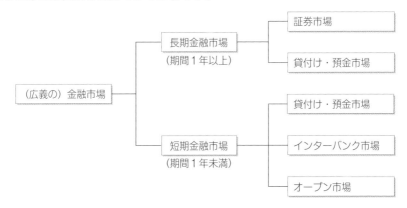

(2) インターバンク市場（金融機関相互の資金調達の場）▼注意

インターバンク市場とは、余裕資金のある金融機関が資金の出し手となり、資金不足の金融機関が資金の取り手となって、**短期**の資金の**過不足**を調整しあう市場です。**金融機関のみが参加できます**（金融商品取引業者を含む）。

日銀の資金調節や金利誘導の場となっており、金融政策をみるうえで重要です。

インターバンク市場には、①**コール市場**、②**手形市場**の2つがあります。

①コール市場	・金融機関相互の、ごく短期の資金過不足を調整する場。 ・一般的には、資金の最大の出し手（運用側）は**信託銀行**（投資信託等を含む）である。 ・コールには、有担保コールと無担保コールがあり、ともに翌日物（オーバーナイト物）と各種期日物があるが翌日物が中心となっている。両方とも**短資会社**が資金の仲介役として重要な役割を果たしている。
②手形市場	・取引される手形は、**優良な企業**が振り出した手形と、国債や政府保証債等の公社債及び外貨手形を**担保**に銀行が振り出した手形が中心。

(3) オープン市場

オープン市場には、①レポ市場、②CD市場、③国庫短期証券市場、④CP市場などがあります。

①レポ市場 （現先・ 債券レポ）	・現先取引とは、あらかじめ一定期間後に一定の価格で買い戻す、あるいは売り戻すことを条件に行われる売買取引。単に「現先」という場合は、債券現先を意味する。 ・**現金担保付債券貸借取引**（通称レポ取引、債券レポ）と呼ばれる現金を担保とした債券の貸借取引がスタートし、その規模を拡大させている。この債券レポ取引は国際標準と異なることから、平成13年からは、国際標準に則った新現先取引と呼ばれる取引が導入された。リスク管理や取引の利便性が高められたことで、取引規模が拡大している。
②CD市場	・CD（Negotiable Certificate of Deposit）とは**譲渡性預金証書**の略称で、第三者に譲渡可能な大口預金のこと。 ・発行者は、預金業務が認められている**金融機関**に限られ、発行残高の5割程度は**都市銀行**となっている。 ・預入者は、金融機関、証券会社、短資会社等のCDのディーラー。 ・期間は、1〜3か月物が中心。 事業法人等は、CD現先の買い手として参加しています。
③国庫短期 証券(T-Bill) 市場	・国庫短期証券は償還期限が1年以内の割引債。 ・国庫短期証券は日銀の公開市場操作の対象。
④CP市場	・CPとは、コマーシャル・ペーパーの略であり、**優良企業**が**短期資金**を調達するためにオープン市場で**割引方式**により発行する**約束手形**。 ・流通形態は**3か月物**が多く、ほとんどが**現先取引**となっている。

4 金利

(1) 金利の種類

①金融市場の金利（TIBOR、10年国債利回り）
②預金金利
③貸出金利（長短期プライムレート）
④基準割引率及び基準貸付利率（旧：公定歩合）

①金融市場の金利

　金融市場の金利は、資金需要によって決まる自由金利ですが、各市場で独立して金利が決定されるのではなく、市場間で金利裁定が働くため、連動性があり、金利は一定の水準に収れんしていく傾向があります。

②預金金利

　預金金利は原則自由金利となっています。自由金利預金の金利は、短期金融市場の金利を考慮しながら、金融機関と預金者の間での個別交渉で決定されるのが原則です。

③貸出金利

　民間金融機関の貸出金利は、短期貸出金利と長期貸出金利とに分けられます。

短期貸出金利 （返済期間1年未満）	標準金利は、**短期プライムレート**（最も信用力がある企業に対する短期最優遇貸出金利）。短期プライムレートは従来、旧公定歩合に連動していたが、現在は銀行の資金調達コスト、資金需要、市場金利動向を勘案して、各金融機関が決定するようになっている。
長期貸出金利 （返済期間1年以上）	**長期プライムレート**は長期貸出しの最優遇金利だが基準金利としての機能は低下してきている。

④基準割引率及び基準貸付利率（旧公定歩合）

　基準割引率及び基準貸付利率とは、日本銀行が民間金融機関に対する貸出金について適用する基準金利のことです。一般的に信用度の高い商業手形の割引歩合が用いられます。

(1) 金融政策の目標（日銀の使命）

①物価の安定を図ることを通じて国民経済の健全な発展に資すること。

②決済システムの円滑かつ安定的な運行を確保し、**金融システム**の安定に資すること。

(2) 金融政策の手段

日銀は自らの使命を果たすべく、様々な方法で金利を調整します。具体的には、①**公開市場操作**（オペレーション）と②**預金準備率操作**がありますが、公開市場操作が金融政策の中心となっています。

日銀の日々の金融調節は、日本銀行政策委員会が**金融政策決定会合**で決定した金融市場調節方針に従い、**オペレーション**によって行われています。

①公開市場操作

日銀が貸付利率を入札に付して行う貸付けあるいは市場で**国債**などの債券や手形の売買を行って、民間金融機関が日銀に保有する**当座預金残高**を増減させ、**短期金利**に影響を与える政策です。

買いオペ （**資金**供給）	日銀が市場で債券等を購入することによって、資金を放出（供給）し、結果として民間の資金量が増加し、金利が**低下**する。
売りオペ （**資金**吸収）	日銀が市場で債券等を売却することによって、資金を吸い上げ（吸収）、結果として民間の資金量が減少し、金利が**上昇**する。

> 日銀が行う公開市場操作（オペレーション）の対象は、**長期国債**や**国庫短期証券**などの国債証券や手形が含まれますが、**株券**は含まれません。

②預金準備率操作

日本の準備預金制度では、金融機関に対して、その受け入れている預金等の債務の一定比率以上の金額を日銀当座預金に預け入れることを義務付けています。その比率を**預金準備率**といいます。

預金準備率の変更によって金融機関の**支払準備額**を増減させ、金融市場に影響を与える政策で、**アナウンスメント効果**があります。

<設例>

〈景気過熱気味でインフレ懸念がある場合〉

預金準備率の引上げ

↓

銀行の資金量の減少

↓

貸出金利の上昇

↓

企業の設備投資や生産抑制、個人の消費の抑制

↓

景気の沈静化

6 金融市場の変貌

(1) ユーロ市場の発展

　発行国以外で取引される通貨を**ユーロマネー**といい、ユーロマネーが取引される市場を**ユーロ市場**といいます。取引の中心地はロンドンです。各国の国内金融市場に存在する規制に拘束されず、取引の手続きも簡便であることから、ユーロ市場は国際金融市場の中核的存在となっており、政府、政府機関、国際機関、民間企業などの資金調達の場として盛んに利用されています。

(2) BIS規制の導入

　BIS（Bank for International Settlements）とは世界の主要国**中央銀行**の出資によって設立された**国際決済銀行**のことであり、中央銀行間の決済や国際金融問題に関する協議・調査を行っています。

(3) ペイオフの解禁

　ペイオフ（預金保険）制度とは、金融機関が破綻した場合、そこに預けてある預金などを、1名義当たり合算して元本1,000万円とその利息分を限度に預金保険機構が払い戻す制度です。

財政とは、政府の経済活動のことをいいます。

1 予算の仕組み

(1) 予算編成 ▼注意

予算の作成、国会への提出は**内閣**が行い（内閣の予算提案権）、実際に予算案の編成は**財務大臣**が行います。

〈提出〉

政府による最終的な予算案が国会に提出されるのは例年1月下旬ごろで、**内閣総理大臣**が内閣を代表して行う。

↓

〈審議〉

国会における予算審議は、まず**衆議院**で行われる（衆議院の**予算先議権**）。予算案が衆議院で可決すると参議院に送られる。

参議院で可決する場合	**参議院で議決しない場合**	**参議院で否決した場合**
予算は成立する。	参議院が衆議院の可決した予算案を受け取ってから30日以内に議決しない場合には、予算は**自然成立**する。	参議院が衆議院の可決した予算案を否決した場合には、**両院協議会**を開き、両院協議会において意見が一致しない場合には、**衆議院**の議決が国会の議決となり予算が成立する。

(2) 一般会計予算

国の予算は、**一般会計予算**（公共事業、社会保障、教育などの国の基本的な財政活動をするための経費をまかなう予算）と**特別会計予算**から構成されています。通常、予算とは、一般会計予算をいい、一般会計予算は、予算の成立時期や予算の追加により以下の3つの予算に分類されます。

本予算	ある会計年度の予算として当初に成立したもの。
暫定予算	新年度になっても予算が成立していないときの**必要経費**だけを計上した暫定的な予算。本予算が成立すれば、暫定予算の期間や支出残高が残っていても、この時点で効力を失い、暫定予算に基づく支出や債務の負担は、本予算に基づいて行ったものとされる。
補正予算	予算成立後に、新たに追加される予算。補正予算は本予算と別に作成されるが、成立後は本予算と一本化される。

(3) 特別会計予算

一般会計と区別して作成される予算のことで、以下のような場合に設けられます。

①国が特定の事業を行う場合

②特定の資金で運用する場合

③その他特定の歳入で特定の歳出に充当し、一般会計と区別経理する必要がある場合

なお、特別会計の数や内容は各年度によって異なります。

(4) 政府関係機関予算

政府関係機関は、形式的には国と別の人格を持つ特殊法人（金融機関）であり、政府の全額支出により設立されています。当該金融機関は、財政資金をもって民間の金融活動を補完することを目的としており、貸付金の原資は一般会計からの出資や財政投融資資金からの借入金です。

(5) 公共部門

公共部門とは、**一般政府**（中央政府、地方政府と社会保障基金の各部門を合わせ、その相互の重複関係を調整したもの）に**公的企業**を合わせたものです。

(6) 国民負担率　✐暗記

国民負担率とは国民所得に対する「**租税＋社会保障負担**」の比率のことであり、年々**高まっています**。

社会保障負担とは、国民年金、厚生年金、介護保険、雇用保険等の金額の合計のことをいいます。

2 政府支出

(1) 基礎的財政収支対象経費　▼注意

　基礎的財政収支対象経費とは、一般会計の歳出から**国債費**の一部を除いたものです。2023年度における歳出額の多い順に並べると次のとおりです。

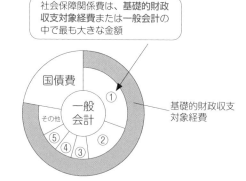

①社会保障関係費♪**用語**
②地方交付税交付金等
③防衛関係費
④公共事業関係費
⑤文教及び科学振興費

社会保障関係費は、基礎的財政収支対象経費または一般会計の中で最も大きな金額

国債費
その他
一般会計
①
②
⑤④③

基礎的財政収支対象経費

(2) 国債費　✐暗記

　一般会計で社会保障関係費に次ぐ**大きい**支出で、過去に発行した国債の**元利払い**のための支出です。

2023年度の一般会計の歳出総額は114兆3,812億円です。このうち社会保障関係費は36兆8,889億円と国債費の25兆2,503億円を上回っています。

3 租税と公債

(1) 租税

　「所得の多い者ほど相対的に大きな負担をすべきであり（**垂直的公平**）、所得が等しいなら税負担も等しくなければならない（**水平的公平**）」という原則が一般に公平な税制といわれています。

　租税分類として、国税と地方税、直接税と間接税、所得税と消費税と資産税等に分けられます。

♪用語 -

社会保障関係費：生活保護、社会福祉、社会保険、保健衛生、失業対策に係る費用。

⑵ 公債

　原則として公債を発行することは、**財政法第4条1項**で禁止されていますが、同条1項但書にて公共事業等の特定の財源については、公債（いわゆる**建設国債＝4条国債**）発行が認められています。

財政法第4条1項	国の歳出は公債・借入金以外の歳入を財源とすることとされている。
財政法第4条1項但書	例外として、公共事業費、出資金、貸付金の財源については、その範囲内で公債発行・借入金等によって調達できる。

　また、いわゆる**赤字国債**とは、公共事業等の特定財源以外の経常経費の財源確保のために発行する国債をいい、特例国債ともいいます。さらに、過去に発行した国債の借換えが本格化し、**借換国債**の発行が増えました。

4 財政投融資

　財政投融資とは、**租税負担**に拠ることなく、独立採算で**財投債の発行**などにより調達した資金を財源として、政策的な必要性があるものの、民間では対応が困難な長期・固定・低利の資金供給や大規模・超長期プロジェクトの実施を可能とするための投融資活動（資金の融資、出資）です。

　財政投融資計画は、国会で予算と並行して審議され、同時に承認されます。財政投融資計画とは、基本的に公共部門を通ずる資金の流れをコントロールするものであり、公的金融の一部分を占めています。

5 財政の役割 ▼注意

　公共財とは、防衛、警察、司法などの特殊な財・サービスであり、社会的な必要性が認められるものの、市場で供給されることはないものです。

　財政の役割として、**資源の効率的配分、所得再分配、経済安定化効果**の3つがあります。

資源の効率的配分	民間が公共財を提供すると、社会的に望ましい量が供給できない（これを**市場の失敗**という）ため、政府が公共財を提供することにより、効率的な配分が可能となる。
所得再分配	通常、財政はある個人の所得に**累進的**に課税し、別の個人に所得移転することによって所得分配を調整している。

| 経済安定化効果 | インフレなき完全雇用の維持は、財政政策の大きな役割を果たす。 |

6 財政赤字

　財政赤字とは、政府の歳出が歳入を上回ることをいいます。財政状態を表す指標として「プライマリー・バランス（Primary Balance＝基礎的財政収支）」が重要です。プライマリー・バランスとは、公債金収入（借金）以外の収入と、利払費及び債務償還費を除いた支出との収支のことです。プライマリー・バランスが均衡していれば、その年の国民生活に必要な財政支出と、その年の国民の税負担等がちょうど均衡していることになります。現在、日本のプライマリー・バランスは大幅な赤字を継続しています。

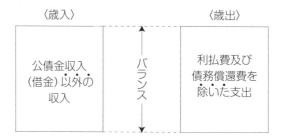

7 地方財政

　地方公共団体の予算の仕組みと歳入は以下のとおりです。

| 仕組み | 国と同様、一般会計予算と特別会計予算に区分。 |
| 歳入 | 地方税、地方譲与税、地方特例交付金等、地方交付税、国庫支出金、地方債など。 |

13章

証券市場の基礎知識

この科目の「1節　金融システムと証券市場」と「2節　証券市場」は、内容が他の科目と重複しているため、改めて学ぶ事項は少ないですが、取りこぼしのないようにしましょう。3つの自主規制機関や証券取引等監視委員会そして証券金融会社の内容がよく問われます。また、2022年からサステナブルファイナンスが追加されました。

推定配点&出題形式

○×問題：1問　（2点）	
5肢選択問題：1問（10点）	
計**12**点／440点満点中	

※配点・出題形式についてはフィナンシャル バンク インスティチュートの推定です。

1節 金融システムと証券市場

重要度 ★★　　問題集 P306

1 金融市場

　家計、企業、政府・公共といった**経済主体**は、経済活動を営むにあたって資金の調達・供給・運用を行っています。これにより、**資金供給者**（貸し手）と**資金需要者**（借り手）との間で資金が取引されます。この資金取引の行われる場が**金融市場**です。

　経済主体間の資金需要額と供給額は、**全体としてみれば一致します**が、**部門別**では過不足が生じるため必ずしも一致しません。

2 直接金融と間接金融

　金融は、銀行などの金融機関を通じるもの（間接金融）と証券市場を通じるもの（直接金融）とに分けられます。

間接金融	金融機関を通じて、資金の供給者である銀行等の金融機関が資金の需要者に貸付けという形で資金を提供する。
直接金融	証券市場を通じて、株式や公社債の発行によって資金の供給者から需要者に資金が提供される。

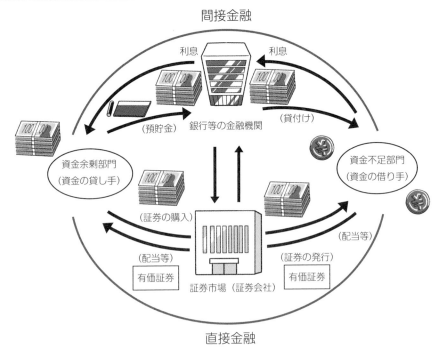

間接金融

利息　　　利息

（預貯金）　銀行等の金融機関　（貸付け）

資金余剰部門
（資金の貸し手）

資金不足部門
（資金の借り手）

（証券の購入）

（配当等）

（配当等）　　　（証券の発行）

有価証券　　証券市場（証券会社）　　有価証券

直接金融

間接金融では金融仲介機関が資金回収にかかわるリスクを負うのに対して、直接金融では資金の最終的貸し手（投資者）がリスクを負います。また、金融市場や証券市場は、資金の移転（仲介）機能だけでなく、流動性の提供や長短資金の転換などの機能を果たしています。

3　銀行と証券会社

　銀行と証券会社は、共に貸し手（資金供給者）と借り手（資金需要者）の間に立って、資金を移転（仲介）させる等の機能を果たします。

銀行	集めた資金を、自らの責任で管理・運用し、得た収益の一部を預金者（資金の供給者）に還元するため、個別の銀行の信用・経営の健全性が重視される。
証券会社	資金の供給者である投資家のために証券投資の情報提供及び勧誘行為等を行うが、証券取得の判断や責任は資金供給者（投資家）が行う。したがって、取引の自由と透明性確保のためのディスクロージャー（情報開示）制度や、公正な取引確保のための「市場のルール」が重視される。

4　市場型間接金融

　市場型間接金融とは、銀行などの金融機関が資金供給者から預かった資金を、直接企業に貸し付けるのではなく、企業が発行する**社債やCP**などの有価証券に投資することをいいます。

　日本では銀行に多くの資金が集中しているので、その資金に市場型間接金融を取り入れることで、適切なリスク・リターンの考えを金融仲介機能に持ち込むことが可能となります。

5　投資者保護と預金者保護　*重要

　投資者保護と預金者保護の考え方は、その性格や内容の質が異なっています。
　預金者保護は、銀行の経営破綻から生じる預金の**元利返済不能リスク**を回避して、投資元本の保全を図るものです。
　一方、金融商品取引法上の投資者保護は、投資対象となる有価証券の価格を保証したり、株式の配当を約束するなど、投資の勧誘にあたって、損益をあらかじめ約束したり保証したりするものではありません。ルールを整備して証券投資に関する**情報**を正確・迅速に投資者が入手できるようにすること（ディスクロージャー）、また、不公正取引から投資者を回避させることを基本としています。

重要度 ★★★

問題集 P306

2節 証券市場

1 発行市場と流通市場

証券市場は、機能面から**発行市場**と**流通市場**に分類されます。

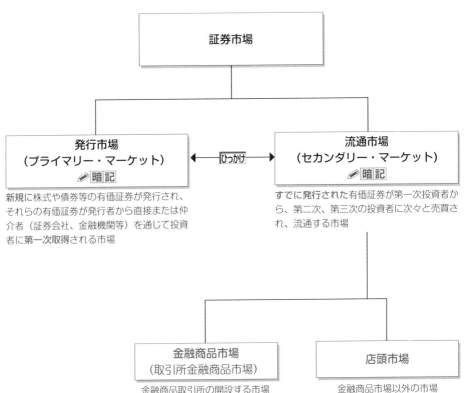

流通市場で形成された証券の価格は、その証券に対する投資者の需給動向を端的に示すため、新規証券を発行する場合もこれが基準となります。発行市場にとっては、公正で継続的な価格形成と換金の可能性が高い（流動性が高い）流通市場が不可欠であり、両市場は有機的に結びついているのです。流通市場は、高度に発達した取引技法による取引所金融商品市場による売買がありますが、発行市場は発行者・投資者・仲介者3当事者の相対で、流通市場のような具体的な市場を持たない、抽象的な市場です。

2　金融商品取引業者

　いわゆる**証券会社**とは第一種金融商品取引業を行う株式会社であり、金融商品取引業者です。第一種金融商品取引業を行うためには、内閣総理大臣の**登録**を受けた会社でなければなりません。

　なお、金融商品取引業者が店頭デリバティブ業務を行うには、内閣総理大臣の**登録**が必要ですが、PTS業務を行うには**認可**が必要です。

3　自主規制機関　✎暗記

　金融商品取引業に関係した自主規制機関には、**各金融商品取引所**、**日本証券業協会**、**投資信託協会**などがあり、いずれも金融商品取引法により自主規制機関としての資格を付与されています。

　監督官庁の公的規制と並び、金融商品取引業規制の柱となっています。

4　その他の証券関係機関（主なもの）

・**証券取引等監視委員会**　✎暗記
　インサイダー取引や証券会社の損失保証・損失補塡、相場操縦、有価証券報告書の虚偽記載等の、市場や取引の公正を損なう行為についての**強制調査権**を付与された機関。証券会社・金融機関等の定期検査、捜査当局への告発、金融庁長官への行政処分勧告などを行う。証券業界の監督官庁であり、自主規制機関ではない。

・**証券保管振替機構**　▼注意
　国債以外の有価証券の決済及び管理業務を集中的に行う日本で唯一の証券決済機関。「社債、株式等の振替に関する法律」に基づき、株式、社債、投資信託といった有価証券の振替制度を運営している。

・**投資者保護基金**　（参照▶6章4節）

・**日本証券金融**
　金融商品取引法に基づき、内閣総理大臣の**免許**を受けた証券金融専門の株式会社（参照▶15章1節）。

> 金融商品取引業の規制方式には、監督官庁である**金融庁**による規制（証券取引等監視委員会による）のほか、**自主規制機関**を通じて行われる規制があります。

サステナブルファイナンス

サステナブルファイナンスは、特定の金融商品や運用スタイルを指す言葉ではなく、持続可能な社会を支える金融の制度や仕組み、行動規範、評価手法等の全体像を指します。

1 持続可能な社会を金融面から支えるサステナブルファイナンス

国連主導で発足したPRI（責任投資原則：Principle for Responsible Investment）は機関投資家にESG投資、つまり環境（Environmental）、社会（Social）、ガバナンス（Governance）の3つの要素（ESG要素）を投資決定に組み込むことを求めています。PRIの求めるESG投資とは、道徳や倫理的な価値を投資判断に反映させるものではなく、ESG要素はそもそも投資リターンに重大な影響を与え得るものであって、機関投資家が顧客の利益を最大化するうえで無視できないものであるという考え方に基づきます。

ESG投資の中で特に注目されているのが気候変動です。2015年にパリで開催された第21回国連気候変動枠組条約締約国会議では、途上国を含むすべての参加国に温室効果ガスの排出削減の努力を求め、世界の平均気温の上昇を産業革命以前に比べて2℃より十分低く保ち、1.5℃に抑える努力を追求することなどを取り決めたパリ協定が採択されました。

2 ESG要素を考慮した投資の7分類

上に述べたように、サステナブルファイナンスは特定の金融商品や運用スタイルを指す言葉ではありませんが、国際団体であるGlobal Sustainable Investment Allianceは、資産運用においてESG要素を考慮する手法として以下の7つを挙げています。これらの手法は、運用戦略に応じて単独で用いられることもあれば、複数の手法を組み合わせて用いられることもあります。

投資手法	概要
ESGインテグレーション	運用機関が、ESG（環境、社会、ガバナンス）の要因を、財務分析に体系的かつ明示的に組み込むこと。
コーポレートエンゲージメントと議決権行使	企業行動に影響を与えるために株主の権利を用いること。これには直接的なコーポレートエンゲージメント（経営陣や取締役会とのコミュニケーション）、単独あるいは共同の株主議案提出、包括的なESGガイドラインに沿った委任状による議決権行使などがある。

国際規範に基づく スクリーニング	国連、ILO、OECD、NGO（トランスペアレンシー・インターナショナルなど）が公表する国際的規範に基づき、企業の事業や発行体の活動を最低限の基準と照らし合わせてスクリーニングすること。
ネガティブ／除外 スクリーニング	**投資対象外と考える活動**に基づき、特定のセクター、企業、国、その他の発行体を、ファンドやポートフォリオから**除外**すること（規範や価値観に基づく）。除外基準には、例えば、製品カテゴリー（武器、タバコ）、企業活動（動物実験、人権侵害、汚職）、問題のある事業行為などが該当する。
ポジティブ／ ベストクラス・ スクリーニング	同業他社比でESGパフォーマンスに優れており、定められた閾値以上の評価を達成したセクター、企業やプロジェクトへの投資。
サステナビリティ・ テーマ型投資	環境・社会での**持続可能な解決策**に、具体的に貢献するテーマや資産への投資（持続可能な農業、グリーンビルディング、低炭素ポートフォリオ、ジェンダー平等、ダイバーシティ）。
インパクト／ コミュニティ投資	**インパクト投資**：社会、環境に**ポジティブな影響**を与えるための投資。そのインパクトを測定して報告し、投資家と投資対象資産／企業がその意図を明示して、また投資家が貢献結果を示すことが必要。 **コミュニティ投資**：十分なサービスを受けていない個人やコミュニティに資金を提供する、あるいは社会・環境について明確な目的を持った事業に資金を提供する投資。

3　ESG関連金融商品

(1)　ESG要素を考慮した投資信託

　ESG要素を考慮した**投資信託**や、環境・社会課題の解決に資するプロジェクトに資金が使われる債券といった、サステナブルファイナンスの推進につながる金融商品が増えています。

(2)　SDGs債

　債券においても、以下のような**SDGs債**の発行が増えています。

グリーンボンド	環境にポジティブなインパクトを与えるプロジェクトに資金使途を限定して発行する債券。
ソーシャルボンド	社会にポジティブなインパクトを与えるプロジェクトに資金使途を限定して発行する債券。
サステナビリティ ボンド	環境にも社会にもポジティブなインパクトを与えるプロジェクトに資金使途を限定して発行する債券。

サステナビリティ・リンク・ボンド	発行体が自らのサステナビリティ戦略に基づくKPI（Key Performance Indicator＝重要業績評価指標）を投資家に対し明示し、KPI毎に１つもしくはそれ以上のSPT(s)（Sustainability Performance Target(s)）を設定した上で、SPTの達成状況に応じて利払いや償還等の条件を変える債券。
トランジション（移行）ボンド	トランジションボンドは、脱炭素化に時間を要する、温室効果ガスを大量に排出する産業（鉄鋼、化学、電力、ガス、石油、セメント、製紙・パルプ等）の利用を想定したもの。パリ協定に整合的な中・長期目標を策定し、その目標を達成するための計画やガバナンス体制を構築すること等を開示し、トランジションボンド発行による資金調達が自社の脱炭素化に必要であると投資家に示すことが必要。

4　サステナブルファイナンスの課題

(1)　サステナビリティ情報の取得（投資家）と開示（発行体）

　サステナブルファイナンスの重要性が高まる一方で、その拡大に伴う課題もあります。投資家側の課題としては、投資先企業のサステナビリティ情報が十分に開示されていないことが挙げられます。

　一方、企業側の課題としては、サステナビリティ関連の情報開示にルールがないため、どのような情報をどのような媒体で開示すればよいのかが明らかでないということが挙げられます。

(2)　ESG評価・データ提供機関の課題

　機関投資家がESG投資を行う際、投資先企業のESGの取り組みを評価するために、ESG評価機関の評価・格付けを用いることがあります。各評価機関がそれぞれの評価手法に基づき、企業の公開情報や個別の質問票への回答などを活用してESG情報を収集・分析し、ESG評価を行います。ESG評価・データ機関の課題としては、①評価の透明性と公平性、②ガバナンスと中立性、③適した人材の登用等が指摘されています。

(3)　ESG関連金融商品のウォッシュ問題

　ウォッシュ問題とは、都合の悪いことを隠すという意味の「ホワイトウォッシュ」から派生した言葉であり、環境や社会に貢献していると謳っているにもかかわらず、実態が伴っていない状態を指します。金融商品取引業者としては、ESG関連金融商品の販売にあたっては、グリーンウォッシュやSDGsウォッシュなどに代表されるウォッシュ問題に注意する必要があります。

14章

章

セールス業務

　ここでは①常識的に答えられるコンプライアンスの問題、②「倫理コード」、③「顧客本位の業務運営に関する原則」を中心に出題されます。とくに「倫理コード」と「顧客本位の業務運営に関する原則」については細かいところまで問われるので、よく読み込んでおきましょう。練習問題を解いて出題のされ方を確認しておくことも必要です。

推定配点&出題形式

○×問題：5問（10点）

5肢選択問題：0問　（0点）

計**10**点／440点満点中

※配点・出題形式についてはフィナンシャル バンク インスティチュートの推定です。

1節 セールス業務の内容

重要度 ★★★　問題集 P316

1 法律・ルールの遵守（コンプライアンス）

コンプライアンスとは、法令遵守、すなわち法律・ルールを守ることを意味します。

外務員は、営業活動を行うにあたっては、関係する法令・規則等を守り、次のような基本的な倫理規範に沿って行動する必要があります。

⑴ 投資家の期待と信頼に応えられるよう最善を尽くすこと

投資家は、金融商品取引業者等を投資についての専門家として信頼し、取引が誠実かつ公正に行われることを期待しています。したがって、外務員はこれら顧客の期待と信頼に応えられるよう高い倫理観に基づいて最善を尽くさなければなりません。

⑵ 投資の最終決定者は投資家自身であること

投資を行う場合、その投資を行うかどうかの最終決定をするのは、投資家自身の判断となります。これを、自己責任の原則といいます。外務員はあくまでも、顧客が投資判断できるよう、最新で適切な情報を提供することが大切です。

⑶ 正確かつ合理的根拠に基づく営業活動を行うこと

外務員は投資家にアドバイスを行う際は、合理的な根拠に基づき十分な説明を行う必要があります。また、その場合に顧客に提供する資料は、誤解を招かないように、正確であることが大切です。

⑷ 投資方針、投資目的などに配慮した投資アドバイスを行うこと

投資方針や投資目的、投資経験や資産など顧客属性の把握に努め、その意向に沿った投資アドバイスを行う必要があります。さらに、投資家の意向に沿うだけでなく、投資方針や投資目的、資産や収入などに照らして明らかに不適切な投資を投資家が行おうとした場合にも、外務員は投資家に対して再考を促すよう適切なアドバイスを与えることが求められています。

> 証券取引における法律・ルールは、主に金商法、協会定款・諸規則や金融サービス提供法などに定められています。「セールス業務」では、それらの知識を用いて解答できる常識的な問題も出題されます。

倫理コードは、日本証券業協会が証券界の共通認識として制定したものです。

モデル倫理コード

日本証券業協会

　我々は、国民経済における資金の運用・調達の場である資本市場の担い手として、資本市場における仲介機能という重責を負託されていることを十分に認識し、金融庁より公表されている「**金融サービス業におけるプリンシプル**」の内容に基づいて、協会員の役職員一人ひとりが、職業人として国民から信頼される健全な**社会常識**と**倫理感覚**を常に保持し、求められる専門性に対応できるよう、不断の研鑽に努める。

　また、良き市民として互いを尊重し、国籍や人種、性別、年齢、信条、宗教、社会的身分、身体障害の有無等を理由とした差別的発言や種々のハラスメントを排除し、防止する。

　このため、協会員の役職員が業務を遂行する上での基本的な心構えとして、以下に「倫理コード」を定め、その遵守を宣言する。

①社会規範及び法令等の遵守

　投資者の保護や取引の公正性を確保するための法令や規則等、金融商品取引に関連するあらゆるルールを正しく理解し、これらを厳格に遵守するとともに、一般的な社会規範に則り、法令や規則等が予見していない部分を補う社会常識と倫理感覚を保持し、実行する。

②利益相反の適切な管理

　業務に関し生ずる利益相反を適切に管理しなければならない。また、地位や権限、業務を通じて知り得た情報等を用いて、不正な**利益**を得ることはしない。

③守秘義務の遵守と情報の管理

　法定開示情報など、情報開示に関する規定によって開示が認められる情報を除き、業務上知り得た情報の管理に細心の注意を払い、機密として保護する。

④社会秩序の維持と社会的貢献の実践

　良き企業市民として、社会の活動へ積極的に参加し、社会秩序の安定と維持に貢献する。反社会的な活動を行う勢力や団体等に毅然たる態度で対応し、これらとの取引を一切行わない。

⑤顧客利益を重視した行動

　投資に関する顧客の知識、経験、財産、目的などを十分に把握し、これらに照らした上で、常に顧客にとって最善となる利益を考慮して行動する。

⑥顧客の立場に立った誠実かつ公正な業務の執行

　仲介者として、常に顧客のニーズや利益を重視し、顧客の立場に立って、誠実かつ公正に業務を遂行する。

　会社での権限や立場、利用可能な比較優位情報を利用することにより、特定の顧客を有利に扱うことはしない。また、適切な投資勧誘と顧客の自己判断に基づく取引に徹することにより、自己責任原則の確立に努める。

　さらに、顧客との間で締結された契約に基づく受託者責任が生じる場合には、顧客の利益に対して常に誠実に行動する。

⑦顧客に対する助言行為

　顧客に対して投資に関する助言行為を行う場合、中立的立場から、**事実と見解を明**確に区別した上で、**専門的**な能力を活かし助言をする。

　関連する法令や規則等のもとで、投資によってもたらされる価値に影響を与えることが予想される内部情報等の公開されていない情報を基に、顧客に対して助言行為を行うことはしない。

⑧資本市場における行為

　法令や規則等に定めのないものであっても、社会通念や市場仲介者として求められるものに照らして疑義を生じる可能性のある行為については、自社の倫理コードと照らし、その是非について判断する。

　関連する法令や規則等のもとで、投資によってもたらされる価値に重要な影響を与えることが予想される内部情報等の公開されていない情報を適切に管理する。

⑨社会的使命の自覚と資本市場の健全性及び信頼性の維持、向上

　　資本市場に関する公正性及び健全性について正しく理解し、資本市場の健全な発展を妨げる行為をしない。また、資本市場の健全性維持を通して、**果たすべき社会的使命を自覚**して行動する。

　　適正な情報開示を損なったり、**公正な価格形成を歪める**ことにつながる行為に関与する等、協会員に対する信頼を失墜させ、あるいは資本市場の健全性を損ないかねない不適切な行為をしない。

日本証券業協会『2024年版 外務員必携 第1巻』433～435ページより（赤字は編者）

倫理コードについては、様々な出題がされるので、本文をしっかり読み込んでおきましょう。

　対象となる行為等が、法令や自主規制規則では是非が判断できない行為であっても、倫理規範から判断することは可能です。このように倫理コードには法令や自主規制規則を補完する機能が期待されています。

3 顧客本位の業務運営に関する原則

　2017年3月、金融事業者が顧客本位の業務運営におけるベスト・プラクティスを目指す上で有用と考えられる原則を定めた、顧客本位の業務運営に関する原則が金融庁から公表されました。この原則は、各金融事業者の状況に応じて、形式ではなく実質において顧客本位の業務運営が実現できるよう、「**プリンシプルベース・アプローチ**」を採用しています。

　「顧客本位の業務運営に関する原則」には次の事項が記載されています。

【顧客本位の業務運営に関する方針の策定・公表等】
原則1．金融事業者は、**顧客本位の業務運営を実現するための明確な方針を策定・公表**するとともに、当該方針に係る取組状況を定期的に公表すべきである。当該方針は、より良い業務運営を実現するため、定期的に見直されるべきである。

【顧客の最善の利益の追求】
原則2．金融事業者は、**高度の専門性**と**職業倫理**を保持し、顧客に対して誠実・公正に業務を行い、顧客の最善の利益を図るべきである。金融事業者は、こうした業務運営が

企業文化として定着するよう努めるべきである。

【利益相反の適切な管理】

原則３．金融事業者は、取引における顧客との**利益相反の可能性**について正確に把握し、利益相反の可能性がある場合には、当該利益相反を適切に管理すべきである。金融事業者は、そのための具体的な対応方針をあらかじめ策定すべきである。

【手数料等の明確化】

原則４．金融事業者は、名目を問わず、顧客が負担する**手数料**その他の費用の詳細を、当該手数料等がどのようなサービスの対価に関するものかを含め、顧客が理解できるよう情報提供すべきである。

【重要な情報の分かりやすい提供】

原則５．金融事業者は、顧客との情報の非対称性があることを踏まえ、上記原則４に示された事項のほか、金融商品・サービスの販売・推奨等に係る**重要な情報を顧客が理解できるよう**分かりやすく提供すべきである。

【顧客にふさわしいサービスの提供】

原則６．金融事業者は、顧客の資産状況、取引経験、知識及び取引目的・ニーズを把握し、当該**顧客にふさわしい金融商品・サービス**の組成、販売・推奨等を行うべきである。

【従業員に対する適切な動機づけの枠組み等】

原則７．金融事業者は、顧客の最善の利益を追求するための行動、顧客の公正な取扱い、利益相反の適切な管理等を促進するように設計された報酬・業績評価体系、従業員研修その他の適切な動機づけの枠組みや適切なガバナンス体制を整備すべきである。

15章

信用取引

まずは信用取引の特徴と内容、制度信用取引と一般信用取引の違いを理解しましょう。信用取引の金利、信用取引貸株料、品貸料についてはそれぞれが意味するものと、誰から誰に払うのかを中心に出題されます。貸借取引と証券金融会社の役割についても重要ポイントです。

信用取引の決済方法については、反対売買（差金決済）と受渡決済（現引き・現渡し）の違いを理解したうえで、それぞれの算式をインプットします。

信用取引の委託保証金については、制度としていつまでにどれだけ必要かということや代用有価証券について出題されます。

委託保証金、追加保証金については計算問題が頻出です。考え方をしっかりと理解したうえで、テキストの４つの設例については確実に得点できるよう計算練習をしておきましょう。

また、2022年７月１日から外国株式信用取引が導入されました。国内株式の信用取引との違いを押さえておきましょう。

※一種本試験において、信用取引は株式業務の一部として出題されます。

推定配点&出題形式

○×問題：１問　（２点）

５肢選択問題：２問（20点）

計**22**点／440点満点中

※配点・出題形式についてはフィナンシャル バンク インスティチュートの推定です。

1 信用取引とは

　信用取引とは、金融商品取引業者が顧客に信用を供与して行う有価証券の売買その他の取引をいいます。

　信用の供与とは、顧客に対する金銭または有価証券の貸付けまたは立替えをいいます。下図において具体的に見てみましょう。

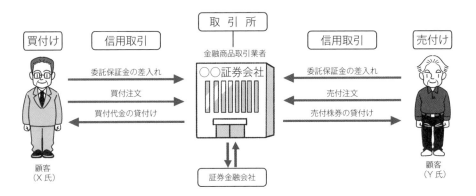

　値上がりを予想するX氏は、これから値上がりが期待できるA社株（時価100万円）を買いたいが、手持ち資金が50万円しかないとします。現物取引では購入資金が足りないのでA社株を買うことができませんが、信用取引を利用すれば手持ち資金や株券などを担保に、金融商品取引業者から株の購入代金100万円を借りてA社株を買うことができるのです。

　一方、値下がりを予想するY氏はB社株が今後値下がりしそうなので今のうちに売りたいが、B社株を保有していないために売ることができないとします。現物取引では保有していない株券を売ることはできませんが、信用取引を利用すれば手持ち資金や株券などを担保に、金融商品取引業者から売るための株券を借りてその株を売ることができるのです。

　金融商品取引業者から「資金や株券」を借りて、株の売買を行うことを信用取引といい、信用取引で買付け・売付けした株式で未決済のものを建株といいます。これに対して、通常の取引を、信用取引と区別するために現物取引といいます。なお、金融商品取引業者から資金を借りた人（X氏）は金利を支払い、株券を借りた人（Y氏）はその株券を借りるための費用（信用取引貸株料）を支払うことになります。

信用取引は、顧客が一定の保証金（委託保証金）を担保として差し入れ、株券の**普通取引**（売買成立の日から起算して**3営業日目の日**に買付代金または売付株券を交付し、買付株券または売却代金を受け取る等の決済を行う）の決済のために必要な資金または株券等を、金融商品取引業者からの貸付けを受けて行う取引です。

2 貸借取引とは

信用取引は、金融商品取引業者が顧客に信用を供与（資金か株券を貸す）して行う売買取引です。金融商品取引業者は顧客に信用を供与する際、必要な資金や有価証券は原則として自社で保有している自己資金や手持株券で賄います。しかし、個々の金融商品取引業者にとっては資金力に限度があり、資金力以上の供与については他から調達しなければなりません。

この資金や株券を円滑に供給するために設けられた機関が**証券金融会社**です。金融商品取引業者と証券金融会社との取引を**貸借取引**といいます。 ◉ **理解**

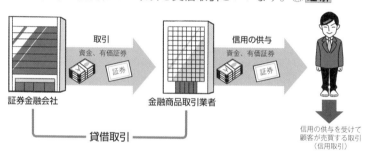

実際の取引においては、取引所で清算・受渡しが行われ、同一の金融商品取引業者の同一銘柄に対する信用取引売買分のうち相殺できるものについては、資金や株券を立て替えなくてもよいことになっています。

したがって、金融商品取引業者が実質的に用意しなければならない資金や有価証券は、同一銘柄においては「売り株数」と「買い株数」を相殺した差額分ということになります。

取引所は、上場株券の中より制度信用取引（詳細は次ページ）が利用できるとした**制度信用銘柄**（融資のみ受けられる）を選定します。取引所は、制度信用銘柄の中からさらに一定の基準を満たした銘柄を**貸借銘柄**として選定しています。

貸借銘柄は、貸借取引により、証券金融会社から金銭及び有価証券を貸し付けてもらうことのできる銘柄で、**取引所**が制度信用銘柄の中より選定します。

なお、貸借銘柄に選定されていない銘柄でも、制度信用銘柄については証券金融会社からの融資が受けられます（この場合、貸株は受けられません）。

3 証券金融会社とは 参照▶6章4節

証券金融会社は、**内閣総理大臣の免許**を受けて、**金融商品取引業者**に対し、信用取引の決済に必要な金銭や有価証券を、取引所の決済機構を利用して貸し付けることを業務とする、金融商品取引法上の特殊金融機関です。現在は証券金融会社として**日本証券金融株式会社**（日証金）があります。

この証券金融会社の制度信用取引関係の貸付けを利用できるのは、取引所の取引参加者と金融商品取引業者に限られます。金融商品取引業者は、証券金融会社と取引する場合は、あらかじめ約諾書を差し入れなければなりません。

金融商品取引業者が貸付けを受けるには、**貸付けを受ける日の3営業日前の日**の定められた時限までに、証券金融会社にオンラインで申込みをします。

また、**貸借値段**は貸付申込日の**最終値段**を基準として定められています。

4 信用取引の種類

信用取引には**制度信用取引**と**一般信用取引**があります。　　　　　　※**重要**

制度信用取引	取引所に上場している株券等を対象とし、銘柄、品貸料、返済期限、権利処理の方法が取引所規則により一律に決められている取引のこと。金利については、特に定めはないので顧客と金融商品取引業者との間で自由に決定できる。制度信用取引は**貸借取引**を利用できる。
一般信用取引	取引所に上場している株券等を対象とし、金利、品貸料及び返済期限等は金融商品取引業者と顧客との間で自由に決めることができる取引。一般信用取引は**貸借取引**を利用できない。

なお、2019年よりPTSによる信用取引が導入されました。PTS信用取引にはPTS制度信用取引とPTS一般信用取引があります。また、PTS貸借取引もあります。

■信用取引の種類のイメージ図

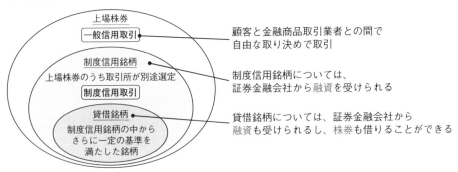

上場株券
一般信用取引 ● ── 顧客と金融商品取引業者との間で自由な取り決めで取引

制度信用銘柄
上場株券のうち取引所が別途選定
制度信用取引 ── 制度信用銘柄については、証券金融会社から融資を受けられる

貸借銘柄
制度信用銘柄の中からさらに一定の基準を満たした銘柄 ── 貸借銘柄については、証券金融会社から融資も受けられるし、株券も借りることができる

2節 上場銘柄の信用取引制度

重要度 ★★★ 問題集 P326

1 信用取引の業務

(1) 信用取引の説明書の交付

金融商品取引業者は、信用取引契約を締結しようとする際は、あらかじめ、顧客に対し、信用取引の契約締結前交付書面を交付しなければなりません。

(2) 信用取引開始基準の設定

各金融商品取引業者は、信用取引を利用する顧客について、預り資産の規模、投資経験その他必要と認める事項による信用取引開始基準を定めることを証券業協会から義務づけられています。

なお、金融商品取引業者の役員または従業員自身が信用取引を行うことは禁止されています。

(3) 信用取引の口座設定約諾書及び同意書

信用取引を行うには、以下の事項を守る必要があります。

- 顧客は、金融商品取引業者に信用取引口座を設定する必要がある。
- 顧客は、信用取引口座の設定申込みを口頭で行うことができるが、金融商品取引業者がそれを承諾した場合は、顧客本人が取引所が定める様式の**信用取引口座設定約諾書**に所定事項を記載し、署名または記名押印して差し入れなければならない。
- 営業員は、信用取引口座設定約諾書の差入れを受けた場合、顧客にその**約諾書の写しを交付**しなければならない。
- 金融商品取引業者は、信用取引による売買が成立したときは、顧客から一定の委託保証金を受け入れなければならないが、この委託保証金は有価証券で代用できる。
- 金融商品取引業者が受け入れた代用有価証券を**再担保**にしたり、**他人に貸し付ける**ときは、顧客から**書面による同意書**を受けなければならない。

⑷ 信用取引口座設定約諾書の内容

　信用取引口座設定約諾書は、法令等、信用取引の条件に関連する条項に従うことを承諾するものです。信用取引の際、顧客がその債務を定められたときまでに履行しない場合は、通告や催告はせず、かつ法律上の手続きをとらなくても、**委託保証金等の処分**ができます。例えば、委託保証金が規定額を下回り、追加の保証金が必要であるにもかかわらず、新たな保証金の預託がないときなどがこれにあたります。

⑸ 信用取引の注文の指示

　金融商品取引業者で信用取引口座を設定すれば、顧客はいつでも取引を行えますが、信用取引を行うときは、**売買注文の委託の都度、信用取引であることを金融商品取引業者に指示**しなければなりません。この指示のない注文は、信用取引にはならないので注意が必要です。

　また、金融商品取引業者が顧客から信用取引の注文を受ける際は、その都度、**制度信用取引**（PTS制度信用取引を含む）なのか、**一般信用取引**（PTS一般信用取引を含む）なのかの別等についてその顧客の意向を確認しなければなりません。

　注文と同時に信用取引であることを明示しなかった取引は**現物取引**とみなされ、反対売買による差金決済を行うことができません。

⑹ 弁済期限（返済期日）

　信用取引の弁済期限とは、信用取引で借りた資金や株券を返済する**期日**のことです。制度信用取引の弁済期限は最長**6か月**ですが、一般信用取引の弁済期限は金融商品取引業者と顧客との間で決定されます。

⑺ 信用取引のできる銘柄

　取引所では、**新株予約権証券**など及び**上場廃止の基準に該当した銘柄**、その他不適当な銘柄について信用取引を禁止しているため、実際に信用取引のできる銘柄は**上場株券**に限られます。制度信用取引の場合には上場株券であっても、**取引所が別途選定した制度信用取引銘柄**に限られます。

> ※一般信用取引は上場株券であれば信用取引ができます。
> ※立会外分売 用語 で行う売買取引では信用取引そのものが利用できません。
> ※外国株式も、国内取引所に上場していれば信用取引ができます。他に、上場投資信託（ETF）や不動産投資信託（J-REIT）も信用取引ができます。

(8) 信用取引の売買単位

信用取引の売買単位は、上場会社が定めた1単元（単元株制度をとっていない会社は1株単位）の株式の数となっています。

2 信用取引の貸付けと金利など

(1) 信用の供与

顧客の申込みに対し、金融商品取引業者から実際の信用供与が行われるのは、**売買成立の日から3営業日目の決済日（受渡日）**になります。売買の決済期日に、買付代金や売付株券の貸付けが行われることになります。▼注意

注意すべきことは、金融商品取引業者が顧客に貸し付けるのは、その**約定代金の金額（全額）**またはその**売付株券**ということです。顧客の差し入れた保証金と約定代金との差額ではありません。▼注意

また、買付代金や株券の貸付けは、直接、顧客に現物を手渡すのではなくて、売買の受渡日に金融商品取引業者が顧客に代わって代金や株券を立て替えて、取引所を通じて受渡しを行います。

受渡決済によって、買いの場合には買い付けた株券、売りの場合には売却代金を受け取ることになりますが、この場合も、直接顧客には交付されず、金融商品取引業者が貸付代金または貸付株券の担保として保有することになります。したがって、顧客と金融商品取引業者との貸借関係は、顧客に差し入れさせた保証金と買付株券（買方）または売却代金（売方）の両方により担保されることになります。

用語 -

立会外分売：大量の売付注文などで株価の変動が大きくなると予想されるとき、取扱金融商品取引業者が取引所の承認を得て、立会時間外に行う取引のこと。その株券を大量に保有する株主が保有株式を売却し、1回の売買で株主を数多く作れるので、株主作りなどに利用される。

(2) 信用取引の金利、信用取引貸株料と品貸料

　顧客は、信用取引を行う場合は、取引に応じて**金利・信用取引貸株料**及び**品貸料**
を授受することになります。

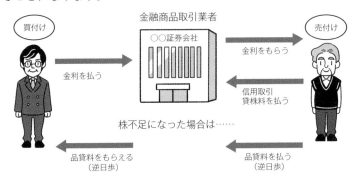

金利 ▼注意	買建株をした（買付代金を借りた）顧客は買付代金に対する金利を金融商品取引業者に**支払い**、売建株をした（株券を借りた）顧客は売却代金に対する金利を金融商品取引業者から**受け取る**。 制度信用取引、一般信用取引ともに、金利は金融商品取引業者と顧客との間で自由に決められる。
信用取引貸株料	信用取引貸株料は、買方と売方が負担すべき費用の公平性を図ることを目的として導入された。売方が株券の借入れに伴う費用として金融商品取引業者に支払うものであり、品貸料とは違って買方には**支払われない**。
品貸料 ◉理解	金融商品取引業者と証券金融会社の貸借取引の中で、融資株数（買建株）よりも貸株株数（売建株）が多くなった銘柄を**貸株超過銘柄**という。 証券金融会社は、その銘柄の不足した株数を、金融商品取引業者から融資の追加申込みや貸株返済などで解消に努めるが、それでも不足の状態が解消しない場合には、品貸料を支払って株券を貸してくれる者から借りてきて貸し付けることになる。この品貸料を一般に「**逆日歩**」という。 品貸料は1株につき何銭という計算で行われ、**売方**（売建株）から徴収し調達先に支払うが、結果として調達先の1つである**買方**（買建株）にも支払われる。なお、一般信用取引については、品貸料は金融商品取引業者と顧客との間で自由に決められる。

また、金利・信用取引貸株料及び品貸料の計算期間は次のとおりです。

金利・信用取引貸株料の場合	新規売買成立の日より3営業日目の受渡日から、弁済売買成立日より3営業日目の受渡日まで、両端入れで計算される。 新規売買　　　　　　　　　　弁済売買 成立日　　　　受渡日　　　　成立日　　　　受渡日 4/1　　4/2　　4/3　　　　6/1　　6/2　　6/3 ○　　　○　　　●　　　　○　　　○　　　● 　　　　　　　　　　　　　　　　　両端入れ
品貸料の場合	新規売買成立の日より3営業日目の受渡日から、弁済売買成立日より3営業日目の受渡日の前日までの間の品貸料を累積したものが計算される。 新規売買　　　　　　　　　　弁済売買 成立日　　　　受渡日　　　　成立日　　　　受渡日 4/1　　4/2　　4/3　　　　6/1　　6/2　　6/3 ○　　　○　　　●　　　　○　　　●　　　○

3　信用取引の期限と決済

⑴　信用取引の建株の繰延べ

　信用取引の買付代金や売付株券の貸付けの弁済期限は、貸付けの日（約定日から3営業日目の受渡日）の翌日であり、その2営業日前の日（約定日の翌日）までに、顧客から金融商品取引業者に対し弁済の申し出がない場合は日々これを繰り延べます。ただし、制度信用取引では、売買成立の日の6か月目の応当日（投資をしてからちょうど6か月目にあたる日）から起算して、3営業日目の日を越えて繰り延べることはできません。また、応当日が休日のときは順次繰り上げ、応当日がないときはその月の末日とされます。

　なお、一般信用取引では、最長6か月目とはされず、顧客と金融商品取引業者との間で自由に決定できます。

⑵　信用取引の弁済（決済）方法

　顧客が信用取引の買建株や売建株を弁済するには、**反対売買**（差金決済）と**受渡決済**（**現引き**または**現渡し**）による方法があります。弁済が行われた場合には、下記のような計算方法により精算金額が計算され、弁済の申し出の日から3営業日目に受渡決済されます。 ✺重要

反対売買	買建株については**転売**して現金を返済することにより、また売建株は**買戻し**することにより株券を返済し、それぞれ差金の受払い（**差金決済**）を行う。
	①買建株を転売した場合の差引受払金額 　＝差損益－委託手数料（消費税相当額含む）－金利＋品貸料 **②売建株を買戻しした場合の差引受払金額** 　＝差損益－委託手数料（消費税相当額含む）＋金利－信用取引貸株料 　　－品貸料
受渡決済	買建株に対しては**現引き**（購入代金を差し入れて株券を引き取る）、売建株に対しては**現渡し**（手持ちの株券を渡して売却代金を受取る）する方法。
	③買建株を現引きで弁済した場合の差引支払金額 　＝買付金額＋委託手数料（消費税相当額含む）＋金利－品貸料 **④売建株を現渡しで弁済した場合の差引受取金額** 　＝売付金額－委託手数料（消費税相当額含む）＋金利－信用取引貸株料 　　－品貸料

〈信用取引の弁済の具体例〉

①顧客が100万円で買い建てた株券を120万円で転売した場合、120万円－100万円＝20万円の差益が発生する。この差益20万円から委託手数料と、借りた買付代金100万円につく金利を差し引き、売方から受け取る品貸料を加えた金額で決済する。

②顧客が120万円で売り建てた株券を100万円で買い戻した場合、120万円－100万円＝20万円の差益が発生する。この差益20万円から委託手数料、株券を借りたコスト（信用取引貸株料、品貸料）を差し引き、株を売った代金につく金利を加えた金額で決済する。

③顧客が100万円で買い建てた株券を現引で弁済した場合、借りた買付代金100万円とその金利の合計額に委託手数料を加え、売方から受け取った品貸料を差し引いた金額が支払金額になる。

④顧客が120万円で売り建てた株券を現渡しで弁済するということは、信用取引の売りのために金融商品取引業者Aから借りた株券を、どこか他から入手してきて金融商品取引業者Aにその現物株を渡すということ。信用取引の売り建てによる売却代金120万円は金融商品取引業者Aが保有していたため返してもらう。その際、その120万円に対する金利を受け取り、株を借りたコスト（信用取引貸株料と品貸料）及び委託手数料を差し引く。

4 信用取引の権利処理（配当落ちの場合）

信用取引では、金融商品取引業者と顧客、金融商品取引業者と日証金の貸借関係が継続している中で、配当落ちなどによって株価が下落することがありますが、これは特殊要因による値下がりですので、適正な処理を行って、売方と買方との間の損益の調整を図らねばなりません。

金融商品取引業者は、顧客の売建株（売方）や買建株（買方）が**未決済の状態**（新規建株をしたまま弁済していない状態）で**配当落ちとなった場合**は、発行会社が支払う配当金確定後、その税引配当金相当額を配当落調整額として、**売方から徴収して買方に支払います。** ◉ 理解

買方が配当落調整額を受け取る理由は、貸付株券（買建株した株券）は金融商品取引業者に担保として差し入れられていますが、その株券の配当金を購入者として取得する権利があるからです。その後の顧客の弁済にあたっては、売方は、配当金相当額の値下がりによる利益が考えられ、買方は、配当落ちによる差額だけ損失となることが考えられるので、結局損益は双方とも相殺されることになります。

この関係は、日証金と金融商品取引業者との間においても同様で、貸付金で買い付けた株券の権利は、融資を受けた金融商品取引業者に帰属し、貸株を受けた金融商品取引業者はその権利を日証金に提供する義務を負います。

5 信用取引の規制

　取引所は、信用取引制度の健全な運営を図るため、主に次のような管理運営を行っています。

> ●日々公表基準（ガイドライン）の設定及び運用
> ●規制銘柄の勧誘自粛

(1)　日々公表基準（ガイドライン）の設定及び運用

　信用取引の過度の利用を未然に防止するため、**日々公表基準**を設け、取引所がこの基準に該当すると判断した場合には、「日々公表銘柄」として**信用取引残高**とともに公表しています。

　なお、日々公表銘柄は信用取引の利用に関して、注意を促すためのもので、信用取引に関する規制銘柄ではありません。

(2)　規制銘柄の勧誘自粛　＊重要

　協会員は、以下の①②の措置がとられている銘柄については、信用取引の**勧誘を自粛**するものとされています（禁止ではありません）。

> ①金融商品取引所又は認可会員が信用取引の制限または**禁止措置**を行っている銘柄
> ②証券金融会社が貸株利用等の申込制限または**申込停止措置**を行っている銘柄

　また、協会員は、上記①②の銘柄、及び下記③④の措置がとられている銘柄については、顧客から信用取引を受託する場合において、その顧客に対し、これらの**措置が行われている旨**及びその**内容を説明する**ものとされています。

> ③金融商品取引所又は認可会員が信用取引に係る**委託保証金の率の引上げ措置**を行っている銘柄
> ④証券金融会社が貸株利用等に関する**注意喚起通知**を行った銘柄

※①②⇒勧誘を自粛、①②③④⇒措置が行われている旨及び内容を説明

6　信用取引の違約の場合の措置

　金融商品取引業者は、顧客が所定の時限までに①委託保証金を預託しない場合、②追加預託を行わない場合、③信用取引に関する貸借関係の返済を行わない場合には、信用取引に係る受渡しを行うために、任意に顧客の計算において反対売買を行うことができます。

7　信用取引の委託保証金

　顧客が信用取引を利用して、金融商品取引業者から購入資金や株券を借りる場合、一定額の担保を差し入れなければなりません。この担保を**委託保証金**といいます。

(1)　委託保証金の徴収

　金融商品取引業者が顧客から信用取引に係る保証金を徴収する際の率（委託保証金徴収率または委託保証金率）は、内閣総理大臣が取引の公正を確保することを考慮して定めます。具体的には信用取引に必要な委託保証金は**約定価額の30％**（レバレッジ指標等に連動することを目的とするETFなどを除く）と規定されています。

　金融商品取引業者は、信用取引による買付けまたは売付けが成立したときは、売買成立の日から起算して**3営業日目の日の正午**までの金融商品取引業者が指定する日時までに、約定価額の30％以上（レバレッジ指標等に連動することを目的とするETFなどを除く）の委託保証金を顧客から徴収しなければなりません。✳️**重要**

　なお、委託保証金として差し入れることができる金銭は、円貨または米ドルです。

　また、資金の少ない投資家の信用取引利用を抑制するため、委託保証金の最低限度額は**30万円**と定められています。したがって、約定価額の30％が30万円に満たない場合には、必要保証金額は30万円となります。⚠️**注意**

　例えば、80万円の買建株をするには、委託保証金徴収率が30％なので、80万円の30％である24万円が委託保証金額になるが、その際も最低限度額の30万円は差し入れが必要ということ。💫**理解**

(2) 保証金代用有価証券

委託保証金は現金が原則ですが、**有価証券でも全額代用**できます。主な保証金代用有価証券の種類は次のとおりです。✐**暗記**

①国内の取引所に上場されている株券（外国株券を含む）

②国債証券

③地方債証券

④特別の法律により法人の発行する債券

⑤国内の取引所に上場されている**社債券**（転換社債型新株予約権付社債券などを除く）または国内の取引所にその株券が上場されている会社が発行する社債券で、かつ、外国法人以外の会社の発行するもの

⑥国内の取引所に上場されている**転換社債型新株予約権付社債券**または国内の取引所にその株券が上場されている会社が発行する新株予約権付社債券で、かつ、外国法人以外の会社の発行するもの

⑦国内の取引所に上場されている**外国国債証券**

⑧国内の取引所に上場されている**外国地方債証券**

⑨国際復興開発銀行円貨債券

⑩アジア開発銀行円貨債券

⑪**投資信託受益証券及び投資証券**（国内の取引所に上場されているもの、及び投資信託協会が前日の時価を発表するものに限る）　など

> 新株予約権証券、抵当証券、国内CPは保証金代用有価証券とはなりません。▼**注意**

以上の株券や国債等の代用有価証券の評価額は、差し入れた前日の時価（市場相場のあるものは最終価格、市場相場のないものは最終の気配相場）にそれぞれの所定の**現金換算率**（**代用掛目**）を乗じて得た額を超えない額とします。現金換算率は代用有価証券の種類により異なります。

■主な保証金代用有価証券の現金換算率（代用掛目）

有価証券	現金換算率
国内の取引所に上場されている株券	100分の80
国債証券	100分の95
地方債証券	100分の85

例えば、国内の取引所に上場されている株券時価100万円を現金換算した代用価値は、100万円×80％＝80万円となります。

⑶　委託保証金の計算

①新規建株の場合（新しく信用取引で株式を買う場合）

A．約定建株から必要委託保証金の計算　田 計算

　　例えば、時価800円のA社株式3万株を新規に買建てする場合の約定代金は800円×3万株＝2,400万円になります。このとき必要な委託保証金は次のように計算します。
・約定金額　　×　　委託保証金徴収率　＝　必要委託保証金
（2,400万円）　　　　（30％）　　　　　　（720万円）
　　必要委託保証金は720万円。これをすべて有価証券（取引所上場株で代用掛目を80％）で代用すれば、必要な株券の時価金額は以下のとおり。
・必要委託保証金　÷　株券の代用掛目率　＝　必要株券の時価金額
　（720万円）　　　　　（80％）　　　　　　　（900万円）
　　したがって、この約定に必要な委託保証金は、現金で差し入れる場合は720万円、代用有価証券で差し入れる場合は時価900万円（株券の代用掛目80％で計算）となる。

B．手持株券からの建株可能金額の計算　田 計算

　　例えば、現金800万円と時価500万円の株券がある場合、
・代用有価証券（株券の代用掛目を80％）の現金換算額
　手持株券の時価×株券の代用掛目率＝代用有価証券現金換算額
　　（500万円）　　　　（80％）　　　　　　（400万円）
・委託保証金に充当できる金額
　　現　金　＋　代用有価証券現金換算額　＝　委託保証金
　（800万円）　　　　（400万円）　　　　　（1,200万円）
・委託保証金から建株可能金額の計算
　　委託保証金　÷　委託保証金徴収率　＝　建株可能金額
　（1,200万円）　　　（30％）　　　　　（4,000万円）
　　すなわち、建株可能金額は4,000万円となる。

②既存の建株がある場合（すでに信用取引を行っており、追加して信用取引を行う場合）

> ある顧客がA社株式を900円で20,000株、午前中に信用取引で買い付けた。その際、委託保証金を現金で280万円と時価700万円の株券を差し入れた。午後になって信用取引でB社株式500円を新たに買い付けたいが、何株まで買い建てることができるか。🔢**計算**
> （注：A社の株価は動きがなかったものとする）
> ・必要委託保証金 ＝ 約定金額 × 委託保証金徴収率 ＝ 540万円
> 　　　　　　　　　　（900円×20,000株）　　（30%）
> ・受入委託保証金 ＝ 現　金 ＋ 代用有価証券現金換算額 ＝ 840万円
> 　　　　　　　　　　（280万円）　（700万円×80%）
> ・余剰委託保証金 ＝ 受入委託保証金 － 必要委託保証金 ＝ 300万円
> 　　　　　　　　　　（840万円）　　　　（540万円）
> ・新規建株可能額 ＝ 余剰委託保証金 ÷ 委託保証金徴収率 ＝ 1,000万円
> 　　　　　　　　　　（300万円）　　　　（30%）
> したがって、500円のB社株式は1,000万円÷500円＝20,000株買い建てることが可能。

⑷　追加保証金　⚠️**注意**

　代用有価証券や信用取引の建株の値下がりにより、受入委託保証金の残額がその信用取引の建株の**約定金額の20%を下回る**こととなった場合には、その約定金額の**20%に達するまでの金額を追加保証金**（一般に「追 証」という）として、**損失計算が生じた日**から起算して**3営業日目**の日の正午までの金融商品取引業者が指定する日時までに、顧客から徴収しなければなりません。

　この場合の20%を委託保証金の**維持率（最低維持率）**といいます。✳️**重要**

　まず、追加保証金のイメージをつかむために以下の設例をみてみましょう。

＜設例＞

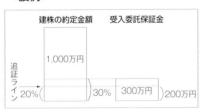

建株の約定金額を1,000万円とする。当初の委託保証金は建株の約定金額の30%、ここでは300万円が必要。
最低維持率（追証ライン）は建株の約定金額の20%なので、受入委託保証金の残額が200万円を下回ると追証が必要となる。

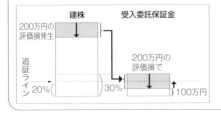

建株に200万円の評価損が生じると受入委託保証金の残額は100万円（300万円－200万円）となる。
最低維持率（追証ライン）は当初より200万円と決まっているので不足額の100万円を追証として差し入れる必要がある。

以下では、追加保証金を計算式を使って考えていきます。

〈追加保証金の計算式〉
・受入委託保証金の残額Ⓐ＝受入委託保証金（現在の評価額）－ 建株の評価損
・維持率20%の場合の委託保証金Ⓑ＝約定金額（建株）×委託保証金の維持率20%
・追加保証金が必要となる場合：Ⓐ＜Ⓑ
　　このとき追加徴収しなければならない委託保証金（追証）＝ Ⓑ－Ⓐ

追加保証金が必要となるのは、**受入委託保証金（現在の評価額）から建株の評価損を差し引いた「受入委託保証金の残額」が「当初の建株の約定金額×20%」よりも**少なくなった場合です。

> 「受入委託保証金の残額」が減少するのは、①委託保証金代用有価証券が値下がりした場合と、②信用取引の建株に評価損が出た場合があります。

＜設例＞ 🖩**計算**

ある顧客がD社株式を2,000万円分信用取引で買建てし、必要保証金600万円を現金で差し入れた。その後、D社株式の相場変動により500万円の評価損が発生した。顧客の追加保証金額はいくらか。
・受入委託保証金の残額Ⓐ＝受入委託保証金 － 建株の評価損＝100万円
　　　　　　　　　　　　（600万円）　　　（500万円）
・維持率20%の場合の委託保証金Ⓑ＝約定価額（2,000万円）×20%＝400万円
・Ⓐ＜Ⓑなので追加保証金が必要
・追加保証金＝Ⓑ－Ⓐ＝400万円－100万円＝300万円

　　　　　　　　　　　　　　　　　　答．追加保証金額　　300万円

⑸ **保証金の引出し** ◉理解

委託保証金は、信用を供与するための担保であると同時に、損失が発生した場合の担保の機能を有しますが、**所要の額**よりも多くの委託保証金を預託している場合等は、その**超過額**について引き出すことができます。

また、相場の変動で発生した計算上の利益相当額（**建株の評価益**）については、金銭や有価証券を引き出したり、他の建株の保証金として充当することはできません。

3節 投資計算

信用取引の投資計算については、次の4つのパターンは必ず理解しておきましょう。

①委託保証金はいくら必要か〈例題1〉

②あとどのくらい信用取引で建てられるか〈例題2〉

③追加保証金が必要かどうか〈例題3〉

④建株の評価損がいくらを超えると追加保証金が必要か〈例題4〉

また、投資計算の問題では、上場株券の代用掛目は本書の「80%」ではなく、「70%」として計算するよう指示される場合があるので、どちらでも計算できるようにしておきましょう。

<例題1> ▦ 計算

ある顧客がA社株式を1株1,800円で25,000株、信用取引で買い建てた。委託保証金のうち650万円は現金で差し入れ、残額を上場株券で代用すると、最低、時価でいくらの上場株券が必要か。正しいものの番号を1つ選びなさい。

(注) 1. 委託保証金徴収率は30%とする。

　　　 2. 株券の代用掛目は80%とする。

1. 700万円　　　　2. 865万円　　　　3. 875万円

4. 1,100万円　　　5. 1,235万円

<解答>　3

まず、必要委託保証金を求める。

必要委託保証金＝約定金額×委託保証金徴収率

　　　　　　　＝（1,800円×25,000株）×30%＝1,350万円

必要委託保証金1,350万円のうち、650万円が現金差し入れなので、

保証金不足額＝1,350万円－650万円＝700万円

ここで不足額を上場株券で代用するので、株券の代用掛目80%で割ると

700万円÷80%＝875万円

したがって、時価875万円分の上場株券が必要となる。

＜例題２＞ 🖩 **計算**

ある顧客が、Ａ社株式を900円で20,000株、前場に信用取引で買い建てた。その際、委託保証金として現金580万円と、時価1,000万円の上場株券を差し入れた。後場になって、信用取引でＢ社株式1,000円を新たに買い建てたいが、最高何株まで買い建てることができるか（ただし、Ａ社の株価に動きがなかったものとする）。正しいものの番号を１つ選びなさい。

（注）１．委託保証金徴収率は30％とする。

２．株券の代用掛目は80％とする。

３．立替金は考慮しないものとする。

1. 8,000株
2. 12,000株
3. 16,000株
4. 28,000株
5. 32,000株

＜解答＞ 4

まず、必要委託保証金を求める。

必要委託保証金＝約定金額×委託保証金徴収率

= （900円×20,000株）×30％＝540万円

次に、受入委託保証金を求める。

受入委託保証金＝580万円（現金）＋1,000万円（上場株券時価）×80％

= 1,380万円

したがって、余剰委託保証金は、

余剰委託保証金＝受入委託保証金－必要委託保証金

= 1,380万円－540万円＝840万円

ここで委託保証金徴収率は30％なので、新規建株可能額は、

新規建株可能額＝840万円÷30％＝2,800万円

Ｂ社株式1,000円の株は

2,800万円÷1,000円＝28,000株

28,000株買い建てることができる。

＜例題３＞　田**計算**

ある顧客が、時価1,600円の上場銘柄X社株式12,000株を制度信用取引で新たに買い建て、委託保証金代用有価証券として時価1,100円の上場銘柄Y社株式10,000株を差し入れた。その後、金融商品取引業者が、この顧客から追加保証金を徴収しなければならない場合に該当するものはどれか。該当する選択肢の番号を選びなさい。

（注）委託保証金徴収率は30％、上場株式の現金換算率（代用掛目）は80％とし、立替金は考慮しないものとする。

1．X社株式が1,450円、Y社株式が900円となった場合
2．X社株式が1,300円、Y社株式が700円となった場合
3．X社株式が1,350円、Y社株式が1,200円となった場合
4．X社株式が1,400円、Y社株式が1,000円となった場合
5．X社株式が1,200円、Y社株式が950円となった場合

＜解答＞　２、５

追加保証金に関する問題の場合、まず、維持率20％の場合の委託保証金を求める。

維持率20％の場合の委託保証金(B)＝約定金額×委託保証金の維持率20％

＝1,600円×12,000株×20％＝384万円

追加保証金が必要となるのは、受入委託保証金の残額(A)が384万円を下回った場合（384万円まで委託保証金額を戻さなければならない）なので、以下１〜５の選択肢を検証していく。

1．X社株式が1,450円、Y社株式が900円となった場合

　　受入委託保証金（現在の評価額）＝900円×10,000株×80％＝720万円

　　建株の評価損＝（1,450円−1,600円）×12,000株＝▲180万円

　　受入委託保証金の残額(A)＝受入委託保証金（現在の評価額）−建株の評価損

＝720万円−180万円＝540万円

　　ゆえに540万円(A)＞384万円(B)

　　<u>したがって追加保証金は不要。</u>

2．X社株式が1,300円、Y社株式が700円となった場合

　　受入委託保証金（現在の評価額）＝700円×10,000株×80％＝560万円

　　建株の評価損＝（1,300円−1,600円）×12,000株＝▲360万円

　　受入委託保証金の残額(A)＝受入委託保証金（現在の評価額）−建株の評価損

$$=560万円-360万円=200万円$$

ゆえに200万円(A)＜384万円(B)

<u>したがって384万円(B)－200万円(A)＝184万円の追加保証金が必要。</u>

3．X社株式が1,350円、Y社株式が1,200円となった場合

受入委託保証金（現在の評価額）＝1,200円×10,000株×80％＝960万円

建株の評価損＝（1,350円-1,600円）×12,000株＝▲300万円

受入委託保証金の残額(A)＝受入委託保証金（現在の評価額）－建株の評価損

$$=960万円-300万円=660万円$$

ゆえに660万円(A)＞384万円(B)

<u>したがって追加保証金は不要。</u>

4．X社株式が1,400円、Y社株式が1,000円となった場合

受入委託保証金（現在の評価額）＝1,000円×10,000株×80％＝800万円

建株の評価損＝（1,400円-1,600円）×12,000株＝▲240万円

受入委託保証金の残額(A)＝受入委託保証金（現在の評価額）－建株の評価損

$$=800万円-240万円=560万円$$

ゆえに560万円(A)＞384万円(B)

<u>したがって追加保証金は不要。</u>

5．X社株式が1,200円、Y社株式が950円となった場合

受入委託保証金（現在の評価額）＝950円×10,000株×80％＝760万円

建株の評価損＝（1,200円-1,600円）×12,000株＝▲480万円

受入委託保証金の残額(A)＝受入委託保証金（現在の評価額）－建株の評価損

$$=760万円-480万円=280万円$$

ゆえに280万円(A)＜384万円(B)

<u>したがって384万円(B)－280万円(A)＝104万円の追加保証金が必要。</u>

＜例題４＞ 📊 **計算**

１株2,000円のX社株式30,000株を信用取引で買い建て、委託保証金は代用有価証券として、その時の時価530円のY社株式を60,000株差し入れた。担保に入れてあるY社株式が500円に値下がりしたとすれば、買い建てしたX社株式が値下がりしていくらを下回ってくると最低維持率を割って追加保証金が必要となるか。正しいものの番号を１つ選びなさい。

（注）１．委託保証金徴収率は30%とする。

２．株券の代用掛目は80%とする。

３．立替金は考慮しないものとする。

４．最低維持率は20%とする。

　　1．1,000円　　　　2．1,200円　　　　3．1,400円

　　4．1,600円　　　　5．1,800円

＜解答＞　4

維持率20%の場合の委託保証金(B)＝約定金額×委託保証金の維持率20%

$$＝2,000円×30,000株×20\%＝1,200万円$$

受入委託保証金の残額(A)＝受入委託保証金（現在の評価額）－建株の評価損

$$＝500円×60,000株×80\%－建株の評価損$$

追加保証金が必要となるのは、(A)＜(B)のとき（受入委託保証金の残額が維持率20%の場合の委託保証金1,200万円を下回ったとき）。

(A)＝2,400万円－建株の評価損

(B)＝1,200万円より

2,400万円－建株の評価損＜1,200万円

ゆえに、**建株の評価損＞1,200万円**

建株の評価損が1,200万円を超えると追加保証金が必要となる。

建株数は30,000株なので

1,200万円÷30,000株＝400円

建株１株当たり400円の値下がりがあると追加保証金が必要となる。

<u>したがって、2,000円（X社株価）－400円＝1,600円を下回ってくると追加保証金が必要となる。</u>

4節 外国株式信用取引

外国株式信用取引とは、信用取引のうち、会員が顧客に国内において信用を供与して行う**外国の金融商品市場**における有価証券の売買の委託の媒介、取次ぎまたは代理であって、現地取次証券業者から会員または顧客が**信用の供与を受けないもの**をいいます。

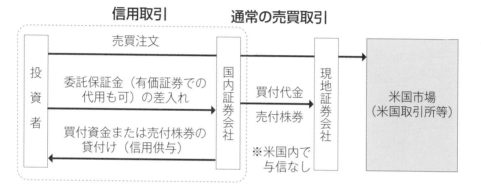

外国株式信用取引の対象となる外国株券等については、**アメリカ合衆国の適格外国金融商品市場**に上場されたものに限定されます。

外国株式信用取引については国内株式の信用取引より**厳しい規則**が設けられています。国内株式の信用取引と外国株式信用取引との主な相違は以下のとおりです。

	国内株式の信用取引（一般信用）	外国株式信用取引
対象株式	国内証券取引所上場株式等のうち証券会社が選定した銘柄	米国取引所上場株式等のうち、協会が定める銘柄選定等に係るガイドラインに適合する銘柄の中から証券会社が選定した銘柄
口座管理	国内株式信用取引口座	外国株式信用取引口座（国内株式信用取引口座とは別口座）
最低保証金率	約定代金の30%	約定代金の50%
最低保証金	30万円	会員が定める金額（米ドル）※30万円相当以上の米ドル
最低保証金維持率	約定代金の20%	約定代金の30%

デリバティブ取引

第16章 先物取引、第17章 オプション取引、
第18章 特定店頭デリバティブ取引等は
「デリバティブ取引」という名称で出題されます。

デリバティブとは

デリバティブ（Derivative）は、一般に「金融派生商品」や「派生商品」などと訳されています。

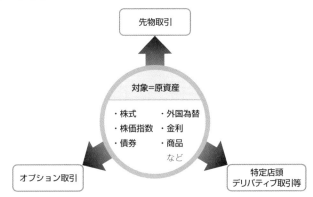

金融商品には株式、債券、預貯金及び外国為替などがありますが、これら金融商品のリスクを低下させたり、リスクを覚悟して高い収益性を追求する手法として考案されたのがデリバティブです。

デリバティブの取引には、デリバティブ取引の対象となる資産（原資産）について、将来売買を行うことをあらかじめ約束する取引（**先物取引**）や将来売買する権利をあらかじめ売買する取引（**オプション取引**）などがあり、さらには**特定店頭デリバティブ取引**等があります。

デリバティブ取引は、市場デリバティブ取引と店頭デリバティブ取引とに分けられます。

市場デリバティブ取引	取引所において取引制度（原資産・限月など）が規定化されている。〈例〉先物取引、オプション取引	大阪取引所（OSE）や東京金融取引所で行われる。
店頭デリバティブ取引	取引制度を当事者間のオーダーメイドにより自由に設定することが可能〈例〉エクイティデリバティブ、金利デリバティブなど	当事者間で行われる。

投資家が保有するデリバティブ商品が「売り」の状態にあることを「売建て」「売持」「ショート」「ショート・ポジション」といいます。一方、「買い」の状態にあることを「買建て」「買持」「ロング」「ロング・ポジション」といいます。

16章

先物取引

　まずは先物取引の内容と特徴を理解し、取引の手法と活用方法を確認しましょう。その中でも、ヘッジ取引、スペキュレーション取引、裁定取引の違いは必ず出題されますので得点できるようにしておきましょう。

　株式関連の指数先物取引、国債先物取引の制度については、それぞれの取引の限月、取引最終日、決済方法や決済日、取引単位や呼値の単位など細かいところまで出題されますので、しっかりとインプットしておくことが重要です。

　先物取引の損益計算、先物の理論価格の計算、証拠金の計算についても得点できるようにしておくことが大切です。

推定配点&出題形式

○×問題：0問　（0点）

5肢選択問題：4問（40点）

計**40**点／440点満点中

※配点・出題形式についてはフィナンシャル バンク インスティチュートの推定です。

1節 総論

重要度 ★★★ | 問題集 P352

1 先物取引とは

先物取引とは、将来期日における売買を、現時点で決めた値段で行うことを契約する取引です。

	先物取引とは、	〈具体例〉
①	特定の商品（対象商品、原資産）を、	日経平均株価先物を、
②	将来のあらかじめ定められた期日に、	来年の３月12日に、
③	現時点で定めた価格（約定価格）で売買することを契約する取引です。	現時点の価格である20,000円で売買することを契約する取引です。

この契約により、**買方は売方より期限日に対象商品を約定価格で購入する義務**を、逆に**売方は買方へ売却する義務**を負うこととなります。ただし、期限日まで待たずに、反対売買を行うことで先物の建玉（ポジション）を相殺して解消することも可能です。

現在国内に上場されている主な金融先物取引は以下のとおりです。

	先物取引の種類		上場取引所
株式	・日経平均株価先物（日経225先物） ・日経225mini ・TOPIX先物 ・ミニTOPIX先物	・JPX日経400先物 ・日経平均VI先物 ・NYダウ先物 ・東証REIT指数先物　など	大阪取引所 （OSE）
債券	・中期国債先物 ・長期国債先物	・ミニ長期国債先物 ・超長期国債先物（ミニ）	
商品	・金標準先物 ・ゴム先物	・白金標準先物 ・一般大豆先物　など	
金利	・ユーロ円３か月金利先物 ・無担保コールオーバーナイト金利先物　など		東京金融取引所

2 先物取引の特徴

先物市場は、**現物市場**とは別々に価格付けが行われ、独立して取引されますが、期限日には先物市場の価格と現物市場の価格は等しくなります。

現物とは、先物の対象となっている商品のことで、日経225先物では日経平均株価、

長期国債先物では長期国債のことをいいます。

　先物取引は、諸条件がすべて標準化、定型化され、すべて取引所で個別競争取引により取引されます。先物取引の決済方法は、**反対売買**によるものと**最終決済**によるものの2つがあります。

反対売買	取引最終日までに反対売買を行い、売値と買値の差額を受払いする（**差金決済**）ことにより先物契約を解消。 ・買建ての場合は転売 ・売建ての場合は買戻し	
最終決済	現物受渡可能な商品	買方は約定代金を支払い、売方は買方に現物を受渡しする（受渡決済）。
	現物受渡不可能な商品	約定価格と最終決済価格との差額を受け渡す**差金決済**を行う。

　株式関連の先物の決済は、取引最終日までに決済する場合も最終決済する場合も**差金決済**となります。国債先物は、取引最終日までに決済する場合は**差金決済**となり、最終決済する場合は実際に債券の受渡しをともなう**受渡決済**（現渡し・現引き）となります。

	取引最終日までに決済	最終決済
株式関連の先物	差金決済	
国債先物	差金決済	受渡決済

3　先物取引と先渡取引の違い

　先渡取引とは、ある商品のある特定された数量について、将来の一定日を受渡日として、現時点で定めた価格で売買する取引です。先物取引とは以下のような違いがあります。

先物取引	先渡取引
・標準化、定型化されている**取引所取引**。 ・取引最終日前にいつでも反対売買（買戻しまたは転売）が可能であり、差額による決済（差金決済）ができる。	・商品の種類、取引単位、満期、決済方法等の条件をすべて売買の当事者間で任意に定められる**相対取引**。 ・期限日に現物を**受渡す**ことが原則。

①信用取引では購入代金や株券の貸借が顧客と金融商品取引業者との間で行われるが、先物取引には、そのような貸借関係は存在しない。

②先物取引は現物取引とは別に価格付けが行われる。一方、信用取引では現物取引と同じ市場（東証など）で取引が行われる。

> 先物市場と現物市場は別々の市場であり、異なった価格で取引されます。

5 先物取引の利用方法

先物市場で取引に参加する目的は大きく3つに分類されます。

先物取引の持つ価格変動リスクの移転機能は、市場での取引を通じて、相互に逆方向のリスクを持つ**ヘッジャー**◁用語の間でリスクが移転されあったり、ヘッジャーから**スペキュレーター**◁用語にリスクが転嫁されることにより果たされます。先物市場はヘッジャーに対しては**リスク回避の手段**を、スペキュレーターに対しては**投機利益の獲得機会**を、**アービトラージャー**◁用語に対しては**裁定機会**が存在する場合の**裁定利益**を提供します。▼注意

(1)　ヘッジ取引

　ヘッジ取引とは、**現物の価格変動リスク**を、先物の売買によって回避する取引です。ヘッジ取引は、売りヘッジと買いヘッジがあります。 **理解**

①売りヘッジ：現物の値下がりに備えたヘッジ

　株価の下落を予想していても保有する現物株式をすぐに売却できない場合、先物を売り付けることにより、株価下落のリスクをヘッジし、株価が下落したときに先物を買い戻し、現物株式の価格の値下がりを先物による利益でカバーする取引です。

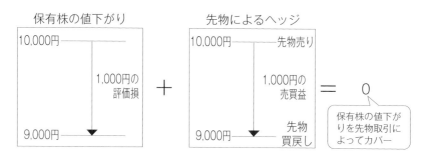

②買いヘッジ：現物の値上がりに備えたヘッジ

　将来の株価の値上がりを予想した場合、資金が少ないときなどに先物を買うことで、買いそびれるリスクをヘッジします。

(2)　スペキュレーション取引　▼**注意**

　スペキュレーション取引とは、先物の価格変動をとらえて**利益を獲得することのみ**に着目する取引のことです。相場観に基づいて、先物価格が上昇すると判断すれば買い、下落すると判断すれば先物を売り、その後の反対売買により差金決済する投機的取引のことです。

　スペキュレーション取引において、**順張り**とは、相場が上昇しているときにはそのまま上昇すると考え先物を買い、先物価格が下がっているときにはそのまま下がると考え先物を売る取引方法をいいます。一方、**逆張り**とは、相場の上昇が続いているので、そろそろ下がると考え先物を売る、相場の下落が続いているので、そろそろ上がると考え先物を買う取引方法をいいます。

用語 -

ヘッジャー：ヘッジ取引を行う人。
スペキュレーター：単に先物を売買して高い収益を狙う人。
アービトラージャー：先物と現物または先物の間の価格乖離をとらえて収益を狙う人。

先物取引は少額の証拠金で多額の取引ができる**レバレッジ効果**（てこの原理）があるため、現物のスペキュレーション取引よりも先物のスペキュレーション取引のほうがハイリスク・ハイリターンになります。

⑶　裁定取引（アービトラージ取引）　▼注意

　裁定取引（アービトラージ取引）とは、現物と先物または先物と先物の価格関係の「歪み」を利用して利益を得ようとする取引のことです。

　将来のある時点で同じ価値をもたらす2つの金融商品（または取引）の価格関係において、一時的に乖離が生じた場合、**割高な方を売り**、**割安な方を買い**、将来、この2つが**適正価格**に戻ったところで決済して利益を得ようとする取引です。

　裁定取引には**買い裁定**と**売り裁定**があります。買い裁定とは、先物価格が割高（先物価格＞先物理論価格）の場合に、割高な先物を売ると同時に割安な現物を買います。一方、売り裁定とは、先物価格が割安（先物価格＜先物理論価格）の場合に、先物を買うと同時に現物を売ります。

買い裁定	先物価格が割高（先物価格＞先物理論価格）	先物売り＋現物買い
売り裁定	先物価格が割安（先物価格＜先物理論価格）	先物買い＋現物売り

代表的な裁定取引に**スプレッド取引**があります。これは、２つの先物の価格差（スプレッド）を利用した取引です。スプレッドが一定水準以上に乖離したときに、割高な方を売り建て、同時に割安な方を買い建て、その後、スプレッドが一定水準に戻ったところで、それぞれの先物取引について決済を行うことで利益を得ます。

　スプレッド取引には、①**カレンダー・スプレッド取引**（限月間スプレッド取引）と②**インターマーケット・スプレッド取引**の２つがあります。

カレンダー・スプレッド取引（限月間スプレッド取引）	同一商品の先物の異なる２つの限月（期近限月と期先限月）間の取引の価格差が**一定の水準近辺で動く**ことを利用した取引。スプレッドが拡大または縮小したときにポジションをとり、予想どおりスプレッドが戻った時点で、それぞれの決済を行い、利益を得る。〈具体例〉TOPIX先物３月限とTOPIX先物６月限との価格差
インターマーケット・スプレッド取引	異なる商品間の先物の価格差を利用する取引。価格差が拡大しすぎたり、縮小しすぎたり、乖離した価格差がやがて一定の価格差に近づくことを前提としている。〈具体例〉TOPIX先物と日経225先物との価格差

6　先物が現物に及ぼす影響

現物市場の流動性の向上機能	先物市場の存在によって、現物市場の厚みが増して流動性が向上する。
現物の価格決定機能	将来の予想値である先物の価格が、現物の価格にも影響を与えている。

7 先物の理論価格

先物の理論価格は計算問題として出題されます。✏️ 暗記

先物の理論価格 ＝ 現物価格 ＋ 現物価格×（短期金利－利率または配当利回り※）
　　　(F)　　　　　　(s)　　　　　　(s)　　　　　　(r)　　　　　　　(d)

$$\times \frac{満期までの日数（T-t）}{365日}$$

※株式先物の場合は配当利回り、債券先物の場合は利率を用いる。

上の式で、$現物価格×（短期金利－利率または配当利回り）× \dfrac{満期までの日数}{365日}$

の部分を**キャリーコスト**といいます。

　これは、短期金利で借金して現物（日経平均に対応する株式や国債）を買ったらコストはいくらかかるかを計算したものです。ただし、株式や国債を保有すると配当や利子を受け取れるので、それを差し引いて求めます。

株式先物	通常、株式の配当利回りより短期金利のほうが高いので（r＞d）、キャリーコストは正の値になる。すなわち、先物（理論）価格は現物価格より高くなる。このことを先物が**プレミアム**という。
債券先物	通常、債券の利率より短期金利のほうが低いので（r＜d）、キャリーコストは負の値になる。すなわち、先物（理論）価格は現物価格より安くなる。このことを先物が**ディスカウント**という。

通常キャリーコストについては、株式先物が正の値に、債券先物は負の値になります。

＜設例＞　🔢 **計算**

日経平均株価が11,000円、日経平均株価の配当利回りが年率1％、短期金利が2％のとき、90日後に満期になる日経平均株価先物の理論価格はいくらか？

（注）キャリーコストは、小数点第3位以下は切捨て。

<解答>
先物の理論価格

株式の場合は配当利回り

$$= 現物価格 + 現物価格 \times (短期金利 - 配当利回り) \times \frac{満期までの日数}{365日}$$

なので、

$$11,000円 + 11,000円 \times (2\% - 1\%) \times \frac{90日}{365日}$$

$$= 11,000円 + 27.123\cdots円$$

$$= 11,027.12円$$

　　したがって日経平均株価先物の理論価格は**11,027.12円**

<設例>　▦ 計算

長期国債の価格が110円、長期国債の利率が1.5%（年率）、短期金利が0.5%のとき、

2か月後に満期の来る長期国債先物の理論価格はいくらか？

（注）キャリーコストは、小数点第3位以下は切捨て。

<解答>
先物の理論価格

債券の場合は利率

$$= 現物価格 + 現物価格 \times (短期金利 - 利率) \times \frac{満期までの月数}{12か月}$$

なので、

$$110円 + 110円 \times (0.5\% - 1.5\%) \times \frac{2か月}{12か月}$$

$$= 110円 + 110円 \times -0.01 \times \frac{2}{12}$$

$$= 110円 + (-0.183\cdots円)$$

$$= 109.82円$$

　　したがって長期国債先物の理論価格は**109.82円**

満期までの期間を日数でなく月数で与えられた場合は、

$\dfrac{満期までの月数}{12か月}$ として計算します。

1 指数先物取引の種類

(1) 日経225先物 ◉ 理解

日経平均株価を対象としています。

(2) 日経225mini

日経平均株価を対象商品としています。日経225先物の最低取引単位は日経平均株価の1,000倍ですが、日経225miniは100倍です。日経225先物の**10分の1**サイズでの取引が可能です。

(3) TOPIX先物 ◉ 理解

TOPIX（東証株価指数）を対象としています。

(4) ミニTOPIX先物

TOPIX（東証株価指数）を対象としています。TOPIX先物の取引単位がTOPIX指数を10,000倍した金額であるのに対し、ミニTOPIX先物の取引単位はTOPIX指数を1,000倍した金額であり、**10分の1**のサイズでの取引が可能です。

(5) JPX日経インデックス400先物

東証上場銘柄のうち、資本効率性や投資者を意識した経営観点など、グローバルな投資基準に求められる諸要件を満たした魅力の高い400銘柄で構成されたJPX日経インデックス400を対象とした先物取引です。

(6) 日経平均VI先物

将来の日経平均の変動の大きさを推定した指数であって、日本経済新聞社が算出する日経平均ボラティリティー・インデックス（日経平均VI）を対象とする先物取引です。

(7) NYダウ先物

S&P Dow Jones Indices LLCが算出するダウ・ジョーンズ工業株平均株価を対象とした先物取引です。

(8) 東証REIT指数先物

東証REIT指数を取引対象とした指数先物取引です。東証REIT指数は、東証に上場する不動産投資信託（Real Estate Investment Trust）全銘柄を対象とした時価総額加重型の株価指数です。

2 指数先物取引の仕組み

ここでは指数先物取引の中で主な商品である**日経225先物**、**日経225mini**、**TOPIX先物**、**ミニTOPIX先物**の仕組みについて学習します。

(1) 原資産

原資産とは先物取引の対象となる資産のことです。日経225先物と日経225miniは日経平均株価（日経225）を原資産とし、TOPIX先物とミニTOPIX先物は東証株価指数（TOPIX）を原資産とします。

(2) 決済

指数先物取引の決済方法は、取引最終日前の**反対売買**による決済と、**最終決済**による方法の2つがあります。いずれの方法で決済しても**差金決済**のみで、受渡決済はありません。

①反対売買による決済

反対売買による決済とは、取引最終日前に、買い建てたものは転売することにより、売り建ててあるものは買い戻すことにより行う決済をいいます。

指数先物取引を取引最終日前に決済する場合は、反対売買をして**差金決済**を行います。

反対売買による決済の計算は次のように行います。

取　引	差　金
買建て→転売	（反対売買価格－買建価格）×乗数×数量
売建て→買戻し	（売建価格－反対売買価格）×乗数×数量

> 乗数は、日経225先物が1,000、TOPIX先物が10,000です。

〈例〉日経225先物を当初16,000円で10枚売り建て、その後15,000円になったので買い戻した。

（16,000円－15,000円）×1,000（乗数）×10枚＝＋1,000万円（利益）

②最終決済 ◉ 理解

取引最終日前に反対売買を行わなかった場合は、**特別清算数値**（Special Quotation：Ｓ
Ｑ）と約定値段の**差額**について差金決済を行います。ＳＱとは、**第２金曜日**（取引最
終日の**翌営業日**）における指数構成銘柄の売買立会の始めの約定値段（始値）に基づ
いて算出した特別の指数のことをいいます。イメージとしては取引所がスタートする
朝はじめの日経平均の値段です。▼注意

最終決済する場合の計算は以下のように行います。

取　　引	差　　　金
買建て→最終決済	（ＳＱ－買建価格）×乗数×数量
売建て→最終決済	（売建価格－ＳＱ）×乗数×数量

(3) 限月

限月とはある先物の期限が満了となる月のことで、2024年３月限とは、2024年３月
に取引が終了する先物のことをいいます。

日経225先物の限月は３、６、９、12月限で、６月及び12月限は直近の16限月、
３月及び９月限は直近の３限月です。

TOPIX先物の限月は３、６、９、12月限の直近の５限月です。

例えばTOPIX先物取引で、現在が2024年１月だとすると、2024年３月限、2024年
６月限、2024年９月限、2024年12月限、2025年３月限の５限月が取引されます。

この場合、2024年３月限を**直近限月**または**期近限月**といい、2024年６月限、2024年
９月限、2024年12月限、及び2025年３月限を**期先限月**といいます。

■TOPIX先物の限月

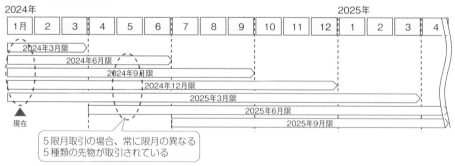

(4) 差金の授受

取引最終日前に反対売買を行った場合は、過不足が生じた日（反対売買を行った

日）の翌営業日（非居住者は約定日から起算して３営業日目）までに当初約定価格と反対売買価格との差金を受渡しします。

一方、**最終決済**により決済する場合は、**取引最終日から起算して３営業日目**（非居住者は取引最終日から起算して４営業日目）に当初約定価格とSQとの差金を受渡しします。

(5) 取引最終日と新限月の取引開始日

取引最終日は、**各限月の第２金曜日**（休日にあたるときは、順次繰上げ）**の前営業日**に終了する取引日です。また、新限月の取引開始日は**直近限月の取引最終日の翌営業日**です。

■X年６月限の場合

月	火	水	木	金	土	日
1	2	3	4	5	6	7
8	9	10	11 取引最終日	SQ日 12 新限月開始日	13	14
15	16	17	18	19	20	21
22	23	24	25	26	27	28
29	30					

翌営業日・前営業日

(6) 呼値の単位（値段の付く単位）

投資家は、取引所が商品ごとにあらかじめ定めた呼値の刻み（ティック）に従って注文を行います。

日経225先物	10円
日経225mini	5円
TOPIX先物	0.5ポイント
ミニTOPIX先物	0.25ポイント

⑺ 取引単位（乗数）

取引単位については、取引所が商品ごとにあらかじめ定めています。

日経225先物	日経平均株価の1,000倍
日経225mini	日経平均株価の100倍
TOPIX先物	東証株価指数の10,000倍
ミニTOPIX先物	東証株価指数の1,000倍

⑻ 制限値幅・取引の一時中断措置

市場デリバティブ取引では、取引所が1日の価格変動に対して一定の制限（制限値幅）を設けています。

また、取引を一時中断する措置（サーキット・ブレーカー制度）が用意されています。これは、相場過熱時に投資家に対して冷静な投資判断を促し、相場の乱高下を防止する目的で、各先物取引の中心限月取引の価格が取引所の定める変動幅（制限値幅）に達するなどした場合に、他の限月取引を含むすべての限月取引において実施されます。

この措置が発動された場合、一定時間（10分間以上）取引が停止され、制限値幅を拡大したうえで取引が再開されます。

⑼ 個別競争取引

市場デリバティブ取引の競争売買市場では、多数の投資家から注文を集め、それらの中から値段と数量の条件が合う注文を個々に付け合わせることによって取引が行われます（立会取引）。付合せは、現物株式市場と同様に価格優先および時間優先の原則に従います。

⑽ 立会外取引

指数先物取引は立会外取引を行うことができます。

立会外取引とは、立会取引によらず、取引所の定める数量以上で同一限月取引の売付けと買付けを同時に行う取引です。大阪取引所（OSE）の立会外取引はJ-NET取引と呼ばれています。

⑾ 委託手数料

手数料は顧客と証券会社等（金融商品取引業者等）との合意により決定します。

⑿ 確認書の徴求

先物取引等に関する契約を締結するときは、顧客に説明書を交付し、確認書を徴求しなければなりません。

⒀ マーケットメイカー制度

取引所が指定するマーケットメイカーが、特定の銘柄に対して一定の条件で継続的に売呼値及び買呼値を提示することで、投資家がいつでも取引できる環境を整える制度を、マーケットメイカー制度といいます。

⒁ 証拠金制度

指数先物取引の証拠金制度は、VaR（Value at Risk）方式（参照 P384）が採用されています。

⒂ ギブアップ制度

指数先物取引はギブアップ制度（参照 P385）が利用可能です。

■主な指数先物取引制度の概要 ✳重要

項目	日経225先物	日経225 mini	TOPIX先物	ミニTOPIX先物
取引所	大阪取引所			
立会方法	システム取引			
売買方法	個別競争取引			
対象商品	日経平均株価		TOPIX（東証株価指数）	
限月	6、12月限：直近の16限月 3、9月限：直近の3限月	6、12月限：直近の10限月 3、9月限：直近の3限月 その他の限月：直近の3限月	3、6、9、12月限：直近の5限月	3、6、9、12月限：直近の3限月
取引最終日	各限月の第2金曜日（休日にあたるときは順次繰上げ）の前営業日に終了する取引日			
差金の授受	反対売買：反対売買を行った日の翌営業日 最終決済：取引最終日から起算して3営業日目の日			
最終清算指数	取引最終日の翌営業日における特別清算数値（SQ）			
新限月の取引開始日	直近限月の取引最終日の翌営業日			
取引単位（乗数）	日経平均株価の1,000倍	日経平均株価の100倍	TOPIXの1万倍	TOPIXの1,000倍
呼値の単位	10円	5円	0.5ポイント	0.25ポイント
制限値幅	それぞれ制限値幅が定められている サーキット・ブレーカー制度（先物取引等の一時中断措置）あり			
委託手数料	顧客と証券会社等（金融商品取引業者等）との合意により決定			
委託証拠金	VaR（Value at Risk）方式 全額有価証券代用可。ただし、現金不足額に相当する額の証拠金は金銭で差入れさせる。 総額の不足額または現金不足額が生じた日の翌日（顧客が非居住者の場合は不足額が生じた日から起算して3日目の日）までの取引参加者等（証券会社等）が指定する日時までに差入れさせる。			

3　指数先物取引におけるストラテジー取引

　指数先物取引について現在行うことのできるストラテジー取引は**カレンダー・スプレッド取引**です。

　カレンダー・スプレッド取引は、一方の限月取引の**売り**と他方の限月取引の買いを**同時**に行おうとするときに、2つの限月間の価格差（カレンダー・スプレッド）により呼値を行う取引です。

　期先限月取引の値段から**期近限月取引**の値段を差し引いたカレンダー・スプレッドで呼値を行うため、**ゼロ**や**マイナス**の値段での呼値も行えます。

　スプレッド取引の呼値には、**スプレッド買呼値**と**スプレッド売呼値**があります。

スプレッド買呼値	期近の限月取引の**売り**と期先限月の**買い**に係る呼値
スプレッド売呼値	期近の限月取引の**買い**と期先限月の**売り**に係る呼値

　また、指数先物取引が一時中断される場合には、その限月取引に係る**スプレッド取引**も**一時中断**されます。

＜設例＞　🔳**計算**

現在、日経225先物の期近物は11,000円、期先物は11,200円（スプレッドは200円）。今後金利が上昇すると理論価格は上昇し、スプレッドが広がると思われるため、スプレッドの買いを行った。その後、期近物は11,100円、期先物は11,450円になり、思ったとおりスプレッドは350円に広がったので決済した。この結果、150円（－100円＋250円）の利益が確定した。

	期近物	期先物	スプレッド（価格差）
開始時	売建て　11,000円	買建て　11,200円	200円
終了時	買戻し　11,100円	転　売　11,450円	350円
損益	－100円	＋250円	

＜例題１＞

TOPIX先物を1,450ポイントで20単位買い建て、1,550ポイントで転売したときの取引の損益はいくらになるか。委託手数料は、下記のとおりで合意されている。

  買付時 20万円

  転売時 22万円

※委託手数料に関して別に10％の消費税相当額が加算される。

＜解答＞

まず、売買損益を求める。

売買損益＝（1,550－1,450）×10,000（乗数）×20単位＝＋20,000,000円

次に手数料を考える。

消費税抜きの買付手数料が20万円なので、消費税込みで220,000円（20万円×1.1）。同様に消費税抜きの転売手数料が22万円なので、消費税込みで242,000円（22万円×1.1）。したがって、

取引の損益＝売買損益－手数料

   ＝20,000,000円－（220,000円＋242,000円）

   ＝＋19,538,000円

<例題2>

現在、日経225先物の期近物は、13,500円、期先物は13,700円である。今後、金利水準の低下が予想され、スプレッドが縮まると思われるので、スプレッド取引の売りを行った。

その後、期近物は14,100円、期先物は14,200円となったので、その時点で、反対売買を行った。この取引を表に示したのが下記の表である。

	期近物	期先物	スプレッド
開始時 終了時	買建て　13,500円 転　売　14,100円	売建て　13,700円 買戻し　14,200円	（ハ） （ニ）
損益	（イ）	（ロ）	

上記表中、（イ）～（ニ）に当てはまる数値を計算しなさい。

（注）委託手数料、税金は考慮しないものとする。

<解答>

（イ）14,100円－13,500円＝600円
（ロ）13,700円－14,200円＝▲500円
（ハ）13,700円－13,500円＝200円
（ニ）14,200円－14,100円＝100円

> （イ）（ロ）は損益なので「売り－買い」で計算します。（ハ）（ニ）は絶対値なので「大きい値－小さい値」で計算します。

3節 国債先物取引

重要度 ★★★　問題集 P358

1 国債先物取引の意義

　国債の現物の保有者がその値下がりリスクを回避したい場合、国債先物を売ることにより**価格変動リスク**が回避でき、運用金利をあらかじめ確定できます。国債先物取引を利用することによって、国債の保有者は、低コストで金利変動、価格変動リスクを回避するという有力な手段を得ることができます。

2 国債先物取引の種類　※重要

　国債先物取引は期間により、中期国債先物、長期国債先物、超長期国債先物に分けられます。長期国債先物には**ミニ取引**があります。なお、2022年4月4日より、超長期国債先物は取引単位が1千万円（ミニ）となりました。

中期国債先物	償還期限5年、利率年3％、取引単位は**額面1億円**の架空の国債（中期国債標準物）を取引対象（原資産）とする。
長期国債先物	償還期限10年、利率年6％、取引単位は**額面1億円**の架空の国債（長期国債標準物）を取引対象（原資産）とする。
ミニ長期国債先物	取引単位を長期国債先物取引の**10分の1**にした先物取引。長期国債先物取引と異なり受渡決済はなく、期限日には差金決済が行われる。
超長期国債先物（ミニ）	償還期限20年、利率年3％、取引単位は**額面1千万円**の架空の国債（超長期国債標準物）を取引対象（原資産）とする。

3 国債先物取引の仕組み

(1) 標準物

　中期国債先物及び長期国債先物ともに**標準物**を取引の対象としています。標準物とは、**利率と償還期限を常に一定とする架空の債券**のことです。

　対象商品を個別銘柄にした場合は残存期間や利率が変わってしまいますが、標準物にすることにより先物価格の連続性を保つことが可能になります。

　日本国内で行われている国債先物取引は、すべてこの標準物を対象商品としています。また、期限満了の場合の受渡決済では、受渡しの対象となる銘柄を複数定める**バスケット方式**となっています。

> バスケット方式とは複数の受渡適格銘柄の中から選択する方式です。

(2) 限月 ▼注意

限月とは、ある先物の期限が満了となる月のことで、2024年9月限なら、2024年9月に取引が終了する先物のことをいいます。国債先物で取引されているのは、3、6、9、12月のうち、直近の3限月が上場されています。

例えば、現在が2024年1月であれば、2024年3月限、2024年6月限、2024年9月限の3限月が上場され取引されています。なお、この場合、2024年3月限を直近限月（期近限月）、2024年6月限、2024年9月限を期先限月といいます。

■国債先物の限月

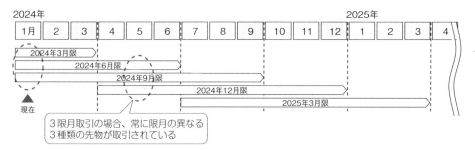

(3) 決済

国債先物取引における決済の方法は、取引最終日前の反対売買による差金決済と、最終決済で現渡し・現引きによる受渡決済の2通りがあります。

①反対売買による差金決済

国債先物取引では、取引最終日までに、転売・買戻しにより反対売買する場合がほとんどであり、売値と買値の差額による差金決済が行われます。

また、差金は反対売買の日の翌営業日に授受することとされています。

先物の買いの場合	$(反対売買価格 - 当初約定価格) \times \dfrac{受渡額面}{100円}$
先物の売りの場合	$(当初約定価格 - 反対売買価格) \times \dfrac{受渡額面}{100円}$

②受渡決済（現渡し・現引き）

　現物の債券を渡すのが現渡し、現物の債券を受け取るのを現引きといいます。

　各限月の売買取引の最終日までに反対売買されなかった建玉はすべて受渡決済期日に現物債の授受（現渡し・現引き）により決済されます。現渡し・現引きによる決済とは、先物の売方が手持ちの現物の債券を渡し（現渡し）て代金を受け取り、買方はその代金を支払うと同時にその現物の債券を受け取る（現引き）取引を行うことをいいます。

　現渡し・現引きによる受渡決済を行う場合は、標準物（架空の債券）にかえて、受渡適格銘柄◁用語の中から売方が銘柄を選定することになります。ここでは、売方に受渡銘柄の選択権があるのであり、買方には選択権がありません。

　通常、受渡適格銘柄は、標準物との価格が同一となるように、取引所が受渡適格銘柄ごとに定めたコンバージョン・ファクター（ＣＦ）と呼ばれる交換係数を受渡決済値段に乗じて受渡代金を計算します。コンバージョン・ファクターは、標準物の価値を１とした場合の受渡決済日における各受渡適格銘柄の価値を表します。

⑷　取引最終日、新限月の取引開始日と受渡決済期日

　受渡決済期日は各限月の20日です（20日が休業日のときはその翌営業日に順次繰り延べられます）。

　また、各限月の取引最終日は、受渡決済期日の５営業日前とされています。新限月の取引開始日は、各限月の取引最終日の翌営業日です。▼注意

■国債先物の受渡決済期日

月	火	水	木	金	土	日
				1	2	3
4	5	6 （翌営業日）7		8	9	10
11	12	13	14	15	16	17
		取引最終日	新限月取引開始日			
18	19	20	21	22	23	24
		受渡決済期日				
25	26	27	28	29	30	31
	（５営業日前）					

(5) 呼値

呼値とは注文値段のことであり、長期国債先物取引及び中期国債先物取引の呼値の単位は額面100円につき１銭です。

(6) 取引単位

国債先物取引の取引単位は、**額面１億円**となっています。

(7) 制限値幅・取引の一時中断措置

国債先物取引では１日の価格変動幅に一定の制限を設けています。

また、国債先物取引にも取引を中断する**サーキット・ブレーカー制度**があります。

(8) 立会外取引

国債先物取引は立会市場以外の市場で取引を行う立会外取引も可能です。立会外取引とは、立会取引によらず、取引所の定める数量以上で同一限月取引の売付けと買付けを同時に行う取引です。大阪取引所の立会外取引は、J-NET取引と呼ばれています。

(9) 委託手数料

先物・オプション等取引所取引に係る委託手数料は、顧客と証券会社等との合意により自由に決めることができます。

(10) 確認書の徴求

先物取引等に関する契約を締結するときは、顧客に説明書を交付し、**確認書を徴求**しなければなりません。

(11) マーケット・メイカー制度

国債先物取引においても、マーケット・メイカー制度が導入されています。

━ 用語 ━━

受渡適格銘柄：国債先物取引の取引対象が架空の債券（標準物）であり、現物債の受渡しには用いることができないため、取引所が債券のクーポンレートや残存期間を考慮して、ある程度条件が同一になるように選定した債券の銘柄（バスケット方式となっている）のことをいう。

⑿ 証拠金制度

国債先物取引の証拠金制度には、VaR（Value at Risk）方式（**参照** P384）が採用されています。

⒀ ギブアップ制度

国債先物取引においてもギブアップ制度は採用されています。（**参照** P385）

■主な国債先物取引制度の概要　✱**重要**

項目	長期国債先物取引	中期国債先物取引
取引所	大阪取引所（OSE）	
対象商品 （標準物）	利率年6％、償還期限10年の 長期国債標準物	利率年3％、償還期限5年の 中期国債標準物
限月	3、6、9、12月限：直近の3限月	
受渡決済期日	各限月の20日（ただし、休日にあたるときは順次繰下げ）	
取引最終日	受渡決済期日の5営業日前	
新限月の 取引開始日	直近限月の取引最終日の翌営業日	
取引単位	額面1億円	
呼値	額面100円当たりの価格で、最小刻みは1銭	
注文方法	指値注文、成行注文、いずれも可能	
制限値幅	制限値幅が定められている サーキット・ブレーカー制度（先物取引等の一時中断措置）あり	
取引方法	個別競争取引	
差金の授受	反対売買を行った日の翌営業日	
委託手数料	顧客と証券会社等（金融商品取引業者等）との合意により決定	
委託証拠金	VaR（Value at Risk）方式	
	全額有価証券代用可。ただし、現金不足額に相当する額の証拠金は金銭で差入れさせる。	
	総額の不足額または現金不足額が生じた日の翌日（顧客が非居住者の場合は不足額が生じた日から起算して3日目の日）までの取引参加者等（証券会社等）が指定する日時までに差入れさせる。	

4 国債先物取引におけるストラテジー取引

国債先物取引について現在行うことのできるストラテジー取引は**カレンダー・スプレッド取引**です。カレンダー・スプレッド取引とは、一方の限月取引の**売り**と他方の限月取引の買いを同時に行おうとするときに、2つの限月間の価格差（カレンダー・スプレッド）により呼値を行う取引です。

期近限月取引の値段から期先限月取引の値段を差し引いたカレンダー・スプレッドで呼値を行うため、ゼロやマイナスの値段での呼値も行えます。

スプレッド取引の呼値には、**スプレッド買呼値**と**スプレッド売呼値**があります。

スプレッド買呼値	期近の限月取引の**買い**と期先限月の**売り**に係る呼値
スプレッド売呼値	期近の限月取引の**売り**と期先限月の**買い**に係る呼値

また、国債先物取引が**一時中断**される場合には、国債先物取引当該限月を含む**スプレッド取引も一時中断**されます。

> 呼値について、指数先物取引（16章2節）とは「売り」と「買い」の関係が逆になっていることに注意してください。

＜設例＞

現在、長期国債先物の期近物は103.50円、期先物は103.00円（スプレッドは0.50円）。このとき、今後金利が上昇し、長短金利差が縮小してスプレッドが縮小すると思われるため、スプレッドの売りを行った。その後、期近物は100.30円、期先物は100.00円になり、思ったとおりスプレッドが0.30円に縮小したので決済した。この結果、0.20円（＋3.20円－3.00円）の利益が確定した。

	期近物	期先物	スプレッド（価格差）
開始時	売建て　103.50円	買建て　103.00円	0.50円
終了時	買戻し　100.30円	転　売　100.00円	0.30円
損　　益	＋3.20円	－3.00円	

＜例題１＞

長期国債先物を100円で額面金額10億円買い建て、101円で転売したときの受払代金の額はいくらか。

※手数料額は顧客と証券会社等との間で、片道手数料は125,000円と決定されたものとする（別途10%の消費税が必要）。

＜解答＞

売買損益＝（101円－100円）×$\dfrac{10億円}{100円}$＝＋10,000,000円

手数料（往復分）＝125,000円×2＝250,000円

消費税＝250,000円×10％＝25,000円

受払代金の額＝10,000,000円－（250,000円＋25,000円）＝＋9,725,000円

したがって、受払代金の額は9,725,000円の受け取りとなります。

＜例題２＞

現在、Ａ氏は長期国債現物を額面10億円保有している。長期国債現物の価格は107.00円であり、長期国債先物の価格は142.30円である。

１か月後に長期国債現物は値下がりして103.00円、長期国債先物は138.10円になった。しかし、２か月後は、長期国債現物は107.20円、長期国債先物は142.50円になった。この場合、Ａ氏が、結果としてもっとも収益を上げる投資方法を記述している番号を１つ選びなさい。

（注）手数料、税金等は考慮しないものとする。

1. そのまま長期国債現物10億円を保有し、２か月後に売却した。

2. 直ちに保有する長期国債現物と同額の長期国債先物を売り、２か月後に長期国債先物を全額買い戻し、長期国債現物も全額売却した。

3. 直ちに保有する長期国債現物と同額の長期国債先物を売り、１か月後に長期国債先物を全額買い戻し、長期国債現物も全額売却した。

4. １か月後に長期国債現物と同額の長期国債先物を売り、２か月後に長期国債先物を全額買い戻し、長期国債現物も全額売却した。

5. 1か月後に長期国債現物と同額の長期国債先物を買い、2か月後に長期国債先物を全額売却し、長期国債現物も全額売却した。

＜解答＞ 5

	現物価格	先物価格
現在	107.00円	142.30円
1か月後	103.00円	138.10円
2か月後	107.20円	142.50円

この問題が出題されたら、まず題意に沿って上の表を完成させます。そして、作成した表をもとに各選択肢を計算します。

1. 現物の損益：$(107.20円 - 107.00円) \times \dfrac{10億円}{100円} = +200万円$

∴200万円の利益

2. 現物の損益：$(107.20円 - 107.00円) \times \dfrac{10億円}{100円} = +200万円$

  先物の損益：$(142.30円 - 142.50円) \times \dfrac{10億円}{100円} = ▲200万円$

  200万円＋▲200万円＝±0円

∴±0円

3. 現物の損益：$(103.00円 - 107.00円) \times \dfrac{10億円}{100円} = ▲4,000万円$

  先物の損益：$(142.30円 - 138.10円) \times \dfrac{10億円}{100円} = +4,200万円$

  ▲4,000万円＋4,200万円＝＋200万円

∴200万円の利益

4. 現物の損益：$(107.20円 - 107.00円) \times \dfrac{10億円}{100円} = +200万円$

  先物の損益：$(138.10円 - 142.50円) \times \dfrac{10億円}{100円} = ▲4,400万円$

  200万円＋▲4,400万円＝▲4,200万円

∴4,200万円の損失

5. 現物の損益：$(107.20円 - 107.00円) \times \dfrac{10億円}{100円} = +200万円$

先物の損益：$(142.50円 - 138.10円) \times \dfrac{10億円}{100円} = +4,400万円$

$$200万円 + 4,400万円 = 4,600万円$$

∴4,600万円の利益

＜例題3＞

現在、長期国債先物の期近物は、140.00円、期先物は139.50円である。今後、金利水準が上昇し、長短金利差が拡大してスプレッドが拡大すると思われるので、スプレッド取引の買いを行った。その後、期近物は135.00円、期先物は134.00円となったので、その時点で、反対売買を行った。この取引を表に示したのが下記の表である。

	期近物	期先物	スプレッド
開始時 終了時	買建て　140.00円 転　売　135.00円	売建て　139.50円 買戻し　134.00円	（ハ） （二）
損　益	（イ）	（ロ）	

上記表中、（イ）～（二）に当てはまる数値を計算しなさい。

（注）委託手数料、税金は考慮しないものとする。

＜解答＞

（イ）135.00円 － 140.00円 ＝ ▲5.00円

（ロ）139.50円 － 134.00円 ＝ 5.50円

（ハ）140.00円 － 139.50円 ＝ 0.50円

（二）135.00円 － 134.00円 ＝ 1.00円

4節 証拠金制度

重要度 ★★★

問題集 P362

証拠金制度は、指数先物取引及び国債先物取引、株式関連オプション及び国債先物オプション取引といった市場デリバティブ取引共通の制度です。

1 証拠金制度

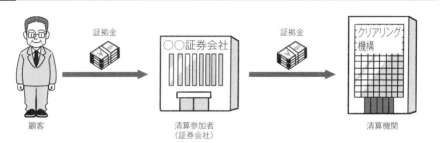

顧客　　　　　　　　　　清算参加者　　　　　　　清算機関
　　　　　　　　　　　　（証券会社）

市場デリバティブ取引において、決済履行を保証し取引の安全性を確保するために、**証拠金制度**が採用されています。証拠金とは、取引契約の履行を担保するために差し入れるものです。顧客が取引を行った場合には、**清算参加者**である**金融商品取引業者**（証券会社）等に証拠金を差し入れる必要があります。

顧客から差し入れられた証拠金は、清算参加者を通じて**清算機関**へ差し入れられます。清算参加者が証拠金を差し入れる清算機関は、大阪取引所（OSE）における取引の場合、指定清算機関である**クリアリング機構**に一元化されています。

また、市場デリバティブ取引には、**証拠金制度**及び**値洗い制度**が導入されています。

証拠金制度	取引を行った日の翌営業日に証拠金を差し入れる制度
値洗い制度	先物取引において評価損益が発生した日の翌営業日にその損益（値洗差金）の受け払いを行う制度

受入証拠金の総額が、証拠金所要額を下回っている場合は、顧客は不足額を現金または有価証券で金融商品取引業者等（証券会社等）に差し入れなければなりません。

逆に、受入証拠金の総額が証拠金所要額を上回る場合は、**引出しが可能**です。

証拠金の受け払いは、過不足が生じた日の翌営業日（非居住者は翌々営業日）までの証券会社等（金融商品取引業者等）が指定する日時までに差し入れる必要があります。

なお、**証拠金は**（現金不足額以外は）**有価証券で代用することができます**。証拠金代用有価証券の主なものは次のとおりです。

- ●国債証券 ●政府保証債券 ●地方債証券
- ●国内の金融商品取引所に上場されている株券（外国株券を含む）、外国投資証券
- ●アメリカ合衆国財務省証券

2 証拠金所要額

　証拠金所要額は、ポートフォリオ全体の建玉について必要とされている証拠金の額です。クリアリング機構はこの計算にVaR（Value at Risk）方式を採用しています。

　また、VaR方式は**ヒストリカル・シミュレーション方式**（HS-VaR方式）と**代替的方式**（AS-VaR方式）の2つの方式があります。

ヒストリカル・ シミュレーション方式	過去のマーケットデータ等を基にシナリオを作成し、これらのシナリオに応じてポートフォリオ単位の損益額を計算し、損益額のうち99％をカバーする金額を証拠金所要額とする。
代替的方式	想定する価格変動等のパラメータを事前に設定し、それを基に作成したシナリオに応じてポートフォリオ単位の損益額を算出し、損失が最大となるシナリオの損失額を証拠金所要額とする。

3 証拠金の計算問題

　証拠金の計算問題は、受入証拠金の総額を計算し、これを与えられた証拠金所要額と比較して証拠金の余剰額や不足額を算出します。その際、現金で受け払いする額も計算します。なお、外務員試験では通常、証拠金所要額は設問で与えられます。

　まずは以下の公式をマスターしてください。

　　差し入れが必要な額または引き出し可能額を算出

証拠金余剰・不足額＝受入証拠金－証拠金所要額

現金余剰・不足額＝差入証拠金の現金＋計算上の損益額＋先物決済損益等

　　現金で受け払いする額を算出

受入証拠金は、以下の式で定義されます。

受入証拠金＝値洗後の差入証拠金＋計算上の損益額＋先物決済損益等

・「値洗後の差入証拠金」とは、差し入れた証拠金を時価評価した額です。

・「計算上の損益額」とは、先物取引における未決済建玉の評価損益です。毎日評価損益計算を行い、日々現金で受払いします。

・「先物決済損益等」とは、先物の建玉を決済したときの損益をいいます。

4 緊急取引証拠金

市場デリバティブ取引では、日々授受を行う通常の証拠金制度に加えて、同一日のなかで相場が大きく変動した際に決済履行を保証する観点から、**緊急取引証拠金制度**が導入されています。

緊急取引証拠金は有価証券等による代用が可能です。代用有価証券の範囲は、通常の取引証拠金と同様です。

5 ギブアップ制度

ギブアップ制度とは、注文の執行業務とポジション・証拠金の管理といった清算業務を、異なった取引参加者に依頼することができる制度です。

顧客、注文執行参加者及び清算執行参加者の３者間で、ギブアップ契約書を締結することにより可能となります。

6 投資計算 ▦計算

<例題１>

長期国債先物を133円で額面金額10億円買い建てた。対応する証拠金所要額は1,000万円と計算され、全額代用有価証券で差し入れたとする。約定日翌日、長期国債先物の清算値段が130円に下落し、代用有価証券に100万円の評価損が出た場合の記述として正しいものを下から１つ選びなさい。

（注）証拠金所要額は1,000万円で変わらなかったものとする。

1．建玉の評価損、代用有価証券の評価損ともにすべて現金で差し入れる必要がある。
2．建玉の評価損は代用有価証券で差し入れる必要があるが、代用有価証券の評価損は現金の差入れが必要である。
3．建玉の評価損は現金で差し入れる必要があるが、代用有価証券の評価損は有価証券の差入れでよい。
4．建玉の評価損、代用有価証券の評価損ともに有価証券の差し入れでよい。
5．この場合、現金及び有価証券の差し入れは不要である。

<解答> 3

証拠金の計算問題は以下の公式を使う。

証拠金余剰・不足額＝受入証拠金－証拠金所要額

現金余剰・不足額＝差入証拠金の現金＋計算上の損益額＋先物決済損益等

証拠金不足額の差し入れは代用有価証券でよいが、現金不足額の差し入れは現金が必要となる。

「計算上の損益額」とは、先物取引における未決済建玉の評価損益をいう。「先物決済損益等」とは、先物の建玉を決済したときの損益をいう。

本問においては、建玉、代用有価証券ともに評価損が出ている。また、証拠金所要額がすべて代用有価証券で差し入れられていることから、「差入証拠金の現金」は0と考えられる。そして、決済はしていないので「先物決済損益等」も0。したがって、現金不足額は「計算上の損益額」である建玉の評価損と考えることができる。

以上より、建玉の評価損は現金で差し入れる必要があるが、証拠金の不足額にあたる代用有価証券の評価損は有価証券の差し入れでよいといえる。

証拠金は有価証券で代用できます。代用有価証券の評価損には新たな代用有価証券を差し入れればよいですが、建玉の評価損には現金で差し入れる必要があります。

＜例題2＞

長期国債先物を100.00円で額面金額10億円買い建て、対応する証拠金所要額は1,000万円と計算され、証拠金所要額を全額代用有価証券で差し入れた。約定日翌日、長期国債先物の清算値段が99.60円に下落し、代用有価証券に100万円の評価損が出た場合の追加証拠金の額はいくらか。

（注）証拠金所要額は1,000万円で変わらなかったものとする。

＜解答＞

証拠金所要額＝1,000万円

値洗後の差入証拠金＝現金＋代用有価証券

$$= 0 + （1,000万円 - 100万円）$$

$$= 900万円$$

計算上の損益額＝（99.60円 - 100.00円）$\times \dfrac{10億円}{100円} = $▲400万円

先物決済損益等＝0千円

受入証拠金＝値洗後の差入証拠金＋計算上の損益額＋先物決済損益等

$$= 900万円 + ▲400万円 + 0 = 500万円$$

証拠金余剰・不足額＝受入証拠金 - 証拠金所要額

$$= 500万円 - 1,000万円 = ▲500万円$$

現金余剰・不足額＝差入証拠金の現金＋計算上の損益額＋先物決済損益等

$$= 0 + ▲400万円 + 0 = ▲400万円$$

したがって、証拠金不足額の発生により500万円を差し入れる必要がある（うち400万円は現金での差し入れが必要）。

＜例題３＞

TOPIX先物を1,650ポイントで10単位買い建て、対応する証拠金は1,000万円と計算され、必要証拠金を全額代用有価証券で差し入れた。TOPIX先物の清算値段が1,620ポイントに下落し、代用有価証券に100万円の評価損が出た場合、差し入れる証拠金の額はいくらか。

（注）証拠金所要額は1,000万円で変わらなかったものとする。

＜解答＞

証拠金所要額＝1,000万円

値洗後の差入証拠金＝現金＋代用有価証券

$\qquad$ ＝0＋（1,000万円－100万円）

$\qquad$ ＝900万円

計算上の損益額＝（1,620－1,650）×10,000円×10単位＝▲300万円

先物決済損益等＝0千円

受入証拠金＝値洗後の差入証拠金＋計算上の損益額＋先物決済損益等

$\qquad$ ＝900万円＋▲300万円＋0＝600万円

証拠金余剰・不足額＝受入証拠金－証拠金所要額

$\qquad$ ＝600万円－1,000万円＝▲400万円

現金余剰・不足額＝差入証拠金の現金＋計算上の損益額＋先物決済損益等

$\qquad$ ＝0＋▲300万円＋0＝▲300万円

したがって、証拠金不足額の発生により400万円を差し入れる必要がある（うち300万円は現金での差し入れが必要）。

補 商品先物取引の制度概要

重要度 ★ 問題集 P364

1 商品先物取引の制度概要

　大阪取引所（OSE）で取引されている商品先物取引の対象には、金や白金等の貴金属のほかに、ゴムや農産物（大豆、小豆、とうもろこし）があります。

　主な商品先物取引の制度概要は以下のとおりです。

商品名	金標準先物	白金標準先物	銀先物	パラジウム先物
原資産	金地金	白金地金	銀地金	パラジウム地金
限月	2、4、6、8、10、12月限 取引開始日の属する月の翌月以降における直近6限月			
取引単位	1kg	500g	30kg	3kg
取引最終日	受渡日から起算して4営業日前にあたる日（日中立会まで）			
最終決済方法	受渡決済			

　なお、金標準先物及び白金標準先物には、それぞれを原資産とするミニ取引（金ミニ先物、白金ミニ先物）があります。ミニ取引の最終決済方法は差金決済となります。

2 商品先物取引における決済

　商品先物取引における決済には、差金決済と最終決済の2つがあります。差金決済は、取引最終日前に反対売買を行い売値と買値の差額分の金銭の授受を行う決済で、最終決済は取引最終日まで建玉を保有した場合の決済です。最終決済には、実際に商品の受渡しを行う受渡決済と金銭の授受を行う差金決済の2通りがあります。

　差金決済型の商品先物取引の場合、最終決済は取引最終日の翌日の原資産の始値で決済されます。

　受渡決済型の商品先物取引の場合、先物の売方が商品を渡して代金の支払を受け、買方が代金を支払うと同時にその商品を引き取るという決済を行います。受渡決済型では、取引最終日までに反対売買による決済がなされなかった場合、その建玉はすべて受渡決済により決済されます。

オプション取引

　まずは、オプション取引の4つの基本形であるコール・オプションの買いと売り、プット・オプションの買いと売りの損益図を理解することが重要です。

　オプション・プレミアムの仕組み、特性、感応度は必ず出題されます。

　また、各オプションの投資戦略の仕組み、各投資戦略（ポジション）の名称や損益図の特徴が理解できているかが問われています。

　株式オプション、債券オプションの制度については、「限月」「取引単位」「決済」などが出題されます。商品ごとに正確に覚えてください。

　計算問題では、投資戦略を組んだ場合の損益計算が出題されています。これらの投資戦略はすべて単純なコールの買いと売り、プットの買いと売りを組み合わせただけなので、1つ1つを順番に計算すればそれほど複雑ではありません。練習問題で反復することにより必ず得点できるようにしてください。

推定配点&出題形式

○×問題：2問　（4点）

5肢選択問題：3問（30点）

計**34**点／440点満点中

※配点・出題形式についてはフィナンシャル バンク インスティテュートの推定です。

1 オプション取引とは

オプション取引とは、「基準となる対象商品（原資産）を、将来のある期日までに、あらかじめ決められた特定の価格（権利行使価格）で売り・買いする権利（選択権）」を売買する取引のことをいいます。オプション取引は、ある商品（株式や債券等）を直接売ったり、買ったりするのでなく、それらを売買することができる権利を売買していることになります。

■オプション取引のポイント

	オプション取引とは、	〈具体例〉
①	ある商品（オプションの対象となる商品、原資産）を、	日経平均株価を、
②	将来のある期日までに、	来年の9月11日までに、
③	特定の価格（あらかじめ定められた価格、権利行使価格）で、	20,000円（権利行使価格）で、
④	買う権利または売る権利を、	買う権利を、
⑤	売買する取引です。	100円支払って購入する取引です。

上の具体例では、「日経平均株価をあらかじめ定められた権利行使価格20,000円で買うことができる権利」を100円支払って買っていることになります。その後、期日に日経平均株価が20,500円となった場合、あらかじめ定められた20,000円（権利行使価格）で日経平均株価を買うことができるので、20,000円と20,500円の差額500円が利益となります（この権利を購入するために100円支払っているので、実質400円の利益となる）。権利行使時に受け払いされる金額をペイオフ（pay off）といいます。

> 実際に買う権利や売る権利を実行して、原資産を取得することを権利行使といいます。

なお、このようにオプション取引を利用することにより、少ない資金で大きなリターンをあげることができる効果をレバレッジ効果といいます。

(1) オプションの権利と義務

オプションの権利には、買う権利（**コール・オプション**）と売る権利（**プット・オプション**）があります。

コール・オプション	権利行使価格で原資産を**買う**ことができる権利。 〈例〉14,500円で日経平均株価を買うことができる権利 （日経平均株価が14,500円より値上がりすると利益となる）
プット・オプション	権利行使価格で原資産を**売る**ことができる権利。 〈例〉14,500円で日経平均株価を売ることができる権利 （日経平均株価が14,500円より値下がりすると利益となる）

この買う権利（**コール・オプション**）と売る権利（**プット・オプション**）それぞれの権利に対して、異なる相場観やニーズを持った**売方**と**買方**が存在します。

コール・オプションの買方に対し、コール・オプションの売方が存在します。また、プット・オプションの買方に対し、プット・オプションの売方が存在します。◉ **理解**

(2) オプション・プレミアムについて ⚠**注意**

コール・オプション及びプット・オプションの権利に付けられている価格（権利料）のことを、**プレミアム**または**オプション料**といいます。

オプションのプレミアムはその取引に際し、コール・オプション及びプット・オプションの**買方**が**売方**に支払います。これはオプションの購入代金にあたります。

> オプションの売方からみると、当初買方より**プレミアム（オプション料）を受け取る**かわりに、将来買方が**権利行使をした場合に応じる義務**がある。これはペイオフの支払い義務を**プレミアム（オプション料）を対価**として引き受けていることになる。

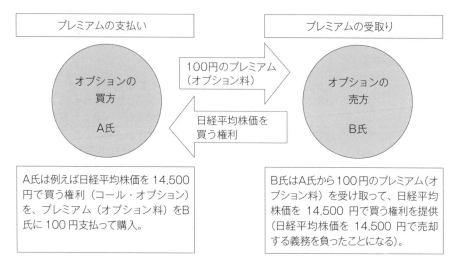

| | プレミアムの支払い | | | | プレミアムの受取り | |

A氏は例えば日経平均株価を 14,500 円で買う権利（コール・オプション）を、プレミアム（オプション料）をB氏に 100 円支払って購入。

B氏はA氏から 100 円のプレミアム（オプション料）を受け取って、日経平均株価を 14,500 円で買う権利を提供（日経平均株価を 14,500 円で売却する義務を負ったことになる）。

■オプション・プレミアムのポイント整理　◎理解

①オプションの買方はプレミアムを支払っているので権利行使を実行する権利を持っており、売方はプレミアムを受け取っているのでそれに応じる義務があります。

②オプションの買方は権利行使をして原資産を取得することも、オプション料（プレミアム）が上昇した場合は、反対売買によってその差額を得ることもできます（差金決済）。

③オプションの買方は、満期日まで権利行使せず、権利放棄した場合はその損失は当初支払ったプレミアムに限定されます。

④オプションの売方は、買方からプレミアムを受け取れますが、利益は当初受け取ったプレミアムに限定され、損失は無限定となります。▼注意

コール・プット	利益	損失	権利と義務
買方	原資産価格の動き次第で無限定	当初支払ったプレミアムに限定	権利行使する権利がある
売方	当初受け取ったプレミアムが最大	原資産価格の動き次第で無限定	権利行使に応じる義務がある

(3)　オプションの満期日

　オプション取引を行うにあたって、将来のある期日のことを満期日といいます。オプションは、満期日までの権利行使の方法により次の2つに分類されます。

アメリカン・タイプ	満期日以前にいつでも権利行使可能なオプション。〈例〉国債先物オプション
ヨーロピアン・タイプ	満期日のみ権利行使可能なオプション。〈例〉日経225オプション、TOPIXオプション

⑷ オプションの損益図

オプション取引を考える場合、オプションの損益図が重要です。オプションの損益図とは、オプションのプレミアムとそのオプションの原資産価格との関係を図で示したものです。縦軸にプレミアムの損益をとり、横軸に原資産価格をとります。

⑸ オプション取引の4つの基本形

オプション取引には以下のとおり4つの基本形があります。なお、投資の世界では、買いは**ロング**で売りは**ショート**と呼びます。

①コール・オプションの買い　②コール・オプションの売り

③プット・オプションの買い　④プット・オプションの売り

■**損益図のイメージ**　※次のページより、それぞれのケースを学習します。

	コール・オプション	プット・オプション
買い	①コール・オプションの買い（ロング・コール）	③プット・オプションの買い（ロング・プット）
売り	②コール・オプションの売り（ショート・コール）	④プット・オプションの売り（ショート・プット）

■具体例

権利行使価格15,000円の日経225コール・オプションを、プレミアム100円を支払って
購入したときのコール・オプションの損益

原資産価格 （日経平均株価）	14,800	14,900	15,000	15,100	15,200	15,300
損　　　益	−100	−100	−100	0	+100	+200

コール・オプションの買方は100円のプレミアムを
支払っているので、損益分岐点は15,100円となり
ます。原資産価格（日経平均株価）が「権利行使価
格＋プレミアム」より高くなると利益となります。

＜損益図（ロング・コール）＞

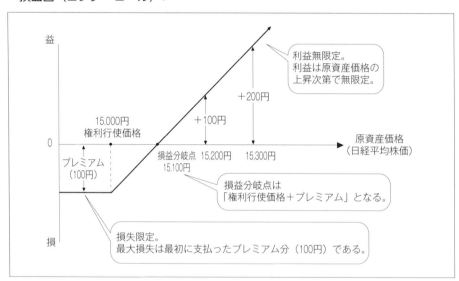

この損益図から、利益は無限定で、損失はプレミア
ム分に限定されるのが分かります。

取引イメージ

A氏は日経平均株価が大きく上昇すると予想し、「日経平均株価を15,000円で買う権利」を100円で購入した（コール・オプションの買い）。

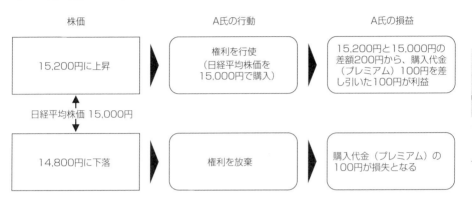

②コール・オプションの売り（ショート・コール）→原資産価格がやや下落すると予想

■具体例

権利行使価格15,000円の日経225コール・オプションを、プレミアム100円を受け取って売却したときのコール・オプションの損益

原資産価格 （日経平均株価）	14,800	14,900	15,000	15,100	15,200	15,300
損　　益	+100	+100	+100	0	−100	−200

> コール・オプションの売方は、100円のプレミアムを受け取っているので、損益分岐点は15,100円となります。原資産価格（日経平均株価）が「権利行使価格＋プレミアム」より低くなると利益になります。

＜損益図（ショート・コール）＞

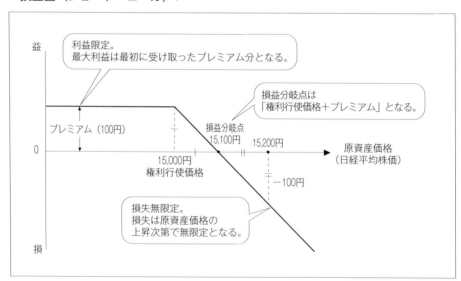

益

> 利益限定。
> 最大利益は最初に受け取ったプレミアム分となる。

プレミアム（100円）

> 損益分岐点は
> 「権利行使価格＋プレミアム」となる。

0

損益分岐点
15,100円　15,200円

原資産価格
（日経平均株価）

15,000円
権利行使価格

−100円

> 損失無限定。
> 損失は原資産価格の
> 上昇次第で無限定となる。

損

> この損益図から、利益はプレミアム分に限定され、損失は無限定であるのが分かります。

取引イメージ

A氏は日経平均株価がやや下落すると予想し、「日経平均株価を15,000円で買う権利」を100円で売却した（コール・オプションの売り）。

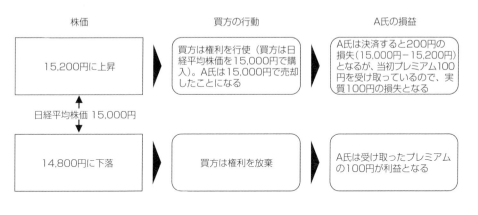

株価	買方の行動	A氏の損益
15,200円に上昇	買方は権利を行使（買方は日経平均株価を15,000円で購入）。A氏は15,000円で売却したことになる	A氏は決済すると200円の損失（15,000円−15,200円）となるが、当初プレミアム100円を受け取っているので、実質100円の損失となる

日経平均株価 15,000円

| 14,800円に下落 | 買方は権利を放棄 | A氏は受け取ったプレミアムの100円が利益となる |

399

17章　オプション取引

1節　オプション取引の基本

③プット・オプションの買い（ロング・プット）→原資産価格が下落すると予想

■具体例

権利行使価格15,000円の日経225プット・オプションを、プレミアム100円を支払って購入したときのプット・オプションの損益

原資産価格 （日経平均株価）	14,700	14,800	14,900	15,000	15,100	15,200
損　　益	+200	+100	0	−100	−100	−100

プット・オプションの買方は100円のプレミアムを支払っているので、損益分岐点は14,900円となります。原資産価格（日経平均株価）が「権利行使価格−プレミアム」より低くなると利益になります。

＜損益図（ロング・プット）＞

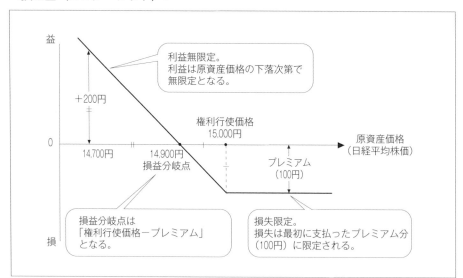

この損益図から、利益は無限定で、損失はプレミアム分に限定されるのが分かります。

400

A氏は日経平均株価が大きく下落すると予想し、「日経平均株価を15,000円で売る権利」を100円で購入した（プット・オプションの買い）。

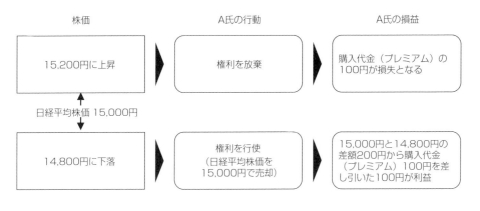

④プット・オプションの売り（ショート・プット）→原資産価格が緩やかに上昇すると予想

■具体例

権利行使価格15,000円の日経225プット・オプションを、プレミアム100円を受け取って売却したときのプット・オプションの損益

原資産価格 （日経平均株価）	14,700	14,800	14,900	15,000	15,100	15,200
損　　　益	−200	−100	0	+100	+100	+100

プット・オプションの売方は100円のプレミアムを受け取っているので、損益分岐点は14,900円となります。原資産価格（日経平均株価）が、「権利行使価格−プレミアム」より高くなると利益となります。

＜損益図（ショート・プット）＞

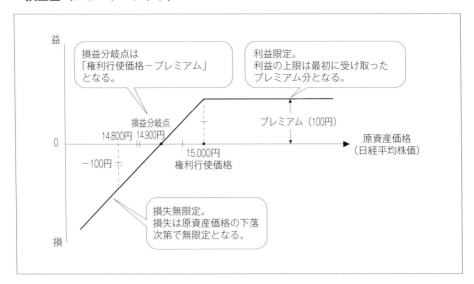

この損益図から、利益はプレミアム分に限定され、損失は無限定であるのが分かります。

取引イメージ

A氏は日経平均株価が緩やかに上昇すると予想し、「日経平均株価を15,000円で売る権利」を100円で売却した（プット・オプションの売り）。

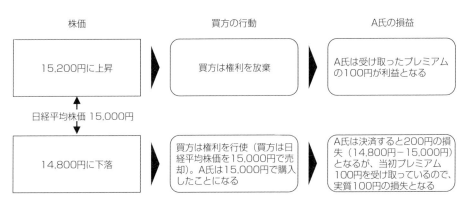

株価	買方の行動	A氏の損益
15,200円に上昇	買方は権利を放棄	A氏は受け取ったプレミアムの100円が利益となる

日経平均株価 15,000円

株価	買方の行動	A氏の損益
14,800円に下落	買方は権利を行使（買方は日経平均株価を15,000円で売却）。A氏は15,000円で購入したことになる	A氏は決済すると200円の損失（14,800円−15,000円）となるが、当初プレミアム100円を受け取っているので、実質100円の損失となる

17章　オプション取引

1節 ■ オプション取引の基本

2 オプション・プレミアムの基本と権利行使価格との関係

⑴ 権利行使価格と原資産価格との関係

権利行使価格と原資産価格との水準から以下の3つに大別されます。なお、行使した時に手に入る金額をペイオフ（pay off）といいます。

①ATM（At The Money）

権利行使価格と原資産価格が同じ水準にある場合をいいます。

②ITM（In The Money）

権利行使をすると利益の出る状態をいいます。

コール・オプションの場合は、権利行使価格よりも原資産価格が上回っている状態、プット・オプションの場合は、権利行使価格よりも原資産価格が下回っている状態をいいます。

③OTM（Out of The Money）

権利行使をすると損失の出る状態をいいます。

コール・オプションの場合は、権利行使価格よりも原資産価格が下回っている状態、プット・オプションの場合は、権利行使価格よりも原資産価格が上回っている状態をいいます。 ◉理解

> 上の内容を簡単にまとめたものが下図です。本試験では、この図の ＞、＝、＜ が穴埋めで問われます。

	コール・オプション	プット・オプション
ITM	原資産価格＞権利行使価格	原資産価格＜権利行使価格
ATM	原資産価格＝権利行使価格	原資産価格＝権利行使価格
OTM	原資産価格＜権利行使価格	原資産価格＞権利行使価格

また、ITMの中で、ATMから非常に遠い状態をディープ・イン・ザ・マネー（Deep In The Money）、OTMの中で、ATMから非常に遠い状態をディープ・アウト・オブ・ザ・マネー（Deep Out of The Money）といいます。

取引イメージ

権利行使価格15,000円のコール・オプションとプット・オプションについて、日経平均株価が15,000円のままの場合、15,200円に上昇した場合、14,800円に下落した場合にどうなるか。

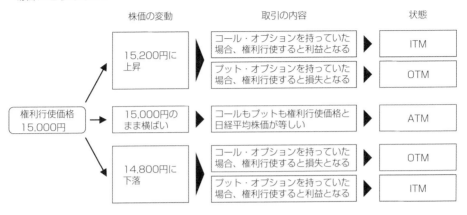

(2) ボラティリティ（Volatility）

ボラティリティとは、原資産の価格変動性の大きさ（どれくらいの範囲で上がったり、下がったりするか）を表す指標で、オプション・プレミアムの価格を決定するうえで、大きな要因となっています。

実務上は、次の2つのボラティリティを利用しています。

ヒストリカル・ボラティリティ	過去の原資産価格のリターンの標準偏差から算出する方法（例えば過去の日経平均株価の値動きの幅から今後の値動きを予想する）
インプライド・ボラティリティ	実際の市場のプレミアムから逆算する方法

ボラティリティが**年率5％**というと、原資産価格が、現在の値段から満期までの間に**±5％の範囲で動く可能性がある**ことを意味しています。 ◉ 理解

例えば、日経平均株価が現在10,000円で、そのときのボラティリティが年率5％である場合、満期までの間に、日経平均株価が、9,500円～10,500円の間で変動することを意味しています。 ▼ 注意

⑶ オプションの価値（オプション・プレミアム）

オプションの市場での価格（価値）は、オプション・プレミアムと呼ばれ、**本質的価値**と**時間価値**からなっています。

オプション価格 ＝ 本質的価値 ＋ 時間価値
（オプション・プレミアム）　（イントリンシック・バリュー）　（タイム・バリュー）

本質的価値 （イントリンシック・バリュー）	オプション本来の価値のことで、オプションの権利を行使することで得られる価値をいい、**原資産価格と権利行使価格の差額**となる。 コールであれば原資産価格が権利行使価格よりも高くなった場合、その差額が本質的価値。プットであれば原資産価格が権利行使価格よりも下回った場合、その差額が本質的価値となる。 コール・オプションの本質的価値＝ 原資産価格 － 権利行使価格 プット・オプションの本質的価値＝ 権利行使価格 － 原資産価格 したがって、コールもプットもITMの場合のみ**本質的価値**が生じ、**ATMやOTMの場合、本質的価値はゼロ**となる。ATMやOTMの場合にオプション価格があるならば、それは**すべて時間価値である**といえる。
時間価値 （タイム・バリュー）	オプション・プレミアムと本質的価値の差額であり、満期日までの時間の長さや原資産価格のボラティリティ等によって決定される。 時間価値はATM（At The Money）で最も大きく、ITM（In The Money）やOTM（Out Of The Money）になるにつれて小さくなる。 なお、時間価値は満期日が近づくにつれ減少し、満期日にはゼロとなる。

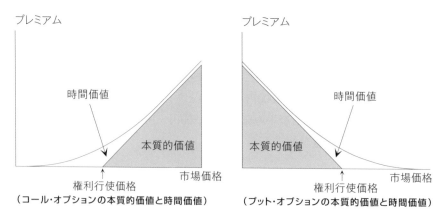

（コール・オプションの本質的価値と時間価値）

（プット・オプションの本質的価値と時間価値）

■具体例 ▼注意

①コール・オプションの場合、日経平均株価が15,000円、権利行使価格が14,500円、
　プレミアムを800円とした場合の本質的価値は500円、時間価値は300円です。

②プット・オプションの場合、日経平均株価が15,000円、権利行使価格が15,500円、
　プレミアムを700円とした場合の本質的価値は500円、時間価値は200円です。

③コール・オプションの場合、日経平均株価が15,000円、権利行使価格が15,500円、
　プレミアムを200円とした場合の本質的価値は０円、時間価値は200円です。

④プット・オプションの場合、日経平均株価が15,000円、権利行使価格が14,500円、
　プレミアムを200円とした場合の本質的価値は０円、時間価値は200円です。

3 オプション・プレミアムの特性

オプション・プレミアムの決定要因とプレミアムの関係は以下のようになります。 ◉ 理解

要　因	要因の変化	コール・プレミアム	プット・プレミアム
①原資産価格	上昇	＋（上昇）	－（下落）
	下落	－（下落）	＋（上昇）
②権利行使価格	高い	－（低い）	＋（高い）
	低い	＋（高い）	－（低い）
③残存期間	長い	＋（高い）	＋（高い）
	短い	－（低い）	－（低い）
④ボラティリティ	上昇	＋（上昇）	＋（上昇）
	下落	－（下落）	－（下落）
⑤短期金利※	上昇	＋（上昇）	－（下落）
	下落	－（下落）	＋（上昇）

※短期金利は株価指数オプションのみを対象。

①プレミアムと原資産価格との関係 ▼注意

原資産価格と権利行使価格の関係をもとに考えます。原資産価格が上昇すると、原資産価格が権利行使価格を超える可能性が高くなり、コール・プレミアムは上昇し、プット・プレミアムは下落します。逆に、原資産価格が下落すると、原資産価格が権利行使価格を下回る可能性が大きくなり、コール・プレミアムは下落し、プット・プレミアムは上昇します。

②プレミアムと権利行使価格の関係 ▼注意

ここでも①と同様に原資産価格と権利行使価格の関係をもとに考えます。権利行使価格が高いなら、権利行使価格が原資産価格より高い可能性が高く、コール・プレミ

アムは低いし、プット・プレミアムは高いということになります。逆に、権利行使価格が低いなら、権利行使価格が原資産価格より低い可能性が高く、コール・プレミアムは高いし、プット・プレミアムは低いということになります。

③プレミアムと残存期間の関係　▼注意

コールもプットも残存期間が長くなるほど、時間価値が増加するためプレミアムは高くなります。逆に、残存期間が短くなるほど、コールもプットも時間的価値が減少するためプレミアムは低くなります。

④プレミアムとボラティリティとの関係　▼注意

ボラティリティは原資産価格が上下する変動幅のことなので、コールもプットもボラティリティが増大するほど、権利行使価格を上回る可能性や下回る可能性が高まるためプレミアムは上昇します。逆にボラティリティが減少すれば、プレミアムも下落します。

⑤プレミアムと短期金利との関係（株価指数オプションの場合）▼注意

コールは、短期金利で借入れをして原資産を買っているのと同じことになり、金利の上昇により調達コストが上昇するので、結果的にプレミアムが上昇します。一方、プットは原資産を売って、売却代金を短期金利で運用していることと同じになるので、金利上昇により運用益が増え、コストが下がり、結果的にプレミアムは下落します。

4　オプション・プレミアムの感応度

オプションを取引するうえで、原資産価格、ボラティリティ、残存期間、短期金利の微小な変化によって、**オプション・プレミアム**がどれぐらい変化するのかを理解する必要があります。この変化の度合を**感応度**といい、代表的な指標が6つあります。なお、次の式に出てくる「Δ」は**変化幅**を示します。

■オプション・プレミアムの変化を示す代表的な指標　　☀重要

デルタ	原資産価格の微小変化に対するプレミアムの変化の比を示す。 $$デルタ = \frac{\Delta\,プレミアム}{\Delta\,原資産価格} = \frac{プレミアムの変化幅}{原資産価格の変化幅}$$ ・デルタの値が大きければ、原資産価格の変動によるプレミアムの変動が大きいということ。逆にデルタの値が小さければ、原資産価格の変動によるプレミアムの変動が小さいということ。 ・デルタの値は、コール・オプションは0〜1、プット・オプションは−1〜0の範囲で変動。 ・原資産の変動幅が100円としたときに、プレミアムが50円動けば、デルタは0.5となる。実際にはヘッジの手段として、デルタが利用される。原物のデルタは1であることから、デルタ0.5のコール・オプションを2枚売却することで全体のデルタは0となる。これは、理論的には原資産価格の変動に対するポジション全体の変動はないことを意味している。
ガンマ	原資産価格の微小変化に対する、デルタの変化の比を示す。 $$ガンマ = \frac{\Delta\,デルタ}{\Delta\,原資産価格}$$
ベガ	ボラティリティの微小変化に対する、プレミアムの変化の比を示す。 $$ベガ = \frac{\Delta\,プレミアム}{\Delta\,ボラティリティ}$$
セータ	満期までの残存期間の微小変化に対する、プレミアムの変化の比を示す。 $$セータ = -\frac{\Delta\,プレミアム}{\Delta\,残存期間}$$
ロー	短期金利の微小変化に対する、プレミアムの変化の割合を示す。 $$ロー = \frac{\Delta\,プレミアム}{\Delta\,短期金利}$$
オメガ	原資産価格の変化率に対する、プレミアムの変化率の割合を示す。デルタとの違いに注意。 $$オメガ = \frac{プレミアムの変化率}{原資産価格の変化率}$$

5　オプション取引の投資戦略（ストラテジー）

(1)　コールの買い（ロング・コール）

＜戦　略＞原資産価格が上昇すると予想する、市場価格について強気の戦略。

＜ケース＞権利行使価格が15,000円の日経225コール・オプションをプレミアム100円
　　　　　を支払って購入する場合。

＜損益図の見方＞

①日経平均株価（原資産価格）が15,100円より上昇した場合に利益は無限定とな
　ります。

②日経平均株価が15,000円より下落した場合、損失は支払ったプレミアムの100円
　となり、最大損失はその100円に限定されます。

③損益分岐点は、15,100円です。

＜損益図＞

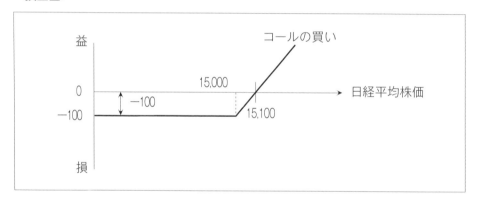

⑵ コールの売り（ショート・コール）

＜戦　略＞**原資産価格がやや下落する**と予想する、**市場価格について弱気**の戦略。

＜ケース＞権利行使価格が15,000円の日経225コール・オプションをプレミアム100円
　　　　　を受け取って売却する場合。

＜損益図の見方＞

①日経平均株価（原資産価格）が15,000円より下落した場合、利益は受け取ったプレ
　ミアムの100円となり、最大利益も100円です。

②日経平均株価が15,100円より上昇した場合、権利行使を受けることにより、損失が
　発生し、その損失額は日経平均株価の上昇につれて増加します（損失は無限定とな
　ります）。

③損益分岐点は、15,100円です。

＜損益図＞

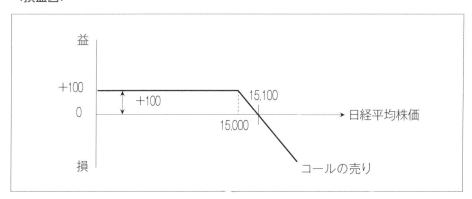

⑶ **プットの買い（ロング・プット）**

＜戦　略＞**原資産価格が下落する**と予想する、**市場価格について弱気**の戦略。

＜ケース＞権利行使価格が15,000円の日経225プット・オプションを、プレミアム100
　　　　　円を支払って購入する場合。

＜損益図の見方＞

①日経平均株価（原資産価格）が14,900円より下落すれば利益となり、原資産価格の
　下落につれて利益は増加し、無限定となります。

②日経平均株価が15,000円より上昇すれば、損失は支払ったプレミアムの100円とな
　り、最大損失はその100円に限定されます。

③損益分岐点は、14,900円です。

＜損益図＞

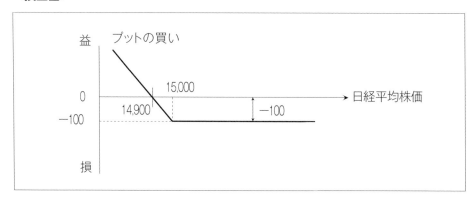

⑷ プットの売り（ショート・プット）

＜戦　略＞**原資産価格が緩やかに上昇する**と予想する、**市場価格について強気の戦略。**

＜ケース＞権利行使価格が15,000円の日経225プット・オプションを、プレミアム100
　　　　円を受け取って売却する場合。

＜損益図の見方＞

①日経平均株価（原資産価格）が15,000円より上昇した場合、利益は受け取ったプレ
　ミアムの100円となり、最大利益もその100円です。

②日経平均株価が14,900円より下落した場合、権利行使を受けることにより、損失が
　発生し、その損失額は日経平均株価の下落につれて増加します（損失は無限定とな
　ります）。

③損益分岐点は、14,900円です。

＜損益図＞

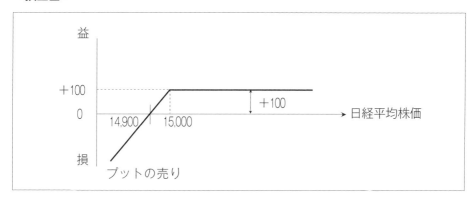

⑸ **ストラドルの買い（ロング・ストラドル）**

＜戦　略＞原資産価格がどちらに動くかわからないが、大きく変動すると予想すると
　　　　きにとる戦略。
　　　　同じ権利行使価格のプットとコールを同じ数量買います。

＜ケース＞権利行使価格が15,000円の日経225プット・オプションをプレミアム100円
　　　　で買い、同じ権利行使価格のコールをプレミアム100円で買う場合。

＜損益図の見方＞

①同じ権利行使価格のコールとプットを買っているので、プレミアムを計200円支
　払っており、日経平均株価（原資産価格）が15,200円以上または14,800円以下と
　なった場合に利益となり、利益は日経平均株価の変動によって14,800円より下落し
　ても、また、15,200円より上昇しても無限定となります。

②損失は最大で支払ったプレミアムの合計200円に限定されます。

③日経平均株価が権利行使価格の15,000円のときに最大損失（200円）となります。

④損益分岐点は、15,200円と14,800円の２つです。

＜損益図＞

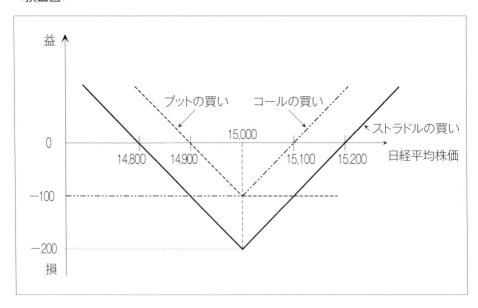

⑹ ストラドルの売り（ショート・ストラドル）

<戦　略>原資産価格が小動きになると予想するときにとる戦略。
　　　　同じ権利行使価格のプットとコールを同じ数量売ります。

<ケース>権利行使価格が15,000円の日経225プット・オプションをプレミアム100円
　　　　で売り、同じ権利行使価格のコールをプレミアム100円で売る場合。

<損益図の見方>

①同じ権利行使価格のコールとプットを売っているので、プレミアムを合計200円受
　け取っており、原資産価格が14,800円から15,200円の間であれば利益となります。

②利益は最大で当初受け取ったプレミアムの合計200円となります。

③日経平均株価が、権利行使価格の15,000円のときに最大利益（200円）となります。

④損失は、日経平均株価の変動によって、14,800円より下落しても、15,200円より上
　昇しても無限定となります。

⑤損益分岐点は、15,200円と14,800円の２つです。

<損益図>

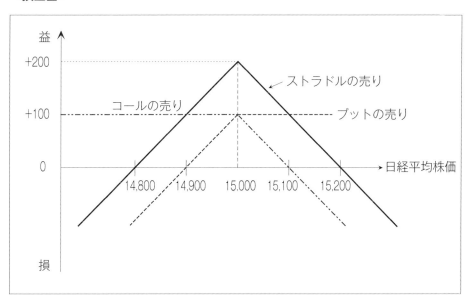

⑺ ストラングルの買い（ロング・ストラングル）

<戦　略>原資産価格が大きく変動すると予想するときにとる戦略。

　　　　　ストラドルの買いとの違いは、ストラングルの買いのほうがさらに大きな
　　　　　原資産価格の変動を予想する場合の戦略です。

　　　　　異なった権利行使価格のプットとコールを買います。

<ケース>権利行使価格が15,000円の日経225プット・オプションをプレミアム100円
　　　　　で買い、権利行使価格15,500円のコール・オプションをプレミアム100円
　　　　　で買う場合。

<損益図の見方>

①プレミアム100円のプットとコールを買っているので、プレミアムを計200円支払っ
　ており、日経平均株価（原資産価格）が15,700円以上または14,800円以下となった
　場合に利益となります。

②日経平均株価が14,800円～15,700円の間である場合は、損失となり、最大損失は、
　日経平均株価が15,000円～15,500円の間（権利行使価格と権利行使価格の間）であ
　る場合で支払ったプレミアムの合計200円となります（損失は限定されます）。

③利益は、日経平均株価の変動によって、14,800円より下落しても、また15,700円よ
　り上昇しても無限定となります。

④損益分岐点は、15,700円と14,800円の2つです。

<損益図>

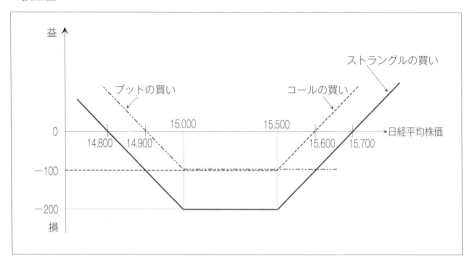

(8) ストラングルの売り（ショート・ストラングル）

<戦　略>原資産価格が小動きになると予想するときにとる戦略。

ストラドルの売りとの違いは、ストラングルの売りのほうがより大きい原資産価格の変動の範囲で利益となります。

異なった権利行使価格のプットとコールを売ります。

<ケース>権利行使価格が15,000円の日経225プット・オプションをプレミアム100円で売り、権利行使価格15,500円のコール・オプションをプレミアム100円で売る場合。

<損益図の見方>

①プレミアム100円のプットとコールを売っているので、プレミアムを合計200円受け取っており、日経平均株価（原資産価格）が14,800円〜15,700円の間であれば利益となります。

②日経平均株価が15,000円〜15,500円の間（権利行使価格と権利行使価格の間）である場合、最大利益が受け取ったプレミアムの合計200円となります（利益は限定されます）。

③損失は、日経平均株価の変動によって、14,800円より下落しても、また15,700円より上昇しても無限定となります。

④損益分岐点は、14,800円と15,700円の２つです。

<損益図>

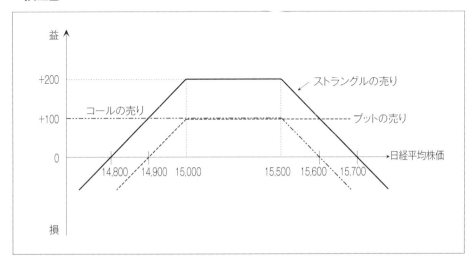

⑼ バーティカル・ブル・スプレッド

　バーティカル・ブル・スプレッドには、コール・オプションを用いる場合と、プット・オプションを用いる場合の2種類があります。コールを用いてもプットを用いても基本的に損益図は同じ形となります。

①バーティカル・ブル・コール・スプレッド　◎**理解**

＜戦　略＞原資産価格がやや上昇すると予想するとき、権利行使価格の高いコール・オプションを売り、権利行使価格の低いコール・オプションを買う戦略。

＜ケース＞権利行使価格16,000円の日経225コール・オプションをプレミアム300円で売り、権利行使価格15,000円の日経225コール・オプションをプレミアム500円で買う場合。

＜損益図の見方＞

①日経平均株価が16,000円になった場合、コールの買いは、損益分岐点が15,500円ですから利益が500円。コールの売りは、300円の利益となるので合計800円の利益となり、合成ポジションの最大利益は800円となります。

②日経平均株価が15,000円になった場合、コールの買いは、損失が500円に限定されており、コールの売りは、受け取ったプレミアムの300円が利益となるので合計200円の損失となり、合成ポジションの最大損失は200円です。

③損失も利益も限定されています。

④損益分岐点は、15,200円の1つです。

＜損益図＞

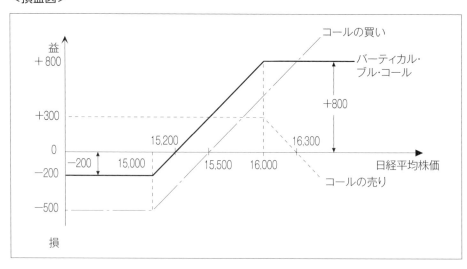

②バーティカル・ブル・プット・スプレッド　◉ 理解

<戦　略>原資産価格がやや上昇すると予想するとき、権利行使価格の高いプット・
オプションを売り、権利行使価格の低いプット・オプションを買う戦略。

<ケース>権利行使価格16,000円の日経225プット・オプションをプレミアム800円で
売り、権利行使価格15,000円の日経225プット・オプションをプレミアム
100円で買う場合。

<損益図の見方>

①日経平均株価が16,000円になった場合、プットの買いは、支払ったプレミアムの
100円が損失。プットの売りは、受け取ったプレミアムの800円が利益となるので合
計700円の利益となり、合成ポジションの最大利益は700円となります。

②日経平均株価が15,000円になった場合、プットの買いは、支払ったプレミアムの
100円が損失。プットの売りは、損益分岐点が15,200円となるため、200円の損失と
なり、合計300円の損失です。合成ポジションの最大損失は300円となります。

③損失も利益も限定されています。

④損益分岐点は、15,300円の1つです。

<損益図>

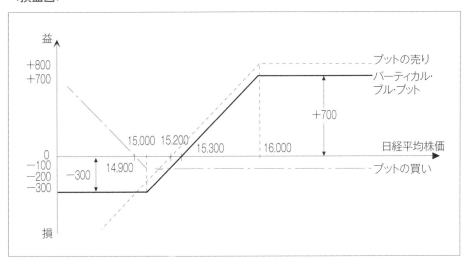

> バーティカル・ブル・スプレッドは、原資産価格がやや上
> 昇すると予想するときの戦略で、コールを用いる場合も、
> プットを用いる場合も、権利行使価格の高いオプションを
> 売り、権利行使価格の低いオプションを買う戦略です。

⑽　バーティカル・ベア・スプレッド

　バーティカル・ベア・スプレッドには、コール・オプションを用いる場合と、プット・オプションを用いる場合の2種類があります。コールを用いてもプットを用いても基本的に損益図は同じ形となります。

①バーティカル・ベア・コール・スプレッド　◉ **理解**

＜戦　略＞原資産価格がやや下落すると予想するとき、**権利行使価格の高いコール・オプションを買い、権利行使価格の低いコール・オプションを売る戦略。**

＜ケース＞権利行使価格16,000円の日経225コール・オプションをプレミアム100円で買い、権利行使価格15,000円の日経225コール・オプションをプレミアム800円で売る場合。

＜損益図の見方＞

①日経平均株価が15,000円になった場合、コールの買いは支払ったプレミアムの100円が損失。一方で、コールの売りは、受け取ったプレミアムの800円が利益となり、合計700円の利益となります。合成ポジションの最大利益は700円です。

②日経平均株価が16,000円になった場合、コールの買いは支払ったプレミアムの100円が損失。一方で、コールの売りは、損益分岐点が15,800円となり、損失は200円となります。したがって損失は合計で300円となり、合成ポジションの最大損失は300円です。

③損失も利益も**限定**されています。

④損益分岐点は、15,700円の1つです。

＜損益図＞

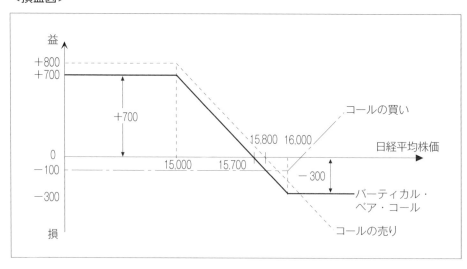

②バーティカル・ベア・プット・スプレッド　● 理解

<戦　略>**原資産価格がやや下落する**と予想するとき、**権利行使価格の高いプット・オプションを買い、権利行使価格の低いプット・オプションを売る**戦略。

<ケース>権利行使価格16,000円の日経225プット・オプションをプレミアム800円で買い、権利行使価格が15,000円の日経225プット・オプションをプレミアム500円で売る場合。

<損益図の見方>

①日経平均株価が15,000円になった場合、プットの買いは、損益分岐点が15,200円となるので200円の利益。一方で、プットの売りは、受け取ったプレミアムの500円が利益となり、合計700円の利益となります。合成ポジションの最大利益は700円です。

②日経平均株価が16,000円になった場合、プットの買いは、支払ったプレミアムの800円が損失。一方で、プットの売りは、受け取ったプレミアムの500円が利益となるので、合計300円の損失となります。合成ポジションの最大損失は300円です。

③損失も利益も**限定**されています。

④損益分岐点は、15,700円の**1つ**です。

<損益図>

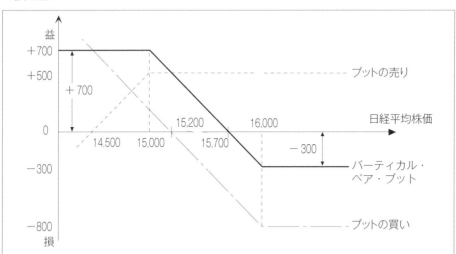

バーティカル・ベア・スプレッドは、原資産価格がやや下落すると予想するときの戦略で、コールを用いる場合も、プットを用いる場合も、権利行使価格の高いオプションを買い、権利行使価格の低いオプションを売る戦略です。

⑾ 合成先物

オプションを使って、あたかも先物のポジションを持ったかのようにすることができます。このポジションを**合成先物**といいます。合成先物には、合成先物の買いと合成先物の**売り**があります。 ☀ 重要

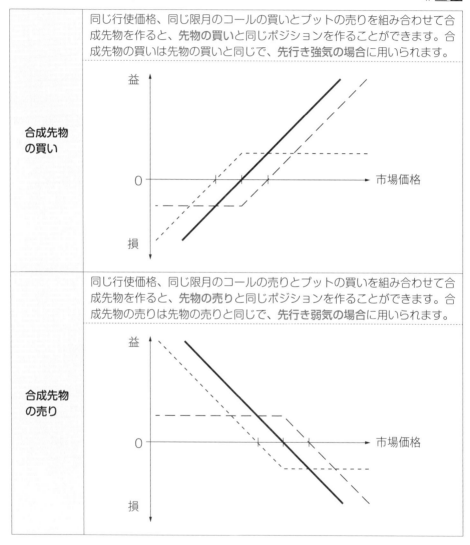

合成先物 の買い	同じ行使価格、同じ限月のコールの買いとプットの売りを組み合わせて合成先物を作ると、**先物の買いと同じポジション**を作ることができます。合成先物の買いは先物の買いと同じで、**先行き強気の場合**に用いられます。
合成先物 の売り	同じ行使価格、同じ限月のコールの売りとプットの買いを組み合わせて合成先物を作ると、**先物の売りと同じポジション**を作ることができます。合成先物の売りは先物の売りと同じで、**先行き弱気の場合**に用いられます。

①カバード・コール（バイ・ライト）	**＜戦　略＞**「原資産の買持ち＋コールの売り」で合成するポジション。保有する原資産の下落幅が小さいと予想するときに、コール・オプションを売却し、その受け取ったプレミアム分だけ保有する原資産の値下がりリスクを軽減します。 **＜損益図＞** 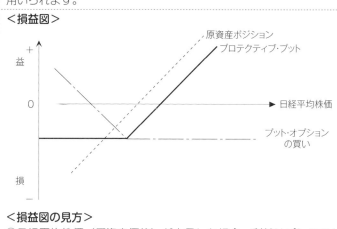 **＜損益図の見方＞** ①日経平均株価（原資産価格）が上昇した場合は、利益は限定されます。 ②日経平均株価が下落した場合は、プレミアムを受け取っているため、単なる原資産の買い持ちに比べて損失が軽減します。
②プロテクティブ・プット	**＜戦　略＞**「原資産の買持ち＋プットの買い」で合成するポジション。目先市場は調整局面になりそうだという予想に基づき、コストを支払ってもよいから**ダウンサイド・リスク**のヘッジをしたい投資者に用いられます。 **＜損益図＞** **＜損益図の見方＞** ①日経平均株価（原資産価格）が上昇した場合、利益はプレミアムを支払った分縮小する。 ②日経平均株価が下落した場合は、損失は限定される。

日本の株式関連オプションには、**株価指数オプション**と**有価証券オプション**（東証に上場する株式、ETFやREITを原資産とする）があり、すべて**大阪取引所**で取引されています。株価指数オプションは、日経平均株価指数オプション（日経225オプション）とTOPIXオプション（東証株価指数オプション）があります。

1 原資産

原資産とはオプション取引の対象となる資産のことです。

日経225 オプション	日経平均株価（日経225）
TOPIX オプション	東証株価指数（TOPIX）
有価証券 オプション	全国証券取引所上場有価証券から、**大阪取引所**（OSE）が選定する銘柄。

2 限月

限月とは、あるオプションの期限が満了となる月のことです。

日経225 オプション	6月と12月限の直近16限月と、3月と9月限の直近3限月に加え、その他の直近8限月
TOPIX オプション	6月と12月限の直近10限月と、3月と9月限の直近3限月に加え、その他の直近6限月
有価証券 オプション	直近の2限月及びそれ以外の3、6、9、12月のうち直近の2限月。 ※連続する4限月制ではないので注意が必要。例えば、現在4月であれば4月、5月、6月、9月の4限月となる。

＜参考＞日経225オプションには、上記の通常限月取引以外に週次設定限月取引（Weeklyオプション）があります。

3 取引最終日と新限月の取引開始日

日経225オプション、TOPIXオプション、有価証券オプションともに、**取引最終日**は各限月の**第2金曜日の前営業日**（第2金曜日及びその前日が休業日の場合は繰上げ）に終了する取引日です。また、**新限月の取引開始日は直近限月の取引最終日の翌営業日**です。

■オプション取引の取引最終日＜X年6月限の場合＞

月	火	水	木	金	土	日
1	2	3	4	5	6	7
8	9	10	11 取引最終日	SQ日 12 新限月開始日	13	14
15	16	17	18	19	20	21
22	23	24	25	26	27	28
29	30					

取引最終日は第2金曜日の前営業日

新限月の取引開始日は取引最終日の翌営業日

4 取引単位

日経225オプション	オプション価格（プレミアム）の1,000倍
TOPIXオプション	オプション価格（プレミアム）の10,000倍
有価証券オプション	対象株券による。

5 権利行使タイプ

日経225オプション、TOPIXオプション、有価証券オプションともに**満期日のみに権利行使可能なヨーロピアン・タイプ**です。

6　制限値幅

日経225オプション	定められた制限値幅がある。また、先物取引等の一時中断措置
TOPIXオプション	（サーキット・ブレーカー制度）がある。
有価証券オプション	対象株券の制限値幅による。

7　決済

　決済には、取引最終日前の反対売買と最終決済（権利行使）があります。最終決済は、指数オプションと有価証券オプションで異なります。

日経225オプション **TOPIXオプション**	・取引最終日前の反対売買と最終決済（権利行使）の2通りの方法がある。このほか、権利を放棄してオプションを消滅させることもできる。 ・最終決済は取引最終日の翌営業日に算出される特別清算数値（SQ）と権利行使価格の差額で決済される。 ・取引最終日までに反対売買によって決済されなかったイン・ザ・マネーの未決済建玉については、権利を放棄しない限り自動的に権利行使される（自動権利行使制度）。
有価証券オプション	・取引最終日前の反対売買による決済と最終決済（権利行使）の2通りの方法がある。このほか、権利を放棄してオプションを消滅させることもできる。 ・最終決済は、オプション対象証券の受渡しを行う受渡決済により決済される。 ・対象となる有価証券において、株式分割・併合等のコーポレートアクションが行われた場合は、権利行使価格、建玉及び受渡し単位の調整がなされる。 ・権利行使により成立するオプション対象証券の売買については、クリアリング機構が債務の引受けを行い、権利行使日から起算して4日目の日に、クリアリング機構において決済が行われる。

8　立会外取引

立会外取引とは、立会取引によらず、取引所の定める数量以上で同一限月取引の売付けと買付けを同時に行う取引です。

日経225オプション、TOPIXオプション、有価証券オプションともに可能です。

9　証拠金制度

日経225オプション、TOPIXオプション、有価証券オプションともに証拠金制度は、VaR（Value at Risk）方式（**参照** P384）が採用されています。

10　ギブアップ制度（**参照** P385）

日経225オプション、TOPIXオプション、有価証券オプションともに可能です。

11　委託手数料

日経225オプション TOPIXオプション	指数オプションの委託手数料は、オプションの買い、売り、買手の権利行使、権利行使を割り当てられた売手にかかる。
有価証券オプション	オプションの買い、売りの場合にかかる。なお、権利行使については、権利行使による原株の売付けまたは買付けに係る取引契約金額について、有価証券の売買の委託手数料が適用される。

・権利消滅の場合には、日経225オプション、TOPIXオプション、有価証券オプションともに委託手数料はかかりません。
・委託手数料は完全自由化されています（顧客と証券会社等（金融商品取引業者等）との合意により決定されます）。

■株式関連のオプション取引制度の概要

種類	日経225オプション	TOPIXオプション	有価証券オプション（株券オプション）
取引所	大阪取引所（OSE）		
原資産	日経平均株価（日経225）	東証株価指数（TOPIX）	全国証券取引所上場有価証券のうち、OSEが選定する銘柄
限月	6月と12月限の直近16限月と、3月と9月限の直近3限月に加え、その他の直近8限月	6月と12月限の直近10限月と、3月と9月限の直近3限月に加え、その他の直近6限月	直近の2限月及びそれ以外の3、6、9、12月のうち直近の2限月
取引最終日	各限月の第2金曜日の前営業日に終了する取引日		
新限月の取引開始日	直近の限月の取引最終日の翌営業日		
取引単位	1,000倍	10,000倍	対象株券による
権利行使タイプ	ヨーロピアン・タイプ		
制限値幅	定められた制限値幅がある。先物取引等の一時中断措置（サーキット・ブレーカー制度）がある。		対象株券をもとに定められている。
立会外取引	可能		
ギブアップ制度	可能		
顧客の証拠金	VaR（Value at Risk）方式		
	全額有価証券代用可。ただし、現金不足額に相当する額の証拠金は金銭で差入れさせる。		
	総額の不足額または現金不足額が生じた日の翌日（顧客が非居住者の場合は不足額が生じた日から起算して3日目の日）までの取引参加者等（証券会社等）が指定する日時までに差入れさせる。		

12 投資計算（株価指数オプション） 📊 計算

＜例題１＞

権利行使価格1,550ポイントのTOPIXコール・オプションを、プレミアム40ポイントで10単位買い建てるとともに、権利行使価格1,550ポイントの同プット・オプションを、プレミアム48ポイントで10単位買い建てた。満期時点において、TOPIXが1,700ポイントになった場合の損益を計算しなさい。

＜解答＞　損益図で判断する。

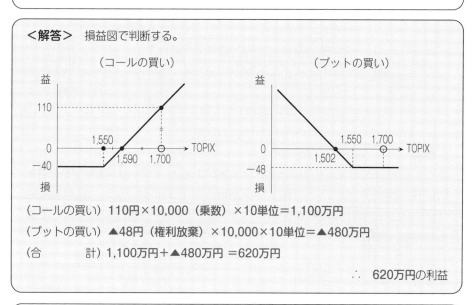

（コールの買い）110円×10,000（乗数）×10単位＝1,100万円

（プットの買い）▲48円（権利放棄）×10,000×10単位＝▲480万円

（合　　　計）1,100万円＋▲480万円 ＝620万円

∴　**620万円の利益**

＜例題２＞

権利行使価格18,000円の日経225オプションのコール・オプションを、プレミアム500円で10単位買い建てるとともに、権利行使価格18,000円のプット・オプションをプレミアム300円で10単位買い建てた。満期時点で、日経平均が17,500円になった場合の損益を計算しなさい。

（注）取引コストは考慮しないものとする。

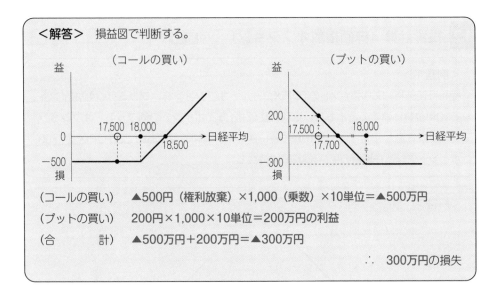

<解答> 損益図で判断する。

（コールの買い）　▲500円（権利放棄）×1,000（乗数）×10単位＝▲500万円

（プットの買い）　200円×1,000×10単位＝200万円の利益

（合　　計）　▲500万円＋200万円＝▲300万円

∴　300万円の損失

<例題3>

権利行使価格18,000円の日経225オプションのコール・オプションを、プレミアム600円で10単位売り建てるとともに、権利行使価格17,000円のプット・オプションをプレミアム200円で10単位売り建てた。満期時点で、日経平均が17,500円になった場合の損益を計算しなさい。

<解答> 損益図で判断する。

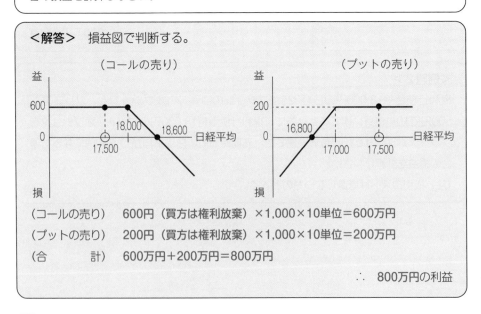

（コールの売り）　600円（買方は権利放棄）×1,000×10単位＝600万円

（プットの売り）　200円（買方は権利放棄）×1,000×10単位＝200万円

（合　　計）　600万円＋200万円＝800万円

∴　800万円の利益

＜例題4＞

ある顧客が、権利行使価格17,500円の日経225プット・オプションを、プレミアム250円で1単位売り建てるとともに、権利行使価格17,500円の同コール・オプションを、プレミアム300円で1単位売り建てた。この取引に関する記述として正しいものを2つ選びなさい。

（注）委託手数料、税金は考慮しない。

1. 満期時の日経平均株価が17,500円の場合に最大利益が生じる。
2. 最大損失は、プレミアムに限定される。
3. 最大利益は、50万円である。
4. このポジションは、ストラングルの売りと呼ばれている。
5. 損益分岐点は、16,950円と18,050円である。

＜解答＞ 1、5

1. ○ ストラドルの売りの戦略であり、権利行使価格で最大利益となるため正しい。
2. × 最大利益は受け取ったプレミアムの合計であり、最大損失は無限定である。
3. × 最大利益は55万円である。（250円＋300円）×1,000×1単位＝55万円
4. × 同じ権利行使価格（17,500円）のプットとコールを同じ数量売っているので、このポジションは、ストラドルの売りである。
5. ○ このポジションは、ストラドルの売りなので、当初プレミアムを合計550円受け取っており、損益分岐点は18,050円（17,500円＋550円）と16,950円（17,500円－550円）になる。

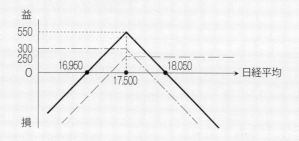

3節 債券オプション

現在、債券を対象としたオプション取引には、①国債先物オプション取引と②選択権付債券売買取引（債券店頭オプション取引）があります。市場デリバティブ取引にあたるのは国債先物オプション取引です。

1 国債先物オプション

長期国債先物オプションは取引最終日までの間いつでも権利行使ができる**アメリカン・タイプ**のオプションです。また、権利の放棄も可能です。

(1) 原資産

長期国債先物を原資産とする**長期国債先物オプション**のコール・オプションとプット・オプションが取引の対象となります。

(2) 長期国債先物オプションの特徴

- ●レディーメイド型である。
- ●権利行使すると、**長期国債先物取引**が成立する。

(3) 限月

長期国債先物オプションの限月は、原資産である長期国債先物に対応した３、６、９、12月限は直近２限月で、加えて**その他の限月**は最大で直近の２限月とされています。

(4) 取引最終日

取引最終日は、各限月の前月の**末日**に終了する取引日です。

(5) 取引単位

長期国債先物取引の**額面１億円分**が、オプションの売買単位となっています。

(6) 呼値の単位

長期国債先物取引の**額面100円につき１銭刻み（0.01円）**となっています。

⑺ 権利行使価格

　取引開始時に、権利行使対象先物限月取引の清算値段に近接する25銭刻みの設定基準価格を中心として上下20種類ずつ、合計41種類を設定します。その後、先物価格に応じて追加設定します。

⑻ 決済

　長期国債先物オプション取引では、取引最終日前の**反対売買**による決済と**最終決済（権利行使）**の2通りの決済方法があります。また、権利を放棄してオプションを消滅させることもできます。

　最終決済（権利行使）では、権利行使日の取引終了時刻に**長期国債先物取引**が成立します。

　取引最終日までに反対売買によって決済されなかったイン・ザ・マネーの未決済建玉は、権利を放棄しない限り自動的に権利行使されます。これを**自動権利行使制度**といいます。アウト・オブ・ザ・マネー銘柄については、その権利は消滅します。

⑼ 証拠金制度

　国債先物オプションの証拠金制度は、VaR（Value at Risk）方式（**参照** P384）が採用されています。

⑽ 委託手数料

①委託手数料は顧客と証券会社等（金融商品取引業者等）との合意により自由に決めることができます。

②売買以外の場合、すなわち権利行使あるいは権利消滅の場合には、委託手数料はかかりません。ただし、権利行使により発生した先物に対しては、先物売買に係る委託手数料が課されることになります。

国債先物オプション取引の原資産は国債先物です。現物の国債ではありません。

■長期国債先物オプション取引制度の概要

原資産	長期国債先物
取引所	大阪取引所
限月取引	3、6、9、12月限：直近2限月
	その他の限月：最大で直近の2限月
取引最終日	各限月の前月の末日に終了する取引日
取引単位	長期国債先物取引の額面1億円分
呼値の単位	長期国債先物取引の額面100円につき1銭（0.01円）
制限値幅	制限値幅が定められている。 先物取引等の一時中断措置（サーキット・ブレーカー制度）あり。
権利行使の タイプ	アメリカン・タイプ（取引開始日から取引最終日まで権利行使可能）
権利行使価格	取引開始時に、権利行使対象先物限月取引の清算値段に近接する25銭刻みの設定基準価格を中心として上下20種類ずつ、合計41種類を設定する。その後、先物価格の変動等に応じて追加設定。
権利行使期間	定められた期間までに権利行使されなかった場合、その権利は消滅する。ただし、取引最終日にイン・ザ・マネー銘柄であるものは、権利行使があったものとして**自動権利行使**（権利行使の意思を表さなくても自動的に権利行使される制度）される。
顧客の証拠金	VaR（Value at Risk）方式
	全額有価証券代用可。ただし、現金不足額に相当する額の証拠金は金銭で差入れさせる。
	総額の不足額または現金不足額が生じた日の翌営業日（顧客が非居住者の場合は不足額が生じた日から起算して3営業日目の日）までの取引参加者等が指定する日時までに差入れさせる。

2 選択権付債券売買取引（債券店頭オプション取引）

(1) 選択権付債券売買取引の特徴

- ●取引条件は当事者で自由に取り決めることができる（オーダーメイド型）。
- ●権利行使をする場合、現物の債券の受渡しを伴う。

(2) 売買対象証券

　国債、地方債、政府保証債、社債（**新株予約権付社債券は除く**）、外国債券等が対象となっています。

(3) 取引期間 ＊重要

　取引期間とは、契約日から対象債券の受渡日までの期間のことで、当事者間で1年3か月以内の範囲であれば、個別の取引ごとに自由に期間を定めることができます（実際には比較的短期の取引が多くなっています）。

(4) 売買単位

　売買対象証券である債券の額面1億円（外貨建債券の場合には、1億円相当額）が取引の最低売買額面金額となっています。

(5) 権利行使の方法

　オプションの保有者（買方）が、選択権付与者（売方）に債券の受渡日を通知することで、権利行使を行います。この場合、債券の受渡しが実行されます。

　また、行使期間中に権利行使されなかった場合は、そのオプションは失効（権利は消滅）します（イン・ザ・マネーの場合でも自動権利行使はありません）。

(6) 証拠金

　特定投資家以外の投資家が選択権付与者（売方）になる場合には、証拠金が必要となります。証拠金額は「**選択権料＋対象債券の額面の5％**」以上で、原則として**取引契約日から起算して3営業日目の日の正午**までに、選択権保有者（買方）に差し入れなければなりません。この証拠金は、全額有価証券で代用できます。

商品先物オプション取引の制度概要

1 商品先物オプション取引の制度概要

大阪取引所（OSE）で取引されている商品先物オプション取引は、金先物オプション取引です。制度概要は以下のとおりです。

商品名	金先物オプション
原資産	金標準先物
限月	2、4、6、8、10、12月限 取引開始日の属する月の翌月以降における直近6限月
権利行使タイプ	ヨーロピアン・タイプ
取引最終日	金標準取引の取引最終日の終了する日の前営業日（日中立会まで）
最終決済方法	差金決済

2 金先物オプション取引における決済

金先物オプション取引における決済は、取引最終日前の反対売買と最終決済（権利行使）の2通りがあります。このほか、権利を放棄してオプションを消滅させることもできます。

最終決済は、オプション清算数値（取引最終日の翌営業日における限月を同一とする金標準先物の日中立会始値）と権利行使価格の差額で決済されます。

取引最終日までに反対売買によって決済されなかったイン・ザ・マネーの未決済建玉については、権利を放棄しない限り、自動的に権利行使されます（自動権利行使制度）。

18章

特定店頭デリバティブ取引等

　まずはデリバティブ取引の特徴やリスクについての理解が重要です。スワップ取引については、スワップ取引の定義が問われます。また、受払金額の計算が出題されますので必ず解けるようにしておきましょう。

　店頭デリバティブ取引においては、まんべんなく出題されます。○×問題では、主語と述語を入れ替えた出題が多く、正確に覚えておかないと得点できません。金利スワップ及び通貨スワップについては、概要とケースをしっかりと押さえておいてください。クレジット・デフォルト・スワップは特に狙われやすく、穴埋めや設例による出題がありますので、概要とケースを押さえて問題を解いておきましょう。天候デリバティブについては、「日本における天候デリバティブ」のケースが重要です。テキストの設例でしっかり身につけてください。

　また、地震オプションはその定義と効果が重要です。

推定配点&出題形式

○×問題：5問（10点）

5肢選択問題：2問（20点）

計**30**点／440点満点中

※配点・出題形式についてはフィナンシャル バンク インスティチュートの推定です。

1 原資産・参照指標

　デリバティブ取引の具体的な内容は、金融商品・金融指標に基づく先物取引、オプション取引、スワップ取引及びクレジット・デリバティブ取引等で、その対象には有価証券関連以外の金利、通貨（外国為替）、クレジット、天候などが含まれます。

2 デリバティブ取引のリスク

　デリバティブ取引により不測の損失を被る可能性もあります。そのため、取引にかかわるリスク管理が重要です。

　デリバティブのリスクの種類を分類すると、以下のようになります。

市場リスク（マーケット・リスク）	市場価格、金利、為替レートといった、予見不能あるいは、確率的に変動するリスク
信用リスク（カウンターパーティ・リスク）	取引相手が倒産するなど信用力の予期しない変化に関連して、価格が確率的に変化するリスク
流動性リスク	ポジションを解消する際、十分な出来高がなく取引できないリスクあるいは潜在的にかかるアンワインド・コスト（反対売買を行う時にかかるコスト）など
オペレーショナル・リスク	犯罪、システムトラブル、トレーディングミスなどのリスク
システミック・リスク	マーケット全体の流動性の崩壊や、金融機関の連鎖倒産などのリスク
複雑性リスク	時価評価でのモデル・リスク、パラメータ・リスク、規制や制度変更対応のリスク

　市場デリバティブ取引では、市場リスク及びオペレーショナル・リスクが特に重要視されます。

⑴　市場リスク（マーケット・リスク）

　マーケット（市場）・リスクとは、市場価格やファクター（金利、為替レート等）の変動から生じるリスクです。

　どのくらい市場リスクにさらされているかという点では、ペイオフ（受取金額）や関連する条項が同一であれば、市場デリバティブと店頭デリバティブの両者の市場リ

スクに違いはありません。

(2) 信用リスク（カウンターパーティ・リスク）

　カウンターパーティとは、デリバティブ取引における取引の相手方のことをいいます。そのカウンターパーティの信用リスクがカウンターパーティ・リスクです。

　市場デリバティブには証拠金や追証（マージンコール）などの制度が整備されているため、取引先の信用リスクであるカウンターパーティ・リスクを考慮する必要はほとんどないといえます。一方、店頭デリバティブは、相対取引であるため、必然的にカウンターパーティ・リスクにさらされます。取引先がデフォルト（破綻）に陥った場合に被る損失という潜在的なカウンターパーティ・リスクが存在するのです。

(3) 流動性リスク

　一般に、市場デリバティブにおいては基本的（プレーン・バニラ）なオプションが用いられるケースが大半を占めます。そのため、市場流動性は店頭デリバティブより市場デリバティブのほうが高いといえます。

　一方、店頭デリバティブでは、顧客ニーズに沿った商品設計などオーダーメイド的な要素を含んだオプション（エキゾティック・オプション）が多いため、流動性は市場デリバティブに比べて低いといえます。

(4) オペレーショナル・リスク

　オペレーショナル・リスクとは、業務活動に係る包括的なリスクをいいます。すなわち、内部プロセス、人、システムが不適切であることや、機能不全、または外生的事象に起因する損失にかかわるリスクです。

　これを細分化すると、法令違反によるリスク（法務リスク）、不正行為や業務ミスによるリスク（事務リスク）、システム・トラブルやハッキングによるリスク（システム・リスク）、火災や地震などの風水害（被災リスク）、風評により会社の評判が傷つけられることによるリスク（風評リスク）などです。

3 スワップ取引

(1) スワップ取引

　契約の当事者である二者間で、スタート日付から満期までの**一定間隔の支払日**（ペイメント日）に**キャッシュ・フロー**（変動金利と固定金利など）を交換する取引をスワップ取引といいます。店頭デリバティブの中で最も一般的に扱われています。

　スワップ取引は必ずしも元本の交換を伴わないため、一般的にスワップ取引の規模を想定元本として表示します。

　スワップ取引は、金融指標別の分類では、金利スワップ、通貨スワップ、クレジット・デフォルト・スワップ（CDS）、トータル・リターン・スワップ（TRS）、エクイティ・スワップ、保険スワップなどに分かれます。

　先物やオプションが上場物として取引所で取引されるのとは対照的に、スワップは、店頭物（OTC）しかありません。スワップは相対取引であり、債券のように売買取引によって第三者に譲渡される前提のものではないので、経過利子という概念もありません。

(2) ベンチマークとして用いられる金利

　店頭デリバティブでは、2021年後半までほとんど円、ドル、ユーロのLIBORやスワップ金利がベンチマークとして参照されていましたが、LIBORというベンチマーク金利は廃止（恒久的に公表停止）されました。

　短期金利（期間が1年未満）には、LIBORやTIBORがあります。LIBOR（London Inter-bank Offered Rate）とはロンドンにおける銀行間貸出金利であり、ライボーと呼びます。TIBOR（Tokyo Inter-Bank Offered Rate）とは、東京における銀行間貸出金利であり、タイボーと呼びます。

　短期金利には、O／N（オーバーナイト）、1W（1週間）、1M（1か月）、1Y（1年）など様々な種類があります。

　また、金利の表示法で用いる**Act**とは「アクチュアル（Actual）」の略で、カレンダー上の**実日数**を意味しています。分母の数字は1年間を何日とみなしているかを表しています。これをもとに年数が計算され、これに年率表示でのレート及び額面を乗じることで、受払いされる金額が計算されます。

（実際の）受払金額＝額面×レート（年率表示）×年数（比率）

※受払金額は、借入金があれば利払い金額、貸付金があれば利息を受け取る金額です

スワップ等の店頭デリバティブ取引での参照金利は、原則として、廃止されたLIBORからRFR（リスクフリーレート）に移行されます。日本ではTONA（無担保O/N金利）です。

<設例> 🖩 計算

前回リセットされたユーロ円6M LIBOR（6か月LIBOR）が0.84%（Act 360）であり、前回から次の支払日までの実日数が183日（利払間隔は半年間）であったとする。借入額が1億円であったとすると、受払金額はいくらになるか？

<解答>

$$受払金額＝1億円×0.84\%×\frac{183日}{360日}＝427,000円$$

特定店頭デリバティブ取引等

1節 ■ デリバティブ取引の基礎

2節 デリバティブ取引の規制

重要度 ★★★　問題集 P412

1 金融商品取引法の規制

　金融商品取引法に規定されているデリバティブ取引に関する主な注意点は、次のとおりです。

> ・第一種金融商品取引業を行う業者については、**自己資本規制**が課せられている。店頭デリバティブでは、特に高い専門性を要求され、リスクも高いため、扱うには第一種金融商品取引業登録が必要とされる。
> ・経済統計（GDP、CPI）などは金融指標の範疇に入るが、商品指数、地震、排出権、不動産などは必ずしも金融指標に属さない。
> ・特定有価証券等に係る売買のほかに、**特定有価証券等に係るデリバティブ取引**（CDS等のクレジット・デリバティブ）も内部者取引（インサイダー取引）規制の対象となる。

2 日本証券業協会の自主規制

　日本証券業協会の**自主規制の対象となる店頭デリバティブ取引**は以下のとおりです。

> ①有価証券関連店頭デリバティブ
> 　・エクイティ・デリバティブ
> ②特定店頭デリバティブ等
> 　・金利デリバティブ ⎫ 店頭金融先物取引等及び通貨指標オプション
> 　・為替デリバティブ ⎭ 取引にあたるものを除く
> 　・クレジット・デリバティブ
> 　・天候デリバティブ、災害デリバティブ　など

> 上記のうち、エクイティ・デリバティブを除いたものが「特定店頭デリバティブ等」です。

　日本での店頭デリバティブの取引規模（想定元本残高）は、取引所で取引される市場デリバティブを大きく上回っています。

　店頭デリバティブを原資産の面から整理すると以下の6種類に大別されます。

> ①エクイティ・デリバティブ　　④クレジット・デリバティブ
> ②金利デリバティブ　　　　　　⑤コモディティ・デリバティブ
> ③為替デリバティブ　　　　　　⑥天候デリバティブ、災害デリバティブ

　なお、本節では従来どおりLIBORを参照金利とした例で解説していますが、LIBOR廃止後は参照金利として用いられません。

1 エクイティ・デリバティブ

　個別株式の株価や株価指数の変動リスクを内包したデリバティブを総称して、エクイティ・デリバティブといいます。

(1) エクイティ・スワップ

　エクイティ・スワップとは、トータル・リターン・スワップ（TRS）の1つで、参照指標がエクイティ（株価指数や個別株価）のTRSをいいます。エクイティ・スワップは、投資家（金融機関）と証券会社が**変動金利**と**株価指数（個別株価）のパフォーマンス**を交換するスワップ取引です。

　投資家は、証券会社に変動金利を支払う一方、株価指数（個別株）の上昇率を証券会社から受け取ることができます。なお、株価指数（個別株価）が下落した場合は、投資家が当該下落率を証券会社に支払います。受払いはネット（差金）で行われるため、投資家は、少ない資金で株価指数（個別株）への投資と同様の経済効果が得ることができます。

また、投資家が証券会社から変動金利を受け取り、証券会社に株価指数（個別株）

の上昇率を支払うスキームもあります。この場合、投資家は、保有する株価指数（個別株）の価格下落リスクをヘッジする効果が得られます。

⑵　個別証券オプション、指数オプション

　個別証券オプション、指数オプションのスキームは、取引所に上場しているオプションと基本的には同じですが、「取引所にオプションが上場されていない銘柄のオプション」や「期間の長いオプション」などを含む、取引者のニーズに基づいた個別性の強い取引となっています。

⑶　バリアンス・スワップ

　バリアンス・スワップとは、投資家（金融機関）と証券会社が、日経平均株価等の株価指数（または個別株価）の価格変動性の実現値と固定価格を交換するスワップ取引（フォワード取引ともいえる）です。

2　金利デリバティブ

　店頭デリバティブの残高合計（想定元本ベース）のうち最大（7割ほど）を占めているのが、金利デリバティブです。その中でも最も基本的といえるものが金利スワップです。他に、キャップ、フロアやスワップションがあります。

⑴　金利スワップ

「金利スワップ」とは、取引者Aと取引者Bが、同一通貨間で、変動金利と固定金利、変動金利と異種の変動金利、固定金利もしくは変動金利と一定のインデックス（参照指標）を交換する取引です。元本の交換は行われません。当然、同一通貨では固定金利同士を交換する金利スワップは存在しません。

　固定金利と変動金利を交換するスワップは最も基本的な金利スワップなので、プレーン・バニラ・スワップと呼びます。

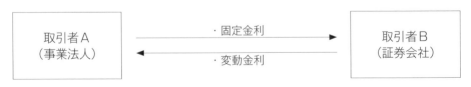

> **＜金利スワップ取引の例＞**
>
> 変動金利借入を行っている事業法人が、将来の金利上昇に伴う利払い負担増加リスクのヘッジのために、証券会社との間で固定金利払い・変動金利受けの金利スワップ取引を行い、調達コストを固定化する。証券会社は、必要に応じて業者間でヘッジ取引を行う。

変動金利と異種の変動金利のスワップとしてよく使われるものに**テナー・スワップ**があります。テナー・スワップとは、同一通貨の期間の異なる変動金利を交換するスワップ取引です。

⑵ キャップ（Cap）

キャップとは変動金利を対象としたコール・オプション取引です。買い手は、キャップのプレミアム（オプション料）を支払うことで、LIBOR等が一定水準（ストライクレート、行使レートという）を上回った場合は、当該差額を売り手から受け取ることができ、これにより**金利上昇リスク**のヘッジが可能となります。

買い手	・オプション料（プレミアム）→ ←・LIBOR等が一定水準を上回った場合、 「売り手」はその差額を「買い手」に 支払う	売り手

⑶ フロア（Floor）

キャップは**将来の市場金利上昇に備えるヘッジ取引**ですが、それに対して、フロアは**将来の市場金利低下による保有金利資産の受取金利収入の減少に備えるヘッジ取引**です。買い手は、オプション料を支払う代わりに、LIBOR等が一定水準（ストライクレート）を下回った場合は、差額を売り手から受け取ることができ、これにより**金利下落リスク**のヘッジが可能となります。

買い手	・オプション料（プレミアム）→ ←・LIBOR等が一定水準を下回った場合、 「売り手」は、その差額を「買い手」 に支払う	売り手

⑷　スワップション

　スワップションとは、将来スタートするスワップを行う「権利」を売買するオプション取引のことです。買い手にとっては期初にプレミアムを支払うだけで、将来の一定期間にわたり金利スワップを行う場合の条件（固定レートなど）を保証する効果があります。

　スワップションでは、契約で定めた将来スタートするスワップ取引における固定レートがストライクレート（行使レート）です。スワップションの種類には、対象となるスワップが固定受け・変動払いのもの（レシーバーズ・スワップション）と、固定払い・変動受けのもの（ペイヤーズ・スワップション）の2種類があります。

3　為替デリバティブ

⑴　通貨スワップ（クロス・カレンシー・スワップ）

　通貨スワップとは、取引者Aと取引者Bが、**異なる通貨のキャッシュフロー（元本及び金利）を、あらかじめ合意した為替レートで交換する取引**です。元本交換は契約期間の期初・期末にあります（期初と期末では反対）。また、元本交換のない、金利の交換のみを行う場合は「クーポンスワップ」と呼ばれています。

＜通貨スワップ取引の例＞

　外債など外貨建資産を持つ事業法人が、円建ての受取金額を確定させるために（＝将来の円高に対するヘッジのために）、銀行等との間で通貨スワップ取引を行う場合が考えられる。①外貨建資産取得時においては元本を交換し、②外貨建資産の利払い時においては金利の交換を行い、③償還時には再度元本の交換を行う。

金利スワップ、通貨スワップ及びクーポンスワップについては、通貨が同一か異なるか、元本交換があるかないかを整理しておきましょう。

	通貨	元本交換
金利スワップ	同一	なし
通貨スワップ	異なる	あり
クーポンスワップ	異なる	なし

なお、変動金利同士の受け払いのスワップを**ベーシス・スワップ**といいます。代表的なものは以下のとおりです。

異通貨間の期間が同じ変動金利の受け払いの通貨スワップ	円 LIBOR 3M±α受取・米ドルLIBOR 3M支払
同一通貨間の期間が異なる変動金利の受け払いのテナー・スワップ	円 LIBOR 3M±α受取・円LIBOR 6M支払

※このαをベーシス（年限毎に一定水準）と呼び、通常bp（1bpは1/100%）単位で表します。

4 クレジット・デリバティブ

クレジット・デリバティブとはクレジット・リスク（信用リスク）を移転させるデリバティブで、主なものにTRS、CDSやCDOがあります。

(1) トータル・リターン・スワップ（TRS：Total Return Swap）

TRSは、**プロテクション（保証）の買い手**（プロテクション・バイヤー：保証を受ける側）が、取引期間中、**プロテクションの売り手**（プロテクション・セラー：保証をする側）に社債等の参照資産から生ずるクーポン及び値上がり益（キャピタル・ゲイン）を支払い、代わりに値下がり分（キャピタル・ロス）及び想定元本に対して計算される短期金利（LIBOR＋スプレッドα）を受け取るスワップ取引です。

```
                ・社債等のクーポン
                ・社債等の評価益（評価損の場合、
                  セラーがバイヤーに補償をする）
┌──────────┐  ─────────────────→   ┌──────────┐
│ プロテクション・ │                          │ プロテクション・ │
│   バイヤー    │  ←─────────────────   │    セラー    │
└──────────┘    ・短期金利（LIBOR等＋α）    └──────────┘
```

TRSは広い概念ですので、クレジット・デリバティブ以外での利用もあります。エクイティ・スワップと同様に、期初の初期投資額も期末の元本償還もありません。また、取引期間中に社債等（参照資産）のデフォルトが生じた場合、プロテクション・セラーは**額面で当該資産を引き取る**ことで、プロテクション・バイヤーの評価損を補

償します。

　プロテクション・バイヤーには、社債等を保有したまま売却した場合と同様の経済効果が得られる（社債等の信用リスクのみならず、すべてのリスクがプロテクション・セラーに移転する）メリットがあります。一方、プロテクション・セラーは、資金の受払いはネットで行われるので、少ない資金負担で社債等を保有した場合と同様の経済効果が得られます。

⑵　クレジット・デフォルト・スワップ（CDS：Credit Default Swap）

　CDSは、**クレジット・イベント**（信用事由、この場合デフォルト）**が発生したとき、ペイオフが発生するデリバティブです**。**プロテクションの買い手**（プロテクション・バイヤー：信用リスクをヘッジする側）**が売り手**（プロテクション・セラー：信用リスクを取る側）**に対して定期的に固定金利**（プレミアムまたは保険料ともいう）**を支払います。**その見返りとして、**契約期間中**（通常５年）**に参照企業にクレジット・イベント**（信用事由）**が発生した場合に、買い手は損失に相当する金額を売り手から受け取ることができるという取引です。**

　個別の債券がデフォルトしたときの決済方法は、その債券が売り手に引き渡されるか（**現物決済**）または**差金決済**です。信用事由が発生しなかった場合はそのまま取引が終了し、支払われたプレミアムは**掛捨て**になります。

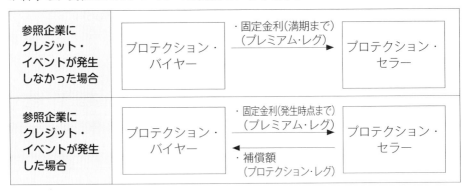

　参照組織が企業であるCDSの場合、プロテクション・バイヤーは、定期的に固定金利を支払う代わりに参照企業の信用リスクを補償してもらえます。

　一方、プロテクション・セラーは、プレミアムを利益として得られます。参照企業にクレジット・イベントが発生した場合は、その分の補償額を支払うことになります。そのため、プレミアムは参照企業のクレジット（信用力）により決まるといえますが、カウンターパーティ・リスクにも影響されます。

CDSでは参照組織がデフォルトするか、満期を迎えるまで、一種の保険料のようにCDSプレミアムを支払い続けます。これを**プレミアム・レグ**といいます。デフォルトが発生した場合は、プロテクション・セラーが損失を補償しますが、これを**プロテクション・レグ**といいます。

なお、CDSの信用事由の具体的な要件は、**取引当事者間の合意**で決められます。

(3)　CDO（Collateralized Debt Obligation）

CDOは証券化商品の一種で、ローン債権や債券（社債）、あるいはCDSを多数集めてプールしたポートフォリオを裏付けに（担保資産として）発行される証券のことです。

5　天候デリバティブ・災害デリバティブ（保険デリバティブ）

天候デリバティブや災害デリバティブといった保険デリバティブは、プレミアムを保険料とみなすことで、保険に近い経済効果を得られますが、保険と異なり、**実損填補**を目的としていないため、一定の条件が満たされれば、**実際に損害が発生しなくて**も損害保険会社から決済金（ペイオフ）が支払われます。そのため、異常気象等と損害の因果関係や、損害金額に関する調査が不要であり、利便性が高いといえます。

以下、天候デリバティブと災害デリバティブについて学習します。

(1)　天候デリバティブ　※重要

天候デリバティブ（weather derivative）とは、オプションの「買い手」（顧客）からみて、**異常気象や天候不順**などを原因とする営業利益の減少リスクを削減するためのリスクヘッジ商品です。

買い手	・オプション料（プレミアム） → ← ・気象に関する指標が、あらかじめ約定した条件に合致するように変動した場合に、決済金を支払う	損保

①　日本における天候デリバティブ

天候デリバティブにおいては、気温や降水量、降雪量といった様々な参照指標が使われますが、日本で契約されている多くの天候デリバティブは、降雪日数や降雨日数を参照指標（金融指標）としたものです。

> **＜降雪によって来客数が減少するおそれのある小売業（衣料品）の場合＞**
> 契約目的：降雪日数が平年に比べ多い場合の売上減少リスクのヘッジ
> 観測期間：1月1日〜3月31日（3か月）
> 観測対象日：観測期間中の土曜日、日曜日、祝日（合計31日）
> 観測指標：降雪量（対象日のうち、5cm以上の降雪があった日数。以下、降雪日数）
> ストライク値：3日
> 補償金額：1日当たり100万円
> 補償金受取総額上限：1,000万円
> ペイオフ：降雪日数がストライク値（3日）を上回る場合に、「（降雪日数−ストラ
> 　　　　　イク値）×補償金額（1日当たり100万円）」が、補償金受取総額上限
> 　　　　　（1,000万円）を限度に支払われる。降雪日数がストライク値に等しいか、
> 　　　　　それを下回る場合には支払金額は0である。
>
> 　　ペイオフ＝min｛max（降雪日数−3，0）×100万円，1000万円｝
>
>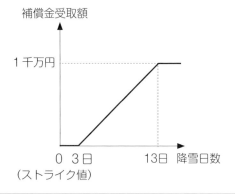

② CDD・HDD

　世界における天候デリバティブは、CME（シカゴ・マーカンタイル取引所）の上場物もありますが、**大多数は相対取引**です。世界中で、特に米国で一般的に扱われている天候デリバティブは、CDD（Cooling Degree Day）やHDD（Heating Degree Day）という指標をもとにした先物やスワップ、オプションです。

⑵ 災害デリバティブ

　大規模災害（カタストロフィ）についての災害デリバティブは、数十年や数百年に一度発生する大震災など、非常にまれな事象（レア・イベント）を対象としたものです。これも少数の法則に支配され、分散化が効きにくいですが、天候デリバティブ以上に、損害保険に近いといえます。

① 地震オプション

　地震オプションは、地震による売上の減少や損害の発生に対するリスクヘッジ商品です。保険と異なり、**実損塡補を目的としていないため、損害が発生していなくても決済金（ペイオフ）が支払われます。**そのため、地震と実損の因果関係や損害金額に関する調査が不要であり利便性が高いといえます。

　ただし、地震オプションの買い手である顧客にとっては「**決済金では実際の損害金額をカバーできないリスク**」や「**取引相手である損保の信用リスク**」（損保の信用状態の悪化等によって顧客の権利行使に応じられなくなるリスク）が存在します。この場合、買い手は、「契約が履行されていれば得られていたであろう利益」を逸失することとなるほか、払い込んだオプション料を失う可能性があります。

② CATボンド（CAT債）

　CAT（Catastrophe）ボンドは、高めのクーポンを投資家に支払う代わりに、元本毀損リスクを背負ってもらう仕組債です。

索　引

欧文

あ

452

索引

索引

457

た

な

索引

■■ 編者紹介

フィナンシャル バンク インスティチュート 株式会社

　全国の証券会社・金融機関に資格取得（証券外務員・FP）の研修、金融商品の販売研修を
行う、日本唯一の金融・証券関連ノウハウ・コンサルティング集団。試験の分析とポイント
をついた講義に定評があり、高い合格率を誇る。「難しいことをわかりやすく、わかりやす
いことをより楽しく、楽しいことをより深く伝える」ことをモットーに研修、書籍の執筆な
どを行っている。
http://www.f-bank.co.jp/

うかる！ 証券外務員一種 必修テキスト 2024-2025年版

2024年 9 月 4 日 1 刷

編　者　フィナンシャル バンク インスティチュート株式会社
　　　　© Financial Bank Institute, 2024
発行者　中川ヒロミ
発　行　株式会社日経BP
　　　　日本経済新聞出版
発　売　株式会社日経BP マーケティング
　　　　〒105-8308　東京都港区虎ノ門4-3-12
装　丁　斉藤よしのぶ
イラスト　此林ミサ
ＤＴＰ　マーリンクレイン
印刷・製本　三松堂
ISBN978-4-296-12100-7